KB182789

부동산 부자들의
절세비법

부동산 부자들의 절세비법

2017년 4월 11일 초판 발행
2021년 3월 2일 2판 발행

지 은 이 | 피광준 · 신정기
발 행 인 | 이희태
발 행 처 | 삼일인포마인
등록번호 | 1995. 6. 26 제3－633호
주　　소 | 서울특별시 용산구 한강대로 273 용산빌딩 4층
전　　화 | 02)3489－3100
팩　　스 | 02)3489－3141
가　　격 | 19,000원

ISBN　978－89－5942－938－7　13320

부자들의 부동산 세금 시크릿

부동산 부자들의 절세비법

피광준 · 신정기 지음

SAMIL | 삼일인포마인

머리말

우리나라 중산층 이상의 국민이 소유하고 있는 재산 중 대부분은 부동산이며, 그 부동산은 양도·상속 및 증여 등으로 소유권이 이전되는 경우뿐만 아니라, 보유하는 중에도 세금 문제가 발생한다.

부동산에 관련한 대표적인 세금은 소유권의 이전 내용에 따라 과세하는 양도소득세·상속세 및 증여세·취득세와 부동산을 보유에 따라 과세하는 재산세, 전국에 주택 등의 합산액이 일정금액을 초과하는 분에 대해 과세하는 종합부동산세가 있다. 이들은 우리의 일상생활과 필연적이고 밀접한 세금이다.

최근 부동산 경기의 급등으로 실수요가 아닌 재산증식으로 악용되어 선의의 주택 실수요자를 보호하고, 투기수요를 억제시키기 위한 정책의 일환으로 국민경제에 미치는 영향등을 고려하여 부동산 관련 세제를 조세정책적 목적으로 수시 변경하고 있으나, 납세자에게는 늘 어려운 과제를 안고 있다.

본서는 다주택자 등의 복잡한 부동산관련 세법 내용을 쉽게 보급하기 위해 처음 읽혀지는 독자와 부동산관련 세금에 관심이 있는 독자들을 위해 입법취지, 간결한 설명, 질의 답변 및 예규 등의 사례 중심으로 다음과 같이 풀이 하여 이해를 증진시켰다.

① 일상생활에서 흔히 발생하는 세금 중 복잡하고 어려운 부동산 관련 세금내용을 간결한 제목과 설명으로 편집하였으며,

② 부족한 내용은 □**보충설명**으로 해당 세법 설명을 보완하였고,

③ 실무중심으로 다양한 질의·답변을 통해 궁금한 내용을 보충하고, 예규·판례 등의 내용을 수록하였으며,

④ 유사 예규 및 판례 등을 □**관련예규** 등으로 별도 보완하였으며,

⑤ 2021년 개정 세법내용을 반영하였다.

그리고 본서의 구성은 다음과 같이 편제하였다.

제1편 양도소득세
제2편 상속세 및 증여세
　제1장 상속세
　제2장 증여세
　제3장 상속세 및 증여세의 기한 후 신고
　제4장 상속세 및 증여세의 수정신고 및 경정 등 청구
　제5장 상속세 및 증여세를 부과할 수 있는 기간
　제6장 상속세 및 증여세의 가산세
　제7장 상속세 및 증여세법상 부동산 평가
제3편 지방세
　제1장 취득세
　제2장 재산세
　제3장 취득세 및 재산세의 구제제도
제4편 종합부동산세

위 편제에 따라 누구나 알기 쉽게 습득할 수 있는 세법지식을 최선을 다해 출간했으나, 미흡한 점 선배·독자제현의 지도편달과 성원에 힘입어 앞으로 계속하여 보완할 것을 약속한다.

본서의 초판 출간하기까지 필자를 아껴주시고 보살펴주신 지금은 고인이 되신, 공인회계사 신찬수 회장님에게 이 기회를 빌려 감사를 드리며, 이 책의 간행에 수고를 아끼지 않은 이희태 대표이사님과 조원오 전무님 그리고 조윤식 이사님, 편집부 직원에게 심심한 감사를 드린다.

끝으로 본서의 출간을 위해 원고를 정리해준 큰딸 연서에게 고마움을 전한다.

2021년 2월

저자

차례

제1편 양도소득세 / 13

01 양도소득세란? / 15

02 토지 · 건물 · 조합원입주권 및 일반분양권 등을 팔면 양도소득세가 과세된다 / 16

03 부동산을 양도하면 어떤 경우에 사업소득 또는 양도소득으로 세금이 과세되나요? / 18

04 부동산 취득 또는 양도 시 유의사항 / 21

05 양도소득세 납세의무자는 누구인가요? / 23

06 양도소득세의 납세지 및 과세관할(관할 세무서)은 어느 곳으로 하나요? / 29

07 신탁재산 · 신탁수익권을 양도하면 어떻게 양도소득세가 과세되나요? / 31

08 양도소득세가 과세되는 거래유형은 어떤 것이 있나요? / 32

09 양도소득세가 과세되지 않는 거래유형은 어떤 것이 있나요? / 38

10 양도소득세의 부과제척기간과 징수권의 소멸시효기간 적용은 어떻게 다른가요? / 44

11 양도소득세의 억울한 처분을 구제받기 위해 마련된 과세전적부심사제도를 적극 활용하여라 / 47

12 부담부증여를 하면 증여자와 수증자에게 어떤 세금이 과세되나요? / 49

13 배우자 또는 직계존비속에게 부동산을 양도하면 어떤 세금이 과세되나요? / 51

차례

14 양도소득을 부당하게 감소시키기 위해 특수관계인 간 고가 매입 · 저가 양도를 하면 어떤 세금이 과세되나요? / 54

15 양도한 부동산의 양도시기 또는 취득시기를 명확히 하면 세금이 절약된다 / 64

16 신축 · 증축한 건물을 5년 이내에 양도하면 어떤 불이익이 있나요? / 70

17 양도가액을 명확히 계산하면 세금을 절약할 수 있다 / 71

18 취득가액을 명확히 계산하면 세금을 절약할 수 있다 / 74

19 배우자 또는 직계존비속 간 증여 후 5년 이내에 타인에게 양도하면 무거운 세금이 과세(이월과세)된다 / 81

20 특수관계인으로부터 부동산을 증여받아 5년 이내 타인에게 우회 양도하면 무거운 세금이 과세된다 / 84

21 상속 또는 증여받은 부동산을 양도한 경우 양도차익은 어떻게 계산하나요? / 88

22 1세대 1주택의 비과세특례 제도를 활용하면 세금이 절약된다 / 90

23 비과세되는 1세대 1주택이란? / 92

24 부동산 보유기간을 활용하면 세금을 절세할 수 있다 / 102

25 1세대 1주택이 고가주택에 해당하면 양도소득세가 과세된다 / 105

26 겸용주택 중 비과세 주택분과 고가주택분은 어떻게 구분하나요? / 110

27 조합원입주권 · 일반분양권의 세법적용 / 112

28 해외이주 등으로 세대전원이 출국한 경우 어떻게 하면 비과세특례를 적용받나요? / 117

29 장기저당담보주택의 양도와 동거봉양으로 세대를 합친 경우 어떻게 하면 비과세특례를 적용받나요? / 119

30 다른 곳으로 이사하기 위해 일시적 1세대 2주택인 경우 어떻게 하면 비과세특례를 적용받나요? / 121

31 상속으로 일시적 1세대 2주택인 경우 어떻게 하면 비과세특례를 적용받나요? / 123

32 직계존속동거봉양 합가로 인해 1세대 2주택인 경우 어떻게 하면 비과세특례를 적용받나요? / 127

33 동거봉양 및 혼인으로 세대를 합하여 1세대 2주택인 경우 어떻게 하면 비과세특례를 적용받나요? / 129

34 농어촌 이주 등으로 인해 1세대 2주택인 경우 어떻게 하면 비과세특례를 적용받나요? / 131

35 취학 · 직장변경 등의 사유로 수도권 밖 이전을 위해 1세대 2주택인 경우 어떻게 하면 비과세특례를 적용받나요? / 134

36 임대주택사업자 등이 거주주택을 양도한 경우 어떻게 하면 비과세특례를 적용받나요? / 136

37 5년 이상 거주한 건설임대주택을 취학 등의 이유로 양도하면 비과세특례를 적용받나요? / 138

38 농지를 교환 또는 분합하는 경우 어떻게 하면 비과세특례를 적용받나요? / 139

39 8년 이상 자경농지를 양도하면 무조건 양도소득세가 감면되나요? / 141

40 주택에 대한 양도소득세 감면 등의 종류 / 146

41 다주택자에 대한 양도소득세 중과는 어떤 경우에 적용하나요? / 148

42 비사업용 토지를 양도하면 높은 세율이 적용되어 무거운 세금이 과세된다 / 152

차례

43 미등기 부동산을 양도하면 높은 세율이 적용되어 무거운 세금이 과세된다 / 158

44 양도소득기본공제는 어떻게 적용하나요? / 162

45 장기보유특별공제는 어떻게 적용하나요? / 163

46 양도한 부동산의 종류에 따른 적용하는 세율과 양도소득세액은 어떻게 계산하나요? / 168

47 양도소득세의 신고・납부의무를 게을리하면 어떤 가산세가 부과되나요? / 173

48 양도소득세를 과소납부한 경우 추가납부(수정신고)는 어떻게 신고・납부하나요? / 178

49 양도소득세를 과다하게 신고・납부한 경우에는 어떻게 환급(경정청구)받나요? / 182

50 양도소득세 신고를 법정신고기한까지 할 수 없는 경우에는 기한후 신고를 할 수 있다 / 184

51 양도소득세 예정신고(또는 확정신고)・납부기한은 언제인가요 / 185

52 토지거래허가구역 내 토지를 양도한 경우 양도소득세 신고・납부는 어떻게 하나요? / 188

53 비거주자가 부동산을 양도하면 양도소득세 신고・납부는 어떻게 하나요? / 189

54 허위계약서를 작성하면 양도소득세 비과세・감면이 배제되며 동시에 무거운 가산세가 부과된다 / 191

제2편 상속세 및 증여세 / 193

제1장 상속세 / 195

01 상속세와 관련한 용어를 알면 상속세가 쉽게 보인다 / 197

02 상속개시일 현재 피상속인의 모든 상속재산은 관계기관을 통해서 소유현황 정보를 제공받을 수 있다 / 200

03 상속세 과세대상 상속재산이란? / 201

04 상속재산에 대한 상속인 몫은 어떻게 정하는지? / 204

05 상속세 납세의무자(연대납부의무자 포함)는 누구인가요? / 209

06 피상속인이 거주자 또는 비거주자인지에 따라 상속세 적용에 어떤 차이가 있나요? / 214

07 상속재산보다 부채가 많으면 무조건 상속포기를 하여야 하나요? / 216

08 상속세 신고는 어느 곳(관할 세무서)으로 하나요? / 218

09 상속재산은 어떤 것이 있나요? / 221

10 상속개시 전에 처분한 부동산의 사용처가 불분명한 재산은 상속세가 과세된다 / 227

11 상속세가 과세되는 사전증여재산가액은 어떤 재산을 말하나요? / 231

12 상속세가 비과세되는 상속재산은 어떤 것이 있나요? / 236

13 공익법인에 출연한 재산은 상속세를 면제받을 수 있다 / 238

14 상속재산가액에서 빼는 공과금 · 장례비용 및 채무는 어떤 것이 있으며, 어떻게 공제되나요? / 242

15 상속세의 단계별 계산과정은 어떻게 산정하나요? / 249

16 상속세 기초공제는 얼마인가요? / 250

차례

17 가업상속공제와 영농상속공제는 누구에게 적용하나요? / 252

18 배우자상속공제는 어떻게 적용하나요? / 258

19 인적공제, 일괄공제, 금융재산상속공제는 어떻게 적용하나요? / 262

20 상속세를 납부하지 않아도 되는 과세최저한은 얼마인가요? / 271

21 상속세 세율과 세대를 건너 뛴 경우 할증과세는 어떤 경우에 적용하나요? / 272

22 상속세에 대한 신고세액공제 · 단기재상속세액공제는 어떻게 적용하나요? / 275

23 상속세 신고 · 납부(분납 · 연부연납)와 제출할 서류는 어떤 것이 있나요? / 277

제2장 증여세 / 281

01 증여세와 관련한 용어를 알면 증여세가 쉽게 보인다 / 283

02 증여세 납세의무자는 누구인가요? / 286

03 증여세 신고는 어느 곳(관할 세무서)으로 하나요? / 289

04 증여재산은 어떤 것이 있나요? / 290

05 상속재산의 상속분이 확정된 후 재 협의분할에 따라 상속분이 변경된 경우에는 증여세가 과세된다 / 294

06 증여받은 재산을 유류분권리자에게 반환하면 상속세 등은 어떻게 과세하나요? / 298

07 이혼위자료로 부동산을 받으면 증여세가 과세되나요? / 299

08 증여재산의 취득시기는 어느 때로 하나요? / 300

09 증여세가 비과세되는 재산은 어떤 것이 있나요? / 303

10 증여세 과세가액은 어떻게 계산하나요? / 305
11 증여재산공제는 어떻게 적용하나요? / 310
12 저가매입 또는 고가양도에 따른 이익(증여)에 대한 증여세와 양도소득세 계산은 어떻게 하나요? / 314
13 부동산의 무상사용 또는 담보제공으로 얻는 이익(증여)은 증여세가 과세된다 / 322
14 배우자 등에게 양도한 재산의 이익(증여)은 증여세 또는 양도소득세가 과세된다 / 325
15 부동산의 취득자금(채무상환 포함)을 입증하지 못하면 증여세가 과세된다 / 330
16 증여세 과세표준은 어떻게 산출하나요? / 334
17 증여세 세율과 세대를 건너 뛴 경우 할증과세는 어떻게 적용하나요? / 335
18 증여세에 대한 신고세액공제는 어떻게 적용하나요? / 337
19 증여세 신고 · 납부(분납 · 연부연납)와 제출할 서류는 어떤 것이 있나요? / 338

제3장 상속세 및 증여세의 기한 후 신고 / 341
제4장 상속세 및 증여세의 수정신고 및 경정 등 청구 / 345
제5장 상속세 및 증여세를 부과할 수 있는 기간 / 349
제6장 상속세 및 증여세의 가산세 / 353
제7장 상속세 및 증여세법상 부동산 평가 / 357

차례

제3편 지방세(취득세 및 재산세) / 363

제1장 취득세 / 365

01 취득세의 개념을 알면 취득세가 쉽게 보인다 / 367

02 취득세 과세권자는 누구인가요? / 374

03 취득세의 납세의무는 누구인가요? / 375

04 취득세 납세지는 어느 곳으로 하나요? / 381

05 부동산의 취득시기는 어느 때로 하나요? / 382

06 취득세(개인의 경우)의 비과세대상 자산은 어떤 것이 있나요? / 389

07 취득세 과세표준은 어떤 금액으로 하나요? / 391

08 부동산에 적용하는 세율 / 397

09 1세대 1주택, 1세대 2주택, 다주택 및 조정대상지역 여부에 따라 적용하는 세율 / 399

10 별장 및 고급주택에 적용하는 중과세율 / 407

11 취득세 신고·납부는 언제까지 하나요? / 411

12 기한 후 신고는 어떻게 하나요? / 413

13 취득세를 부과하지 않는 면세점은 얼마인가요? / 414

14 취득세 납세의무를 게을리하면 부족세액에 대한 추징 및 가산세는 어떻게 적용하나요? / 415

제2장 재산세 / 419

01 재산세란? / 421

02 주택분 재산세 과세대상은 어떻게 구분하나요? / 423

03 토지분 재산세 과세대상은 어떻게 구분하나요? / 425

04 재산세 납세의무자는 누구인가요? / 429

05 재산세 납세지는 어느 곳으로 하나요? / 432

06 재산세가 비과세되는 재산은 어떤 것이 있나요? / 433

07 재산세 과세표준은 어떻게 산출하나요? / 435

08 토지, 건축물, 주택에 대한 재산세 세율은 어떻게 적용하나요? / 437

09 재산세 부과(납기, 물납, 분할) · 징수는 언제인가요? / 440

10 재산세 세부담 상한제도 / 443

11 소액징수 면제액은 얼마인가요? / 444

제3장 취득세 및 재산세의 구제제도 / 445

제4편 종합부동산세 / 449

01 종합부동산세란? / 451

02 종합부동산세 납세지는 어느 곳으로 하나요? / 453

03 종합부동산세 과세대상은 어떻게 구분하여 과세하나요? / 454

04 종합부동산세 납세의무자는 누구인가요? / 456

05 종합부동산세 과세표준(주택 또는 토지)은 어떻게 산출하나요? / 461

06 종합부동산세 세율은 어떻게 적용하나요? / 465

07 종합부동산세 세부담 상한액은 어떻게 적용하나요? / 468

08 종합부동산세에 대한 세액공제는 어떻게 적용하나요? / 470

09 주택분 종합부동산세 자진납부세액은 어떻게 계산하나요? / 473

10 종합부동산세의 부과 · 징수와 분납은 어떻게 납부하나요? / 474

11 종합부동산세의 가산세는 어떤 것이 있나요? / 476

12 수정신고를 하면 일정액을 감면받을 수 있다 / 477

13 기한 후 신고를 하면 감면을 적용받을 수 있다 / 478

제 1 편

양도소득세

본 편에서는 주거목적과 자본축적 수단 등으로 취득한 부동산을 양도할 경우 일상생활에서 필요한 세금을 알기쉽게 설명하고자 한다.

양도소득세란?

우리가 일상생활을 하다보면 세금을 떠나서는 경제활동을 할 수 없다.

특히, 부동산을 양도하면 양도소득세를 내야 하고, 동 부동산을 취득한 사람은 취득세를 내야 한다.

동 부동산을 보유한 사람은 재산세 및 종합부동산세를 내야 하고, 동 부동산을 자녀에게 물려주면 그 자녀는 상속세 또는 증여세를 내야 한다.

이들 세금은 국가를 운영하는데 필요한 경비에 사용하기 위해 국민으로부터 개별적인 반대급부 없이 강제로 징수하고 있다.

특히 양도소득세는 부동산정책의 목적을 달성하기 위한 가장 효과적인 수단으로 활용되고 있는 세목이기도 하다.

양도소득세란, 개인이 토지 및 건물 등의 부동산이나 부동산을 취득할 수 있는 권리(일반분양권, 조합원입주권 등)등을 양도함으로써 발생하는 양도소득에 대하여 부과하는 세금을 말한다. 그러나 부동산 등을 유상으로 양도하여 양도소득이 생긴 경우라 하더라도 그 부동산 등이 양도소득세 과세대상이 아닌 경우에는 양도소득세가 과세되지 아니한다(소득세법 §94).

여기서 양도소득이란? 자산의 양도로 인하여 발생한 소득으로서 양도당시 가액이 취득당시 가액보다 상승하여 발생된 이익을 말한다.

토지 · 건물 · 조합원입주권 및 일반분양권 등을 팔면 양도소득세가 과세된다

양도소득세는 부동산 등을 양도할 때 양도소득이 발생하면 과세되는 세금을 말한다.

양도소득이란, "자산의 양도로 인하여 발생하는 소득"으로 정의하고 있다(소득세법 §4①).

양도소득세 과세대상 자산은 토지 및 건물, 부동산에 관한 권리(일반분양권, 조합원입주권 포함)등, 주식 또는 출자지분, 기타자산, 파생상품으로 구분한다.

양도소득세 과세대상 자산 중 토지 · 건물 및 부동산에 관한 권리(일반분양권, 조합원입주권 포함)등의 개념을 살펴보면 다음과 같다.

1 토지란?

토지는 「지적법」에 따라 지적공부(토지대장 및 등기사항전부명세서)에 등록하여야 할 지목(전 · 답 · 과수원 등을 말함)을 말한다(지적법 §5).

보충설명

지목은 지적공부상의 지목에 관계없이 사실상 사용하고 있는 지목에 따르며, 지목이 불분명한 경우에는 지적공부상의 지목에 의한다.

토지의 구성물로서 토지에 정착물이 있는 상태에서 양도하는 경우 별도의 특약이 없는 한 토지와 정착물은 일체가 되어 함께 양도한 것으로 본다.

2 건물이란?

건물(무허가건물 및 미등기건물 포함)은 토지에 정착하고 있는 시설물, 구축물을 말하며, 이를 건축물이라는 용어로 사용하고 있다

질의 **건축 중인 건물을 양도한 경우 건물의 양도로 보나요?**

답변 건축허가를 받아 시공 중에 있는 건축물로 볼 수 없는 시설물 상태에서 토지와 그 시설물을 함께 양도한 경우에는 양도가액 전체를 토지의 대가로 보고 양도소득을 계산합니다(소득 46011-21086, 2000.8.22.).

질의 **건물 양도 시 공부상 용도와 실제 사용하는 용도가 다른 경우 양도소득은 어떻게 적용하나요?**

답변 건물 양도 시 건물의 용도는 공부상의 용도와 관계없이 사실상의 용도에 따라 양도소득을 계산합니다. 예컨대 공부상에는 사무실 용도로 되어있으나 실제 주거용으로 사용하고 있으면 주택으로 보고, 그 반대로 공부상 주택으로 되어있으나 실제 영업용으로 사용하고 있으면 주택으로 볼 수 없습니다(소득세법 기본통칙 89-154…4).

3 부동산에 관한 권리

부동산에 관한 권리는 부동산을 취득할 수 있는 권리, 지상권, 전세권, 일반분양권, 조합원입주권 및 등기된 부동산임차권을 말한다.

부동산을 양도하면 어떤 경우에 사업소득 또는 양도소득으로 세금이 과세되나요?

양도소득은 자산이 유상이전되는 경우 양도자에게 과세하는 양도소득세로 과세하지만 무상이전되는 경우 수증자에게는 증여세가 과세된다.

개인이 부동산을 양도함으로 인하여 소득이 생긴 경우 그 개인에게 부과되는 세금이 양도소득 또는 사업소득 중 어느 소득에 속하느냐에 따라 그 세금을 부담하는 납세자에게는 매우 중요하다.

왜냐하면 세금을 부담하는 납세자 입장에서는 세금을 적게 납부하기를 원하지만 오류 등으로 인하여 소득을 잘못 적용한 경우에는 소득의 구분에 따라 과세표준금액, 세율적용, 세액계산방법, 신고방법, 비과세 및 감면 등의 적용이 각기 다르기 때문이며, 부족하게 신고한 세금이 있는 경우에는 가산세가 부과되기 때문이다.

1 양도소득 또는 사업소득에 따라 어떻게 세금이 적용되나요?

양도소득세는 부동산을 양도함으로써 발생한 소득에 대하여 개인에게 과세되는 세금(양도소득)을 말하며, 사업소득은 부동산매매업, 주거용 건물개발 및 공급업과 같이 부동산의 양도로 인하여 발생한 소득이

사업자에게 이전되어 과세되는 세금(종합소득세)을 말한다.

질의 **토지와 과수목을 함께 양도하면 어떻게 양도소득 또는 사업소득으로 구분하나요?**

답변 토지와 정착물인 과수목을 동시에 양도한 경우에는 양도가액 전체가 양도가액이 되지만, 과수목을 별도로 평가하여 토지와 구분하여 양도한 경우 해당 과수목의 가액은 토지의 양도가액에 포함하지 않습니다(서면4팀-314, 2005.3.2.). 이 경우 별도로 평가한 과수목의 가액은 사업소득에 해당합니다.

2 양도소득과 사업소득은 어떤 기준으로 구분하나요?

부동산의 양도로 인한 소득이 사업소득 또는 양도소득에 해당하는지 여부는 양도인의 부동산 취득 및 보유현황, 양도의 규모, 횟수, 상대방 등에 비추어 그 양도가 사업을 목적으로 하고 있는지 또는 사업활동으로 볼 수 있을 정도의 계속성과 반복성이 있는지 등을 고려하고 사회통념에 따라 판단한다.

예컨대, 사업목적 없이 단순히 부동산을 양도하는 경우에는 양도소득세가 과세될 것이며, 그 이외의 경우에는 사업소득으로 본다.

질의 **임대목적으로 취득한 부동산 또는 판매목적으로 취득한 부동산을 임대하다가 판매할 경우 어떤 소득으로 보나요?**

답변 임대목적으로 취득한 부동산을 임대하다가 양도하는 경우에는 양도소득으로 과세합니다. 그러나 판매목적으로 취득한 부동산을 일시적으로 임대하다가 판매하는 경우에는 사업소득(부동산매매업)으로 과세합니다(재소득 46011-77, 1995.6.9.).

질의 **증여 또는 상속받은 부동산을 개발하여 매각하는 경우에는 어떤 소득으로 보나요?**

답변 증여 또는 상속받은 부동산을 매각시점에 수익을 얻을 목적으로 잡종지를 택지로 개발하여 여러차례 분할하여 주택용으로 매각한 경우에는 사업소득에 해당합니다(국세심판원 2004중2543, 2004.11.30.).

질의 **사업자가 폐업 시 미분양주택을 일시 임대한 후 양도하면 어떤 소득에 해당되나요?**

답변 사업자가 폐업 시 미분양주택을 주택으로 사용하거나 임대로 사용한 후 그 미분양주택을 양도한 경우에는 양도소득에 해당합니다(소득세법 집행기준 94-0-4).

질의 **종전 주택을 헐고 신축한 주택을 양도하면 어떤 소득에 해당하나요?**

답변 종전 주택을 헐고 주택을 신축한 후 거주하던 주택을 양도한 경우로서 다른 주택을 신축·판매한 사실이 없는 경우에는 양도소득에 해당합니다.

부동산 취득 또는 양도 시 유의사항

양도시점에 따라 재산세 및 종합부동산세를 누가 부담하는지?

재산세 및 종합부동산세의 부과기준일은 매년 6월 1일이다.

따라서 6월 2일 이후에 부동산을 처분할 경우 부동산을 양도한 후에 재산세 및 종합부동산세를 부담하여야 하는 문제가 있으므로 부동산 양도 시 이를 고려하여야 한다.

2주택자가 양도소득세를 절세하기 위해 어떤 주택을 먼저 처분하나요?

양도일 현재 1세대 2주택자가 1주택을 처분하게 되는 경우로서 일시적 2주택이 아닌 경우에는 양도소득세가 과세된다.

이 경우 2주택 중 양도차익이 적은 주택을 먼저 처분하는 것이 세금을 절세할 수 있다. 이는 나머지 1주택이 1세대 1주택이 되는 경우 양도소득세가 비과세되기 때문이다.

나중에 양도하는 주택의 경우 1세대 1주택의 2년 이상 보유 기간은 나중에 양도하는 주택의 최초 취득일부터 양도일까지의 기간으로 한다.

가족 간 부동산 거래 시 부당행위계산 부인 적용여부?

부동산을 가족 간에 시가보다 낮게 양도하거나 시가보다 높은 가격으로 매입하는 경우 해당 매매거래가액을 인정하지 않고(부당행위계산부인 규정이 적용됨) 시가로 적용되므로 양도소득세의 추가 납부세액과 가산세 또는 증여세가 적용된다. 다만, 시가와 거래가액의 차액이 시가의 5% 또는 3억원 중 적은 금액 이하인 경우에는 부당행위계산 부인이 적용되지 아니한다.

특수관계인에게 주택을 증여한 후 그 주택을 증여받은 자가 5년 이내에 타인에게 양도한 경우

거주자가 특수관계인에게 부동산을 증여한 후 그 부동산을 증여받은 자가 그 증여일부터 5년 이내에 다시 타인에게 양도하는 경우에는 증여자가 직접 양도한 것으로 볼 수 있다. 이를 양도소득의 부당행위계산 부인(소득세법 §101)을 적용하는 것이다.

만일 양도소득이 해당 수증자에게 실질적으로 귀속된 경우에는 부당행위계산 부인을 적용하지 아니한다.

주택을 공동명의로 취득하면 세금을 줄일 수 있나요?

고가주택을 취득하는 경우 보유와 관련한 종합부동산세 및 양도소득세 등의 문제를 종합적으로 검토하여 공동명의로 취득하는 것이 세금 절약 측면에서 유리하다.

양도소득세 납세의무자는 누구인가요?

양도소득세는 개인의 소득에 대하여 그 소득의 성격과 납세자의 담세능력에 따라 적정하게 과세함으로써 조세 부담의 형평을 도모하고 국가의 재정수입에 원활한 조달에 이바지함을 목적으로 한다.

양도소득세의 납세의무자는 양도소득세 과세대상 자산을 양도함으로써 발생하는 소득이 있는 개인을 말한다.

따라서 국내·외에 소재한 양도소득세 과세대상 부동산을 양도한 자는 그 부동산을 양도함으로써 발생한 양도소득에 대하여 납세의무가 있으며, 해당 납세의무자는 다음과 같이 거주자와 비거주자로 구분한다.

① 거주자는 국내에 주소를 두거나 1과세기간 동안 183일 이상 거소를 둔 개인을 말한다. 여기서 거소란, 주소 이외의 장소 중 상당기간 걸쳐 거주하는 주소와 밀접한 생활관계가 형성되지 아니한 장소를 말한다.

② 비거주자는 거주자가 아닌 개인을 말한다.

거주자가 국내·외에 있는 양도소득세 과세대상 부동산을 양도하여 양도차익이 생긴 경우 그 거주자는 양도소득세의 무제한 납세의무가 있다.

비거주자의 경우에는 국내에 소재하고 있는 부동산을 양도하여 양도차익이 생긴 경우에만 양도소득세의 제한적 납세의무가 있다.

보충설명

양도소득세 납세의무가 있는 개인을 거주자와 비거주자로 구분하는 이유를 살펴보면 다음과 같이 세법 적용의 차이 등이 있기 때문이다.

첫째, 해외이주 또는 세대전원이 출국(이민)하여 비거주자인 상태에서 양도하는 1세대 1주택(고가주택이나 미등기주택은 제외한다)의 비과세

둘째, 장기보유특별공제의 적용여부 및 신고·납부의 차이

셋째, 비거주자가 양도하는 국내소재 1세대 1주택에 대한 비과세특례규정(일시 2주택, 상속으로 인한 2주택 등) 및 감면규정의 배제 등

넷째, 비과세 및 감면적용 차이

1 외국에서 취득한 주택을 양도하면 양도소득세 납세의무가 있나요?

국외에 있는 부동산의 양도에 대한 양도소득세 납세의무는 해당 부동산의 양도일까지 국내에 계속하여 5년 이상 주소 또는 거소를 둔 거주자에 한하여 적용한다(소득세법 §118의2).

부동산 소재국에서 양도소득세를 신고·납부하였다 할지라도 우리나라 세법에 따라 해외 부동산의 양도에 대한 양도소득세를 주소지 관할 세무서에 신고·납부하여야 한다(소득세법 §118의2~§118의3).

이 경우 국외자산의 양도소득에 대해 외국에서 과세된 경우 소정의 방법(외국납부세액공제)에 의해 공제(또는 필요경비산입)를 받을 수 있다.

2 공동소유한 부동산을 양도하면 소유자별로 양도소득세 납세의무가 있다

공동으로 소유한 부동산의 양도소득에 대하여는 약정된 손익분배비율(손익분배비율이 없는 경우에는 소유지분비율)에 따라 분배되었거나 분배될 소득금액에 의하여 소유자별로 각각 양도소득세의 납세의무를 진다(소득세법 §43). 이 경우 공동소유자 상호 간의 양도소득세의 연대납세의무는 없다.

3 피상속인이 매매한 부동산을 상속인이 승계하면 상속인에게 상속세와 양도소득세 납세의무가 있다

피상속인이 매매계약을 체결한 후 잔금을 지급 받기 전에 사망하여 상속인이 잔금을 수령한 경우 납세의무자는 상속인이 되는 것이며, 상속으로 취득한 부동산을 상속받은 후 양도하는 것에 해당한다(소득세법 집행기준 88-0-5). 이 경우 상속인은 양도소득세와 상속세의 납세의무가 있다.

질의 **상속받은 재산이 상속 후 경매된 경우 세금은 누가 부담하나요?**

답변 상속인이 상속으로 취득한 상속재산이 경매로 양도된 경우, 경락된 자산의 양도인은 상속인이고, 그 경락대금이나 양도소득도 상속인에게 귀속되므로 양도소득세는 상속인에게 부과됩니다(조세심판원 2014구3016, 2014.8.5.).

4 합유자산의 매각으로 분배받은 소득이 있으면 소유지분별로 양도소득세 납세의무가 있다

「민법」 제271조에 따라 합유자산을 양도함으로써 발생한 양도소득에 대하여는 그 소유지분에 따라 분배되었거나 분배될 소득금액에 대하여 각 거주자별로 양도소득세 납세의무가 있다(부동산거래-37, 2012.1.17.).

질의 **합유부동산을 처분하거나 합유자 중 1인이 사망한 경우 양도소득세의 납세의무는 어떻게 적용하나요?**

답변 합유자 중 1인이 사망한 경우 사망한 합유자의 소유지분은 사망일에 잔존 합유자에게 양도되는 것이며, 잔존 합유자는 그 사망일에 해당지분을 균분 취득한 것으로 보아 양도소득세 납세의무가 있습니다(기준법령 재산-47, 2015.4.20.).

5 특수관계인에게 부동산을 우회 증여하여 양도소득세를 부당하게 감소시킨 경우에는 무거운 양도소득세 납세의무가 있다

양도소득세를 부당하게 감소시키기 위해 특수관계인에게 부동산을 증여한 후 그 증여받은 자가 증여일부터 5년 이내에 다시 이를 타인에게 양도함으로써 다음의 "①"의 세액이 "②"의 세액보다 적은 경우에는 증여자가 그 자산을 직접 양도한 것으로 보아 양도소득세 납세의무를 진다. 다만, 양도소득이 해당 증여받은 자에게 실질적으로 귀속된 경우에는 증여받은 자가 이를 양도한 것으로 본다(소득세법 §101②).

① 증여받은 자의 증여세와 양도소득세

② 증여자가 직접 양도한 것으로 보아 계산한 양도소득

이 경우 해당 양도소득에 대하여 증여자와 수증자는 연대납세의무가 있다(소득세법 §2의2④).

보충설명

해당 자산의 양도소득이 양수인에게 실질적으로 귀속 된 때에는 부당행위계산 부인을 적용하지 않으므로(부동산거래관리과-911, 2011.10.26.) 양도자(증여받은 자를 말함)는 양도소득세의 납세의무가 있다.

6 개인 또는 단체로 보는 종중부동산을 양도하면 양도소득세 납세의무가 있다

개인으로 보는 종중은 세법상 거주자로 보아 과세되지만, 종중이 소유한 부동산을 양도하면 이에 대한 납세의무는 종중단체에게 있다(국세심판원 2000중2818, 2001.1.27.).

보충설명

해당 양도대금을 무상으로 종중원에게 배분하면 종중원은 증여세 납세의무가 발생한다.

7 부담부증여한 채무 인수분에 대하여 증여자는 양도소득세 납세의무가 있다

증여자가 부동산을 부담부증여하면서 부동산에 담보된 채무를 수증인이 인수하는 조건으로 증여하는 경우 그 채무액 부분은 수증자에게 유상이전된 것으로 보아 증여자에게 양도소득세 납세의무가 있다.

그러나 수증자가 인수한 채무분(부담부증여)외 무상이전분에 대해서는 수증자가 증여세 납세의무가 있다.

8 명의신탁부동산을 매각한 경우 명의신탁자에게 양도소득세 납세의무가 있다

명의신탁부동산을 매각한 경우 양도의 주체 및 납세의무자는 명의수탁자가 아니고 명의신탁자이므로 명의신탁자에게 양도소득세 납세의무가 있다(국세기본법 기본통칙 14-0-6).

9 유류분을 금전으로 반환받은 상속인은 상속세 및 양도소득세 납세의무가 있다

상속개시 전에 피상속인으로부터 재산을 증여받은 자가 법원의 판결에 의하여 해당 증여받은 재산을 유류분 권리자에게 반환하는 경우에는 그 반환된 재산은 증여가 없었던 것으로 본다.

이 경우 피상속인의 증여에 의하여 재산을 증여받은 자가 증여받은 재산을 유류분 권리자에게 반환하는 경우 유류분을 반환받은 상속인은 해당 재산에 대하여 상속세 납부의무가 있다(민법 §1115).

만일, 증여받은 재산을 금전으로 환가하여 유류분 권리자에게 반환하는 경우 유류분 권리자는 당해 재산을 상속받아 양도한 것으로 보아 상속세와 양도소득세 납세의무가 있다(재산-35, 2012.2.2.).

보충설명

이 경우 양도소득세 계산 시 취득시기는 상속개시일이며, 양도시기는 유류분 자산의 현금 지급일이다(재일 46014-1361, 1994.5.20.).

※ 제2편 제2장 "6. 증여받은 재산을 유류분권리자에게 반환하면 상속세 등은 어떻게 과세되나요?"(p.298 참조)

06

양도소득세의 납세지 및 과세관할 (관할 세무서)은 어느 곳으로 하나요?

양도소득세의 납세지란, 납세자가 양도소득세에 관한 신고·납부, 불복청구 등을 하는 관할 세무서를 정하는 장소를 말하며, 관할 세무서는 납세자의 양도소득세를 결정·경정 등의 처분을 하는 장소이기도 하다.

양도소득세 납세지는 양도자의 주소지로 한다.

거주자의 양도소득세 납세지는 원칙적으로 양도시점의 주소지 또는 거소지가 아니라 신고 당시의 주소지이며, 비거주자는 양도한 부동산의 소재지로 한다.

이 경우 양도시점의 주소지와 신고, 결정·경정시점에서 주소지가 서로 다른 경우에는 그 신고, 결정·경정시점의 주소지를 납세지로 한다(소득세법 §6①).

만일 주소지가 2 이상인 경우에는 「주민등록법」에 따라 등록된 곳을 납세지로 하며, 거소지가 2 이상인 경우에는 생활관계가 가장 밀접한 곳을 납세지로 한다.

질의 **종중부동산을 양도한 경우 납세지는 누구의 주소지로 하나요?**

답변 종중부동산을 양도한 경우 양도소득세 납세지는 종중단체의 대표자 또는 관리인의 주소지로 한다. 다만, 종중의 업무를 주관하는 장소를 지정받은 경우에는 그 지정받은 장소를 납세지로 합니다(소득세법 기본통칙 6-0-1).

질의 피상속인이 납부할 양도소득세를 상속인이 승계한 경우 어느 곳을 납세지로 하나요?

답변 상속인이 피상속인에 대한 양도소득세의 납세의무자가 된 경우 그 양도소득세의 납세지는 그 피상속인 · 상속인 등의 주소지나 거소지 중 상속인 등의 관할 세무서장에게 납세지로서 신고하는 장소로 합니다(소득세법 §8①).

질의 공동소유부동산을 양도한 경우 양도소득세 납세지는 어느 곳으로 하나요?

답변 공동소유부동산을 양도함으로써 발생하는 양도소득에 대하여는 그 소유지분에 따라 분배되었거나 분배될 양도소득금액에 대하여는 거주자별로 납세의무가 있으며, 각 거주자는 자신의 납세지 관할 세무서에 각자의 소득금액을 신고합니다.

질의 비거주자가 국내부동산을 양도할 경우 양도소득세 납세지는 어느 곳으로 하나요?

답변 비거주자에 대한 양도소득세의 납세지는 국내사업장의 소재지로 하는 것이며, 국내사업장이 없는 경우에는 양도소득이 발생한 장소를 납세지로 합니다.

질의 양도소득세는 양도당시 또는 신고당시 중 어느 관할 세무서에 신고하나요?

답변 양도소득세의 신고서는 양도당시가 아닌 신고당시 해당 양도소득세의 납세지를 관할하는 세무서장에게 제출하여야 합니다.

질의 관할 세무서가 아닌 다른 세무서에 양도소득세를 신고한 경우 신고의 효력이 있나요?

답변 양도소득세 신고 시 납세지를 착오로 다른 곳으로 신고하는 경우 그 신고의 효력은 유효하지만, 다른 곳으로 신고한 것에 대하여는 납세자의 소명이 필요합니다.

질의 양도소득세를 신고한 후에 주소지가 변경된 경우 양도소득세의 결정 등은 어느 관할 세무서에서 하나요?

답변 양도소득세를 신고한 후에 결정 등을 하는 경우로서 주소지 변경이 있는 경우에는 신고당시가 아닌 변경 후 주소지 관할 세무서입니다.

신탁재산 · 신탁수익권을 양도하면 어떻게 양도소득세가 과세되나요?

신탁재산에 대하여 신탁설정 시 양도로 보지 않고 신탁재산 양도 시 위탁자를 양도로 보아 양도소득세를 과세한다.

그리고 신탁수익권(수익증권)을 양도하는 경우 양도소득세가 과세되며, 세액은 다음의 과세표준에 따라 세율을 적용한 금액으로 한다.

① 3억원 이하 : 20%

② 3억원 초과 : 25%

보충설명

신탁은 「신탁법」에 따라 위탁자와 수탁자와의 특별한 신임관계를 바탕으로 자기의 재산을 신탁업을 하는 회사에 신탁하고, 그 신탁재산에서 생기는 수익은 신탁자 또는 신탁자가 정하는 다른 사람에게 귀속시키는 계약을 말한다.

양도소득세가 과세되는 거래유형은 어떤 것이 있나요?

부동산을 양도하면 모두 양도소득세가 과세되는 것은 아니다.

양도소득세 과세대상이 되는 부동산이 유상으로 이전되는 경우 양도소득세가 과세되는 것이므로 계약이 법률상 유효할 것을 필요로 하지 아니하며, 부동산의 등기 또는 등록이나 명의개서에 관계없이 사실상 유상으로 이전되는 것을 말한다.

부동산의 소유권 이전은 대가의 지급여부에 따라 유상이전과 무상이전으로 구분되며, 유상이전의 경우에는 소유권 이전을 해주는 자(양도자)가 양도소득세 납세의무가 있으며, 상속 또는 증여에 의해 무상이전이 되는 경우에는 소유권을 이전받는 자(상속인 또는 수증자)가 상속세 또는 증여세 납세의무가 있다.

양도에는 매매, 교환, 대물변제, 양도담보, 경매 및 부담부증여 등이 있으며, 이들 거래유형을 설명하면 다음과 같다.

1 매매 및 교환 등의 거래유형은 양도소득세가 과세된다

부동산을 매매한 경우

양도의 일반적인 소유권 이전 유형 중 하나인 매매는 양도인이 부동산을 양수인에게 이전할 것을 약정·체결하고 양수인은 그 대금을 지급할 것을 약정함으로써 그 효력이 생기는 유상계약을 말한다(민법 §563). 이는 양도소득세가 과세되는 대표적인 거래유형에 속한다.

질의 **사회통념상 거의 전부 지급되었다고 볼 정도의 대가의 지급이 이행되었고, 잔금이 조금 남아 있는 경우에도 양도로 보나요?**

답변 토지의 유상양도란, 토지매매 대가가 사회통념상 거의 전부 지급되었다고 볼 정도의 대가지급이 이행되었음을 의미하는 것으로 계약금 및 중도금의 총 대금의 98%를 받았고 토지처분신탁서류까지 교부한 경우에는 양도소득세 과세대상이 됩니다(서울고법 2011누3656, 2011.10.19.).

부동산을 교환한 경우

교환이란, 교환하려는 당사자 쌍방이 부동산을 상호 이전할 것을 약정함으로써 그 효력이 생기는 유상계약을 말한다(민법 §596). 이는 물물교환에 해당하는 것으로서 양도소득세가 과세되는 거래유형에 속한다.

따라서 실제로 부동산을 상호 교환하는 경우 양도가액과 취득가액을 어떻게 정할 것인가에 따라 세금에 직접적인 영향을 미치게 되므로 소유권 이전은 동등한 가치가 있는 서로의 부동산을 맞교환할 때와 교환가치가 동등하지 않아 부족한 교환가치 만큼의 상당하는 금전 수수에 불구하고 교환하는 쌍방 간의 부동산이 양도소득세 과세대상이 된다.

그러나 지적공부상의 등기착오 사실만을 바로 잡기 위해 교환등기를 하는 경우에는 양도로 보지 아니한다.

질의 **직계존비속 간 부동산을 교환하는 경우 양도로 보나요?**

답변 직계존비속 간 부동산을 실제 서로 교환하는 경우에도 양도에 해당합니다(재일 46014-729, 1997.3.27.).

■ 공동소유한 부동산이 교환으로 지분이 변동된 경우

여러 사람이 2필지 이상의 토지 또는 2개 이상의 부동산 물건을 공유형태로 소유하다가 소유지분이 변동되거나 하나의 물건 또는 필지별로 단독소유하는 경우에는 그 변경된 부분은 양도로 보아 양도소득세가 과세된다(서면부동산-575, 2015.7.14.).

보충설명

공유지분 비율은 등기하여야 효력이 발생하고 만약 지분비율에 대한 등기 또는 약정이 없거나 불분명한 경우에는 균등한 것으로 추정한다(민법 §262).

■ 합유자산의 매각으로 분배금을 수령한 경우

「민법」 제271조에 따른 합유자산을 양도함으로써 발생된 양도소득에 대하여는 그 소유지분에 따라 분배되었거나 분배될 소득금액이 각 거주자별로 양도한 것으로 보아 양도소득세 과세대상이 된다(부동산거래-37, 2012.1.17.).

이에 해당하는지는 부동산등기부, 합유재산관리규약, 처분금액 분배내역 등을 종합적으로 검토하여야 한다.

■ 채무를 갈음해 부동산을 대물변제한 경우

대물변제란, 채무자가 채권자의 승낙을 얻어 본래의 급부에 갈음하여 다른 급부를 현실적으로 이행함으로써 채권을 소멸시키는 채권자와 채무자의 계약으로 변제와 동일한 효력을 가지는 것을 말하므로, 유상으로 이전되는 양도에 해당한다. 이 경우 부동산을 대물변제한 사람은 양도소득세를 신고·납부하여야 한다.

보충설명

대물변제는 당사자 간 의사표시와 현실적으로 대물변제를 이행하는 것을 요건으로 하여 소유권 이전등기가 완료하여야만 대물변제가 성립하게 된다(대법원 63다168, 1963.10.22.).

대물변제로 인한 양도에 해당하는 사례는 다음과 같은 것이 있다.

① 타인의 채무를 보증하기 위해 담보로 제공된 부동산이 그 채무를 변제하지 못해 저당권실행으로 소유권이 이전되는 경우

② 건축공사비의 대가로 토지소유권을 이전해 주는 경우(재산 01254 - 1097, 1987.5.1.)

③ 이혼위자료를 대신하여 부동산으로 대물변제한 경우(소득세법 기본통칙 88-3 ①)

2 상속등기 완료 후 지분변경에 따른 대가를 지불하면 양도소득세가 과세된다

법정상속이나 협의상속에 의하여 상속등기를 완료한 후 각각의 상속인 간에 지분을 변경하고 변경지분에 따른 대가를 지불하는 경우에는 그 변경지분은 양도에 해당하므로 양도소득세가 과세된다(재산 46014-1643, 1999.9.7.).

보충설명

상속등기 후 상속인 간에 지분변경하는 경우로서 그 변경된 지분에 대하여 대가를 지불하지 않은 경우에는 증여세 과세대상이 된다(재일 46014-1643, 1999.9.7.).

※ 제2편 제2장 "5. 상속재산의 상속분이 확정된 후 재협의분할에 따라 상속분이 변경된 경우에는 증여세가 과세된다"(p.294 참조)

질의 **상속을 포기한 대가로 다른 상속인으로부터 현금을 지급받는 경우에는 양도소득세가 과세되는지요?**

답변 상속지분을 포기하는 대가로 다른 일방으로부터 현금을 지급받는 경우에는 그 포기한 상속지분 상당액의 부동산은 양도로 보아 양도소득세가 과세됩니다(부동산거래-56, 2013.2.5.).

③ 부담부증여로 인해 수증자가 채무를 인수한 경우 증여자에게 양도소득세가 과세된다

부담부증여란, 수증자가 증여받으면서 동시에 일정한 채무부담이나 인수를 부담하는 것을 약관으로 하는 증여를 말한다(민법 §559). 이 경우 증여받은 자가 부동산을 증여받으면서 증여자의 채무를 인수하는 경우 그 채무액에 해당하는 부분은 사실상 유상이전된 것으로 보기 때문에 양도소득세가 과세된다.

④ 공동사업을 위해 부동산을 현물출자하면 양도소득세가 과세된다

거주자가 조합과 공동사업(주거용건물개발 및 공급업)을 경영할 것을 약정하는 계약에 따라 토지 등을 공동사업에 현물출자하는 경우에는 등기에 관계없이 현물출자 또는 등기접수일 중 빠른 날에 해당 토지가 유상으로 양도한 것으로 보아 양도소득세가 과세된다(재재산 46014-119, 2002.6.7.).

⑤ 배우자 또는 직계존비속 간에 양도한 부동산의 경우에는 증여세 또는 양도소득세가 과세된다

배우자 또는 직계존비속 간 부동산 매매의 경우에는 증여의 추정으로 증여세가 과세된다. 그러나 사실상 매매대금의 수수가 금융거래 등에 의하여 입증되는 경우에는 매매한 것으로 보아 양도소득세가 과세된다.

※ 제1편 "13. 배우자 또는 직계존비속에게 부동산을 양도하면 어떤 세금이 과세되나요?"(p.51 참조)

6 등기원인을 이혼위자료 대가로 부동산을 소유권 이전하면 양도소득세가 과세된다

당사자 간 합의 또는 법원의 확정판결에 의하여 이혼위자료 또는 정신적 피해보상의 대가로 당사자 일방이 부동산의 소유권을 이전(등기원인을 이혼위자료지급)해 주는 경우에는 유상양도로 보아 양도소득세가 과세된다(대법원 88누10183, 1989.6.27.).

보충설명

소유권 이전(등기원인을 이혼위자료 지급)해 주는 부동산이 1세대 1주택으로서 비과세요건을 갖춘 경우에는 양도소득세가 비과세된다.

등기원인을 증여로 한 경우에는 증여재산공제 6억원 뺀 나머지 금액에 대해서만 증여세가 과세된다.

질의 **등기원인을 재산분할청구 또는 증여로 하여 소유권을 이전하는 경우 어떤 세금이 과세 되는지요?**

답변 「민법」 제839조의 2에 따라 재산분할청구로 인하여 부동산의 소유권이 이전되는 경우에는 부부가 공동의 노력으로 이룩한 공동재산을 이혼자 일방이 당초 취득 시 부터 자기지분을 환원받은 것으로 보기 때문에 양도 또는 증여로 보지 아니하며, 양도소득세 및 증여세가 발생하지 않습니다.

양도소득세가 과세되지 않는 거래유형은 어떤 것이 있나요?

부동산을 유상으로 이전하여 양도소득이 발생한 경우에는 양도소득세가 과세된다.

그러나 외관상 부동산이 매매계약에 의하여 양도된 것처럼 보이더라도, 그 매매계약이 처음부터 무효이거나 나중에 취소되는 등으로 효력이 없는 때에는 양도로 보지 아니하므로 양도소득세의 과세대상이 아니다(서울행법 2013구합52902, 2014.10.28.).

양도로 보지 아니하는 거래에 대해서는 양도차익이 있는지 여부에 불구하고 양도소득세가 과세되지 않으며, 이를 설명하면 다음과 같다.

1 환지처분이나 보류지로 충당되는 경우 양도로 보지 않는다

「도시개발법」이나 그 밖의 법률에 따른 환지처분으로 지목 또는 지번이 변경되거나 보류지로 충당되는 경우에는 양도로 보지 않는다(소득세법 §88).

왜냐하면, 「도시개발법」이나 그 밖의 법률에 따라 사업시행자가 사업완료 후에 사업지구 내 토지소유자 등에게 종전토지 대신에 그 구역 내의 다른 토지로 바꿔주기 때문이다(환지처분).

또한, 환지처분에 대하여도 양도로 보지 아니하는 이유는 종전의 토지가 새로운 지목토지로 변경한 것에 불과하기 때문에 사실상 유상이전으로 볼 수 없다.

보류지란, 위 사업시행자가 공공용지 등으로 사용하기 위해 보류한 토지를 말한다.

관련예규

환지처분에 따라 환지면적이 권리면적에 미달하는 경우로서 그 감소한 면적에 상당하는 환지청산금을 교부받을 경우 그 교부받는 청산금은 토지가 유상 이전된 것이므로 양도소득세가 과세된다(재산 46014-978, 2000.8.9.).

2 매매대금의 합의해제, 매매원인 무효의 소송으로 소유권이 환원된 경우에는 양도로 보지 않는다

매매대금 정산 전에 합의해제된 경우

부동산 매매대금 정산 전에 합의로 계약해제 후 소유권이 환원된 경우와 부동산 매매대금의 정산절차 없이 소유권 이전 후 거래조건의 불이행으로 인하여 당사자 간 합의로 계약이 해제되어 소유권이 환원된 경우에는 양도로 보지 않는다(대법원 2000두5972, 2002.9.27.).

보충설명

부동산 매매계약 해제로 소유권이 환원되어 양도로 보지 않는 경우 기 예정신고·납부한 양도소득세는 경정청구 등에 의해 환급된다(재일 46014-1872, 1998.9.26.).

매매원인 무효의 소송으로 소유권이 환원된 경우

매매원인 무효의 소송에 의하여 그 매매사실이 원인무효로 판시되어 소유권이 환원되는 경우에는 양도로 보지 않는다(소득세법 기본통칙 88-2②).

3 지적경계 변경을 위한 토지교환의 경우에는 양도로 보지 않는다

지적경계선의 변경을 위한 토지의 교환의 경우 토지의 양도로 보아 과세하고 있으나 세법상 다음의 일정한 요건을 충족하는 지적경계선 변경을 위한 토지는 양도로 보지 않는다(소득세법 시행령 §152③).

① 토지 이용상 불합리한 지상(地上) 경계(境界)를 합리적으로 바꾸기 위하여 「공간정보의 구축 및 관리 등에 관한 법률」이나 그 밖의 법률에 따라 토지를 분할하여 교환할 것

② 위 "①"에 따라 분할된 토지의 전체면적이 분할 전 토지의 전체면적의 20%를 초과하지 아니할 것

4 양도담보로 인한 소유권이전 및 공유물의 지분 분할은 양도로 보지 않는다

채무의 변제를 담보(양도담보)로 인하여 소유권이 이전된 경우

양도담보란, 채무의 변제를 담보목적으로 소유권 이전되는 것을 말한다.

이와 같이 채무의 변제를 담보하기 위해 자기의 소유권을 채권자 명의로 이전하거나, 채권자가 채권을 회수한 후 채무자에게 그 소유권을 되돌려 주는 경우 법률상으로는 소유권이 이전되는 것이지만 그 실질은 이전된 것이 아니므로 양도로 보지 않는다(소득세법 §151①).

그러나 양도담보계약을 체결한 후 그 계약을 위배하거나 채무불이행으로 인하여 해당 자산을 변제에 충당한 때에는 양도한 것으로 보아(소득세법 집행기준 88-0-3) 양도소득세가 과세된다.

보충설명

양도담보계약에 의하여 양도담보 부동산이 있는 것으로서 양도가 아니라는 사실을 증명하기 위해서는 양도소득세 과세표준확정신고시(양도한 연도의 다음연도 5월 1일부터 5월 31일까지를 말함) 다음의 요건을 갖춘 계약서사본을 첨부하여 신고하는 경우에만 양도로 보지 않는다(소득세법 시행령 §151①).

① 당사자 간 채무변제담보를 위해 양도한다는 의사표시가 있을 것
② 담보한 부동산을 사용·수익한다는 의사표시가 있을 것
③ 원금·이율·변제기한·변제방법 등의 약정이 있을 것

공유지분으로 된 공유물의 지분이 분할된 경우

공유란, 1개의 부동산이 여러 사람의 지분소유로 되어있는 공동소유형태를 말한다.

공유물의 분할은 법률상 공유자 상호 간의 지분비율에 따라 제한적으로 행사하던 지분권을 분할하여 취득하는 것으로서 그 고유형태가 변경될 뿐이기 때문에 양도에 해당하지 아니한다.

보충설명

공유분할은 현물분할이 원칙이나, 현물분할 시 각각의 지분에 해당하는 분할된 현물이 동등한 가치가 있다면 단순히 면적을 지분 분할하는 것이 쉽지만, 분할된 현물이 동등한 가치를 갖지 아니한 경우에는 불균등분할이 될 수 있기 때문에 이러한 문제점을 해결하기 위하여 합리적인 현물분할이 어려울 때에는 가액분할이 허용된다(대법원 97다18219, 1997.9.9.).

5 이혼협의에 따라 재산분할청구권 행사로 소유권이 이전된 것은 양도로 보지 않는다

「민법」에 따라 이혼협의가 이루어져 이혼합의서에 재산분할청구소유권 이전인 것을 확인할 수 있거나, 이혼협의가 원활하지 않아 법원에 재산분할청구행사로 소유권 이전이 이루어지는 경우에는 이혼자의 일방이 당초 취득 시부터 자기지분의 재산을 반환받은 것으로 보기 때문에 양도로 보지 않는다.

6 토지거래허가구역 내의 토지를 양도하였으나 토지거래허가를 얻지 못하면 양도로 보지 않는다

토지거래허가구역 내에서 매매계약 등 거래계약은 관할관청의 허가를 받아야만 효력이 발생하므로 매매대금이 먼저 지급되어 양도인이 보관하고 있다 하더라도 양도에 해당하지 아니한다.

보충설명

토지거래허가를 받지 않고 미등기전매를 한 경우로서 제3자 명의로 소유권 이전등기가 완료되고 매매대금도 반환되지 않았다면 양도소득세가 과세된다(수원지법 2014구단31326, 2015.10.7.).

※ 제1편 "52. 토지거래허가구역 내 토지를 양도한 경우 양도소득세 신고·납부는 어떻게 하나요?"(p.188 참조)

7 상속세 법정신고기한 이내에 상속재산의 재분할로 상속 지분이 감소되어 대가를 받지 않은 경우 양도로 보지 않는다

상속세과세표준 신고기한 이내에 재분할에 따라 상속분이 증가된 경우 증여에 해당하지 않고, 감액된 상속분에 대하여 별도의 대가를 수취하지 않았다면 양도에도 해당하지 아니하므로 양도소득세가 과세되지 않는다.

10

양도소득세의 부과제척기간과 징수권의 소멸시효기간 적용은 어떻게 다른가요?

세법상, 일정기간 내에 세금을 부과할 수 있는 기간이 있다. 그 기간이 지나면 세금을 부과할 수 없는데, 이를 부과제척기간이라 한다.

징수권의 소멸시효는 국가가 양도소득세 등의 징수권을 소멸시키는 제도를 의미한다.

양도소득세 등의 부과권은 조세채권을 구체적으로 확정하기 위해 세액을 결정하는 권리인 반면에 양도소득세 등의 징수권은 세액이 구체적으로 확정된 후에 확정된 조세채권을 실현하기 위해 납세자에게 납세고지로 그 이행을 청구할 수 있는 권리이다.

따라서 양도소득세 등은 부과권과 징수권은 구별된다.

1 양도소득세 등의 부과제척기간이란?

양도소득세 등의 부과제척기간은 권리관계를 조속히 확정시키려는 것이므로 진행기간의 중단이나 정지가 없으며, 다음의 일정기간이 경과하면 정부의 부과권은 소멸되어 과세표준이나 세액을 변경하는 어떠한 결정(경정 · 판결 · 결정 또는 상호합의를 이행하기 위한 경정 · 결정 기타 필요한 처분은 제외)도 할 수 없다(국세기본법 §26의2).

① 납세자가 사기나 그 밖의 부정한 행위로 양도소득세를 포탈하거나 환급·공제받은 경우에는 그 국세를 부과할 수 있는 날부터 10년 간(상속세 및 증여세 : 15년 간)
② 납세자가 법정신고기한까지 과세표준신고서를 제출하지 아니한 경우에는 해당 양도소득세를 부과할 수 있는 날부터 7년 간(상속세 및 증여세 : 15년 간)
③ 위 "① 및 ②"에 해당하지 아니하는 경우에는 해당 양도소득세를 부과할 수 있는 날부터 10년 간(상속세 및 증여세 : 15년 간)
④ 부담부증여에 따라 채무를 수증자가 인수하여 그 채무분이 유상양도로 보는 경우는 증여세에 대하여 정한 기간

질의 **양도소득세의 부과제척기간은 언제부터 기산하나요?**

답변 양도소득세를 예정신고하는 경우 부과제척기간의 기산일은 양도소득세의 과세표준과 세액에 대한 확정신고기한의 다음날(양도한 연도의 다음연도 6월 1일을 말함)을 기산일로 합니다.

질의 **토지거래허가구역이 해제일 전에 잔금을 수령한 경우 부과제척기간은 언제부터 기산하나요?**

답변 토지거래허가구역이 해제일 전에 잔금을 수령한 경우라도 해제일의 다음연도 5월 31일의 그 다음날(6월 1일)이 양도소득세 부과의 제척기산일입니다.

사기 또는 부정한 방법 등의 사례

사기 또는 부정한 방법이란, 조세의 부과와 징수를 불가능하게 하거나 현저히 곤란하게 부정한 다음의 행위를 말한다.

① 상속재산가액 또는 증여재산가액에서 가공(架空)의 채무를 빼고 신고한 경우

② 권리의 이전이나 그 행사에 등기, 등록, 명의개서 등("등기등"이라 한다)이 필요한 재산을 상속인 또는 수증자의 명의로 등기 등을 하지 않은 경우로서 그 재산을 상속재산 또는 증여재산의 신고에서 누락한 경우

③ 양도가액을 허위로 이중 계약서를 작성하여 양도소득세를 신고·납부하는 경우

④ 양도소득세를 탈세할 목적으로 타인 명의로 취득 또는 양도하는 경우

⑤ 필요경비를 허위증빙을 첨부하여 양도소득세를 부당하게 축소하여 신고한 것(조세심판원 2015중5775, 2016.4.12.)

2 양도소득세 등의 징수권 소멸시효란?

양도소득세 등의 징수를 목적으로 하는 국가의 권리는 시효의 중단 및 정지사유 없이 이를 행사할 수 있는 때부터 다음의 구분에 따른 기간 동안 행사하지 아니하면 소멸시효가 완성한다(국세기본법 §27).

이 경우 양도소득세의 소멸시효가 완성한 때에는 그 양도소득세 등의 가산금, 체납처분비 및 이자상당세액에도 그 효력이 미치므로 소멸시효가 완성된다.

① 5억원 이상의 양도소득세 등 : 10년

② 위 "①" 외의 양도소득세 등 : 5년

질의 **압류가 있는 양도소득세에 대한 징수권의 소멸시효는 어떤 영향을 미치나요?**

답변 양도소득세에 대한 징수권의 소멸시효는 압류에 의하고 압류를 해제한 때로부터 새로이 진행되는 것이므로 압류가 해제되기 전까지는 압류와 관계되는 양도소득세에 대한 징수권의 소멸시효는 완성되지 않습니다(서면징세-310, 2015.6.24.).

11

양도소득세의 억울한 처분을 구제받기 위해 마련된 과세전적부심사제도를 적극 활용하여라

일상생활을 하다 보면 세금에 대하여 부당한 처분을 받았거나 필요한 처분을 받지 못하여 억울한 세금이 과세되는 경우에는 그 침해된 권리를 구제받기 위해 과세전적부심사제도를 통해 구제받을 수 있다.

과세전적부심사제도란, 양도소득세 등의 결정·경정의 결과에 따라 과세처분을 하기 전에 양도소득세의 내용을 미리 납세자에게 통지하여 세금을 고지하기 전에 그 과세내용에 이의가 있을 때 납세자로 하여금 그 과세내용의 적법한 심사를 청구하여 납세자권리구제의 실효성을 제고하기 위해 마련된 제도이다.

따라서 양도소득세의 결정·경정에 대한 세무조사 결과에 대한 서면통지서 및 과세예고통지서를 받은 자는 그 통지서를 받은 날로부터 30일 이내에 그 통지서를 보낸 세무서장 또는 지방국세청장에게 통지내용에 대한 적법성 여부에 대해 심사를 청구할 수 있으며, 그 통지서를 받은 세무서장 등은 이를 심사하여 30일 이내에 결정한 후 납세자에게 통지하여야 한다.

질의 **과세전적부심사청구서를 기한 내에 제출하였으나 심사결정이 없는 경우에는 양도소득세에 어떤 영향을 미치나요?**

답변 과세전적부심사청구서를 기한 내에 제출하였으나 심사결정 없이 양도소득세를 부과한 것은 부당합니다. 또한 양도소득세의 과세자료에 대하여 과세예고 통지를 한 후 과세전적부심사청구를 하였음에도 심사결정 없이 양도소득세를 부과 고지한 것은 부당합니다(국심사양도 2008-56, 2008.7.22.).

세금고지 후 과세전적부심사제도 외에 다음과 같은 제도를 이용하여 억울한 양도소득세 등의 처분을 받을 수 있다.

① 관할 세무서 또는 지방국세청에 제기하는 이의신청

② 국세청에 제기하는 심사청구

③ 국무총리실 조세심판원에 제기하는 심판청구

④ 감사원에 제기하는 감사원 심사청구

⑤ 「행정소송법」에 의하여 법원에 제기하는 행정소송

12

부담부증여를 하면 증여자와 수증자에게 어떤 세금이 과세되나요?

양도소득세의 과세대상이 되는 양도는 유상계약을 전제로 한다.

부담부증여는 증여받는 사람(수증자)이 그 부동산에 대한 증여자의 채무를 부담하거나, 인수를 부담하는 조건으로 하는 증여계약을 말한다.

부담부증여는 증여계약과 부담계약이 두 개의 별도 계약이 아니며, 증여와 부담이 서로 주종관계에서 결합한 계약이기 때문에 증여가 무효이면 부담도 당연히 무효가 되는 특징이 있다.

그러나 증여자의 증여일 현재 채무 중 해당 증여재산에 담보된 채무가 아닌 다른 채무를 채무부담 약정을 한 경우에는 채무로 인정하지 아니한다.

부담부증여 시 증여세와 양도소득세의 과세방법은 다음에 따라 다르게 적용한다.

① 수증자가 인수한 채무액은 유상양도에 해당하므로 증여자는 인계한 채무액에 대하여 양도소득세 납세의무가 있다.

② 부담부증여 부동산의 증여재산가액 총액에서 수증자가 인수한 채무액(위 "①" 금액을 말함)을 뺀 금액에 대하여 무상으로 이전되었으므로 수증자에게 증여세 납세의무가 있다.

보충설명

부담부증여로 양도에 해당하는 금액에 대해서는 일반적으로 비과세, 감면 및 중과세 규정은 양도소득세 과세대상 일반부동산과 동일하게 적용된다.

부담부증여 시 양도소득세 예정신고는 수증일이 속하는 달의 말일부터 3개월 이내이다.

질의 **비과세대상 주택을 부담부증여한 경우 인계한 채무부담분은 양도소득세가 과세되나요?**

답변 증여재산이 비과세대상 주택을 부담부증여 시 인계하는 채무에 대해서는 양도소득세가 과세되지 않습니다(서면4팀-1546, 2004.10.1.).

질의 **부담부증여에 있어서 증여가액을 초과하는 채무 인수 시 부채액을 얼마로 하여 양도소득세를 과세하여야 하나요?**

답변 어머니가 아들에게 부동산을 증여함에 있어서 당해 부동산의 가액을 초과하는 어머니의 채무를 아들이 인수한 경우, 이는 부담부증여로서 당해 부동산은 양도소득세 과세대상이 되는 것이므로 아들이 인수한 채무액에서 당해 부동산의 가액을 차감한 금액에 대하여는 상증법(§34의3)에 의하여 아들이 어머니에게 증여한 것으로 봅니다(재삼 46014-1049, 1995.4.26.).

13

배우자 또는 직계존비속에게 부동산을 양도하면 어떤 세금이 과세되나요?

부동산을 금전 등에 의하여 유상이전한 경우에는 양도소득세 과세대상이며, 무상이전의 경우에는 증여세 과세대상이 된다.

부동산의 이전은 제3자에게 양도하는 것이 일반적이지만, 예외적으로 배우자 또는 직계존비속("배우자 등"이라 한다)에게 양도한 부동산의 경우에는 양도자가 그 부동산을 양도한 때에 증여한 것으로 추정하여 양도인에게 양도소득세가 과세되지 않고 양수인에게 증여세가 과세된다(상속세 및 증여세법 §44①).

그러나 배우자 등에게 부동산 등을 양도하고 그 대가를 실제로 지급받는 유상이전 사실을 입증한 경우에는 양도자에게 양도소득세가 과세된다.

이는 증여형식을 빌어 양도소득세를 회피하려는 행위를 방지하기 위해 세법규정을 마련한 것이다.

※ 제2편 제2장 "14. 배우자 등에게 양도한 재산의 이익(증여)은 증여세 또는 양도소득세가 과세된다."(p.325 참조)

양도한 부동산이 증여추정(증여세 과세)과 직접양도(양도소득세 과세)를 도해하면 다음과 같다(상속세 및 증여세법 집행기준 44-0-0-1).

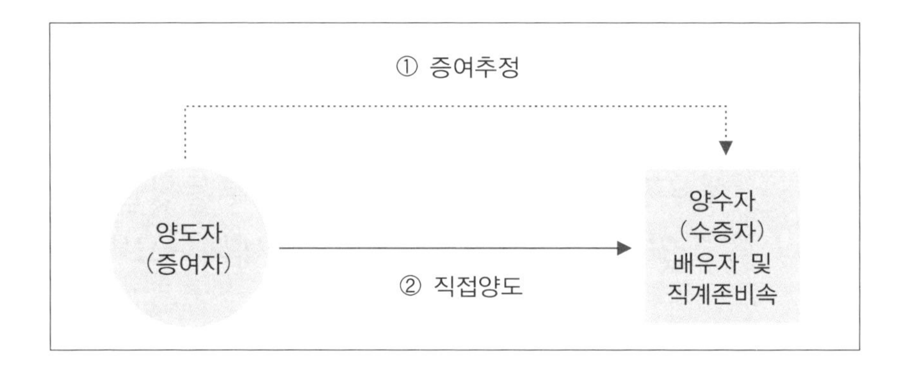

배우자와 직계존비속이란?

배우자와 직계존비속은 다음과 같다(상속세 및 증여세법 집행기준 44-0-2).

① 배우자는 민법상 혼인관계에 의한 배우자를 말한다. 따라서 사실혼에 의한 배우자는 포함되지 아니한다.

② 직계비속에는 친양자 및 출양자도 포함된다.

③ 계모자 관계, 적모서자 관계는 직계존비속 관계에 해당되지 아니한다.

④ 며느리와 시아버지 · 시어머니 관계 그리고 사위와 장인 · 장모의 관계는 직계존비속 관계가 아니라 친족관계이다.

보충설명

배우자란, 부부를 말하는 것으로서 사실혼관계에 있는 배우자를 포함하고 있으나(재산 01254-2041, 1987.7.28.), 판례에서는 일관되게 법률상 혼인관계에 있는 경우에 한하여 적용하고 있다(대법원 90누6897, 1991.4.26.).

직계존비속이란, 부자 간이나 조부 · 손자 간과 부모 · 조부모와의 관계를 말한다. 입양으로 인한 부모 자녀관계인 법정친자관계도 직계존비속으로 보지만, 의부는 직계존비속(부녀간) 관계가 아니다(국세심판원 90서785, 1990.7.28.). 그리고 장모와 사위는 직계존비속관계가 아니다.

질의 혼인 외 출생부에 입적된 자가 생모에게 재산을 양도하면 증여세를 과세하나요?

답변 혼인 외 출생부에 입적된 자가 생모에게 재산을 양도한 경우 생모와 그 자녀는 직계존비속에 해당하므로 증여추정(증여세)으로 봅니다(재산 22601-641, 1986.7.31.). 다만, 유상양도를 입증하면 양도소득세가 과세됩니다.

질의 형제 간 부동산을 양수 · 양도한 경우 증여추정을 적용하나요?

답변 세법상 형제 간의 부동산 양도에 대한 증여추정 규정이 없으므로 등기부상 증여를 원인으로 소유권이 이전되었다 하더라도 실지 매매대금을 수수하고 거래한 것이 확인되면 부동산 양도에 해당합니다(국세심판원 90서1809, 1990.11.14.).

14

양도소득을 부당하게 감소시키기 위해 특수관계인 간 고가 매입 · 저가 양도를 하면 어떤 세금이 과세되나요?

양도소득을 부당하게 감소시킨 것으로 인정되는 경우에는 이를 부인하고 정상적인 제3자 간의 거래, 건전한 사회통념 내지 상관습을 기준으로 하여 양도소득세의 과세공평을 도모하는데 있다.

양도소득세의 부당행위계산 부인이라 함은 양도소득을 계산함에 있어서 양도자가 그와 특수관계인 사이에서 행한 거래가 법률관계를 떠나서 일반적인 경제거래에 비추어 볼 때 양도소득세 부담을 부당히 감소시킨 것이라고 인정되는 행위나 계산하는 경우를 말한다.

이와 같이 양도소득의 부당행위계산 부인 제도를 둔 취지는 특수관계인 간의 거래가 사회통념이나 관습에 비추어 볼 때 합리적인 경제인이 취하는 정상적인 거래가 아닌 경우 고가 매입가액 또는 저가 양도가액을 시가로 하여 양도소득세를 계산한다.

특수관계인 간 거래가 고가 매입 · 저가 양도에 대한 증여세 과세의 자세한 내용은 제2편 제2장 증여세편을 참조(p.314 참조)하기 바란다.

❶ 양도소득의 부담을 부당하게 감소시키는 것으로 인정되는 요건은 어떤 것이 있나요?

양도소득세를 부당하게 감소시키기 위해 부동산을 시가보다 높은 가격으로 매입(고가 매입)하거나 시가보다 낮은 가격으로 양도(저가 양도)하는 경우로서 다음의 요건을 모두 충족한 경우에는 부당행위계산 부인을 적용한다(소득세법 §101①).

① 특수관계인 간의 거래이어야 한다.

② 시가와 거래가액의 차액이 3억원 이상이거나 또는 시가의 5%에 상당하는 금액 이상이어야 한다.

❷ 특수관계인 개인 간 고가 매입에 따른 취득가액 및 저가 양도에 따른 양도가액은 시가로 결정한다

특수관계인 간의 거래에 있어서 부동산을 고가 매입하거나 저가 양도함으로써 양도소득의 부담을 부당하게 감소시킨 것으로 인정되는 경우에는 그 고가매입 시 취득가액 또는 저가양도 시 양도가액을 시가로 양도소득세를 계산한다.

❸ 특수관계인 개인 간의 자산을 저가 매매한 경우 세법 적용은 어떻게 하는가?

특수관계인 개인 간의 거래에 있어서 자산을 시가보다 낮은 가격으로 양도·양수한 경우 적용할 세법 내용을 살펴보면 다음과 같다.

특수관계인에게 자산을 저가양도한 경우

특수관계인 간 개인이 다른 개인에게 양도소득의 부담을 부당하게 감소시키는 거래로써 자산을 저가양도한 경우에는 시가와 대가의 차액(거래차액)에 대하여 해당 개인에게 양도소득의 부당행위계산 부인이 적용되는 것이며, 양도가액은 시가에 의하여 계산한다(소득세법 시행령 §167④).

이 경우 양도소득의 부당행위계산 부인은 거래차액이 다음의 "① 또는 ②"에 충족하는 경우에 적용한다(소득세법 시행령 §167③).

① 3억원 이상 : 거래차액 ≥ 3억원

② 시가의 5% 이상 : 거래차액 ≥ 시가 × 5%

특수관계인으로부터 자산을 저가매입한 경우

특수관계인으로부터 재산을 저가 매입하는 경우에는 시가에서 대가의 차액(거래차액)에 해당하는 이익상당금액을 양수자에게 증여한 것으로 본다(상속세 및 증여세법 §35).

이 경우 양수자에게 무상이전한 그 이익상당금액에 대하여 증여세를 과세하기 위해서는 증여세 과세요건을 충족하고, 증여재산가액을 계산하여 증여세가 과세된다.

〈증여세 과세요건〉

증여세 과세요건은 저가 매입한 시가에서 그 대가를 차감한 금액(거래차액)이 다음의 "① 또는 ②"에 충족하는 경우에 적용한다.

① 시가의 30% 이상 : 거래차액 ÷ 시가 ≥ 30%

② 3억원 이상 : 거래차액 ≥ 3억원

〈증여재산가액〉

증여세 과세요건을 충족하는 경우 거래차액에서 다음의 "①과 ②" 중 적은 금액을 뺀 금액(증여재산가액)을 그 이익을 얻는 자인 양수자에게 증여세를 과세한다.

① 시가의 30% 상당하는 금액

② 3억원

보충설명

특수관계인 간의 부동산을 저가 양도하는 경우에는 부당행위계산 부인을 적용하여 양도인에게 양도소득세를 부과하고, 양수인에게 증여세를 부과하는 것이 동일한 담세력의 원천에 대하여 중복 과세하는 결과를 가져온다 하더라도 이중과세 금지원칙에 위배되지 아니한다(대법원 2012두10932, 2012.9.13.).

<table>
<tr><th>거래유형</th><th>거래당사자</th><th>특수관계인</th></tr>
<tr><td rowspan="2">개인 간 저가
매입 또는 저가
양도의 경우</td><td>저가로
양도한 개인</td><td>〈부당행위계산 부인 요건〉
거래차액이 다음의 “① 또는 ②” 이상인 경우
① 3억원 이상
② 시가의 5% 이상
〈양도가액 결정〉
시가</td></tr>
<tr><td>저가로
매입한 개인</td><td>〈증여세 과세요건〉
거래차액이 다음의 “① 또는 ②” 이상인 경우
① 시가의 30% 이상
② 3억원 이상
〈증여재산가액〉
거래차액에서 다음의 “①과 ②” 중 적은 금액을 뺀 금액
① 시가의 30% 상당하는 금액
② 3억원
〈취득가액 결정〉
대가</td></tr>
</table>

사례 1 저가 양도 · 저가 매입

김일남씨와 배우자 간 부동산 거래내용(저가 매매)은 다음과 같다.

① 김일남씨는 배우자에게 토지를 4억원에 매각하였다.

② 배우자에게 매각한 토지의 시가는 12억원이다.

[풀이]

1. 양도자에게 적용할 양도소득세(부당행위계산 부인)

김일남씨가 배우자에게 토지를 저가 양도함으로써 시가와 대가의 차액(거래차액)이 다음의 "① 또는 ②"에 충족되는 경우에는 양도소득의 부당행위계산 부인이 적용되는 것이며, 이 경우 저가 양도가액은 시가(12억원)로 한다.

① 거래차액이 3억원 이상 : 8억원(12억원 - 4억원) ≥ 3억원

② 거래차액이 시가의 5% 이상 :
8억원(12억원 - 4억원) ≥ 60,000,000원(시가 × 5%)

2. 양수자에게 적용할 증여세

저가 매입한 배우자에게 적용할 세법은 매입 부동산에 대해 시가에서 대가를 차감한 이익상당액이 다음의 "① 또는 ②"에 충족되는 경우(증여세 과세요건)에는 증여세 과세대상이 된다.

① 시가의 30% 이상 :
66.66%[(12억원 - 4억원) ÷ 12억원] 〉 30%

② 3억원 이상 : 8억원(12억원 - 4억원) 〉 3억원

따라서 특수관계인(배우자)으로부터 저가 매입한 부동산이 증여세 과세요건을 충족하므로 거래차액에서 다음의 "①과 ②" 중 적은 금액을 뺀 금액(증여재산가액) 5억원(12억원-4억원-3억원)에 대해서 증여세가 과세된다.

① 시가의 30% 상당하는 금액 : 3.6억원(12억원 × 30%)

② 3억원

질의 **부당행위계산 부인을 적용하는 기준일은 어느 때로 하나요?**

답변 부당행위계산 부인을 적용하는 기준일은 특수관계인 간의 거래당시 양도가액을 확정짓는 시점인 매매계약일을 기준으로 판단합니다(소득세법 집행기준 101-167-2).

질의 **특수관계가 소멸된 후에 양도하는 경우에도 부당행위계산 부인을 적용하나요?**

답변 특수관계인으로부터 부동산을 증여받은 자가 그 부동산을 양도할 당시 증여자의 사망으로 특수관계가 소멸하는 경우에는 부당행위계산 부인을 적용하지 않습니다(재산 46014-444, 2000.4.8.).

4 특수관계인 개인 간의 자산을 고가매매한 경우 세법적용은 어떻게 하는가?

특수관계인 개인 간의 거래에 있어서 자산을 시가보다 높은 가격으로 양도·양수한 경우 적용할 세법 내용을 살펴보면 다음과 같다.

특수관계인에게 자산을 고가양도한 경우

특수관계인 간 개인이 다른 개인에게 자산을 시가보다 높은 가격으로 양도(고가양도)하는 경우에는 양도소득의 부당행위계산 부인이 적용되지 않지만, 증여세 과세요건을 충족하는 경우에는 증여세가 과세된다. 이 경우 고가 양도자의 양도가액은 대가에서 증여재산가액을 뺀 금액으로 한다.

〈증여세 과세요건〉

증여세 과세요건은 시가에서 대가의 차액(거래차액)에 해당하는 이익상당금액이 다음의 "① 또는 ②"에 해당하는 경우를 말한다.

① 시가의 30% 이상 : 거래차액 ÷ 시가 ≥ 30%

② 3억원 이상 : 거래차액 ≥ 3억원

〈증여세 재산가액〉

증여세 과세요건을 충족하는 경우에는 거래차액에서 다음의 "①과

②” 중 적은 금액을 뺀 금액(증여재산가액)을 그 이익을 얻는 자인 양도자에게 증여세가 과세된다.

① 시가의 30% 상당하는 금액

② 3억원

■ 특수관계인으로부터 자산을 고가매입한 경우

특수관계인 개인이 다른 개인으로부터 자산을 고가매입한 경우 조세의 부담을 부당히 감소한 것이 아니므로 양도소득의 부당행위계산과 증여세가 발생하지 아니한다.

사례 2 고가양도 · 고가매입

김일남씨와 배우자 간 부동산 거래내용(고가매매)은 다음과 같다

① 김일남씨는 배우자에게 자산을 12억원에 매각하였다.

② 배우자에게 매각한 자산의 시가는 4억원이다.

[풀이]

1. 양도자에게 적용할 증여세

특수관계인 개인 간의 거래로서 자산을 고가 양도한 경우에는 부당행위계산 부인이 적용되지 아니한다.

그러나 고가 양도 부동산에 대해 시가에서 그 대가를 차감(거래차액)한 이익상당액이 다음의 “① 또는 ②”에 해당하는 경우(증여세 과세요건)에는 증여세가 과세된다.

① 시가의 30% 이상 : 66.67%[(12억원 - 4억원) ÷ 12억원] 〉 30%

② 3억원 이상 : 8억원(12억원 - 4억원) 〉 3억원

특수관계인(배우자)에게 고가 양도한 부동산이 증여세 과세요건을 충족하므로 거래차액에서 다음의 “①과 ②” 중 적은 금액을 뺀 금액(증여재산가액) 5억원(12억원-4억원-3억원)에 대해서 증여세가 과세된다.

① 시가의 30% 상당하는 금액 : 3.6억원(12억원 × 30%)

② 3억원

그리고 양도소득세 계산시 양도가액은 대가 12억원에서 증여재산가액 5억원을 뺀 금액으로 한다.

2. 양수자에게 적용할 양도소득세(부당행위계산 부인)

고가 양수인은 다음과 같이 양도소득의 부당행위계산 부인이 적용된다.

김일남씨로부터 고가 매입한 배우자는 시가와 대가의 차액(거래차액)이 다음의 "① 또는 ②"에 충족되는 경우에는 양도소득의 부당행위계산 부인이 적용되는 것이며, 이 경우 취득가액은 시가(4억원)로 한다.

① 3억원 이상 : 8억원(12억원 - 4억원) ≥ 3억원

② 시가의 5% 이상 :
8억원(12억원 - 4억원) ≥ 60,000,000원(시가 × 5%)

그리고 고가 양수자가 해당자산을 양도할 때 취득가액은 시가인 4억원으로 한다.

거래유형	거래당사자	특수관계인
개인 간 고가 양도와 고가 매입한 경우	고가양도한 개인	〈증여세 과세요건〉 거래차액이 다음의 "① 또는 ②" 이상인 경우 ① 시가의 30% 이상 ② 3억원 이상 〈증여재산가액〉 거래차액(증여세과세 요건을 충족한 금액)에서 다음의 "①과 ②" 중 적은 금액을 뺀 금액 ① 시가의 30% 상당하는 금액 ② 3억원 〈양도가액 결정〉 대가－증여재산가액
	고가 매입한 다른 개인	〈취득가액 결정〉 시가

5 고가매입 또는 저가양도 시 부당행위계산 부인이 적용되지 않는 경우

■ 개인과 특수관계인 법인 간 거래 시 부당행위계산 부인이 적용되나요?

개인이 특수관계에 있는 법인에게 재산을 양도하는 경우로서 해당 거래의 대가가 「법인세법」의 시가에 해당하여 부당행위계산 규정이 적용되지 아니하는 경우에는 양도소득에 대한 부당행위계산 부인이 적용되지 아니한다(소득세법 집행기준 101-167-7).

■ 부담부증여 시 채무 상당액에 대하여 부당행위계산 부인이 적용되나요?

특수관계인 간의 부담부증여를 통해 증여자의 채무를 수증자가 인수하여 증여가액 중 그 채무액에 상당하는 부분에 대해 증여자에게 양도소득세를 과세한 경우에는 해당 채무액에 상당하는 부분은 부당행위계산 부인이 적용되지 아니한다(소득세법집행기준 101-167-6).

6 특수관계인의 범위

양도소득세가 부당행위계산 부인 대상이 되기 위해서는 특수관계인과의 거래이어야 하고, 양도소득세의 부담을 회피하기 위해 부당하게 감소시킨 것으로 인정되는 경우를 그 요건으로 하고 있다.

여기서 부당행위계산 부인의 요건 중 특수관계인이란, 본인과 다음에 해당하는 관계에 있는 자를 말한다(국세기본법 §2).

보충설명

세법상 부당행위계산 부인 대상이 되는 특수관계인은 납세의무자를 기준으로 하여 그와 특수관계인만이 해당하며, 거래상대방을 기준으로 하여 납세의무자가 특수관계에 있는 경우에는 특수관계인으로 보지 아니한다(서울행법 2011구합31802, 2012.3.9.).

다음의 친족관계는 특수관계인이다

① 6촌 이내의 혈족

② 4촌 이내의 인척

③ 배우자(사실상의 혼인관계자 포함)

④ 친생자로서 다른 사람에게 친양자 입양된 자 및 그 배우자 · 직계비속

다음의 경제적 연관관계는 특수관계인이다

① 임원과 그 밖의 사용인

② 본인의 금전이나 그 밖의 재산으로 생계를 유지하는 자

③ 위 "①과 ②"의 자와 생계를 함께하는 친족

다음의 경영지배관계(본인이 개인인 경우)는 특수관계인이다

① 본인이 직접 또는 그와 친족관계 또는 경제적 연관관계에 있는 자를 통하여 법인의 경영에 대하여 지배적인 영향력을 행사하고 있는 경우 그 법인

② 본인이 직접 또는 그와 친족관계, 경제적 연관관계 또는 위 "①"의 관계에 있는 자를 통하여 법인의 경영에 대하여 지배적인 영향력을 행사하고 있는 경우 그 법인

15

양도한 부동산의 양도시기 또는 취득시기를 명확히 하면 세금이 절약된다

부동산거래는 계약체결부터 계약금, 중도금 및 잔금을 청산하고 소유권이전 등기까지 여러 단계의 상당한 기간이 소요된다.

이러한 일련의 과정에서 어느 시점을 세법상 양도시기 또는 취득시기로 보느냐에 따라 양도소득의 귀속연도, 양도차익, 장기보유특별공제, 세율적용 및 신고·납부시기 등이 달라지므로 양도소득세 계산에 밀접한 영향을 준다.

또한, 각종 비과세와 감면요건을 판정함에 있어서도 명확하게 하는 것이 중요하다.

1 양도소득세 계산상 매매대금의 청산일이 분명한 경우 양도시기와 취득시기 적용방법

양도소득세를 계산함에 있어서 매매대금의 청산한 날이 분명한 때에는 그 매매대금의 청산일과 소유권 이전등기일(등기접수일) 중 빠른 날을 양도자는 양도시기로 하며, 거래상대방인 매수인은 이 때를 취득시기로 한다. 여기서 "대금청산일"은 원칙적으로 매매대금의 전부를 지급한 날을 의미하지만, 사회통념상 거의 지급되었다고 볼 정도의 대금이 지급된 경우라면 그 날을 의미한다(국심사양도99-485, 2000.3.10.).

② 양도소득세 계산상 매매대금의 청산일이 불분명한 경우 양도시기와 취득시기 적용방법

양도소득세를 계산함에 있어서 매매대금의 청산한 날이 분명하지 아니한 경우에는 등기접수일로 한다.

만일, 소유권 이전등기를 할 수 없는 상태의 부동산을 권리의무를 승계하여 사실상 유상 이전되는 경우에는 권리의무승계 대장에 기재된 승계일을 취득시기 또는 양도시기로 한다(재산 01254-2093. 1988.7.26.).

③ 그 밖의 양도시기와 취득시기 적용방법

대금청산일 전에 소유권 이전등기를 한 경우

부동산을 매도하고 대금을 청산하기 전에 소유권 이전등기(등록 및 명의개서 포함)를 한 경우에는 등기부·등록부 또는 명부 등에 기재된 등기접수일로 한다(국심사양도 2015-94, 2015.7.27.).

교환의 경우

교환하는 부동산의 양도시기 및 취득시기는 교환가액에 차이가 없으면 교환성립일이며, 차액의 정산이 필요한 경우에는 그 차액을 청산한 날이다. 만일 대금청산일이 불분명한 경우에는 교환 등기접수일이다(재일 46014-203, 2000.2.21.).

대물변제의 경우

대물변제는 소유권 이전등기를 완료하여야만 그 변제가 성립되어 기존채무가 소멸하는 것이므로 대물변제의 약정이 있는 경우에도 소유권 이전등기가 경료된 때에 양도시기 및 취득시기로 본다(조세심판원 2015중2792, 2015.9.8.).

재산분할청구권 및 이혼위자료로 부동산을 취득한 경우

재산분할청구권 행사에 따라 배우자로부터 취득한 부동산은 당초 배우자가 그 부동산을 취득한 날이 취득시기가 된다. 그러나 이혼위자료의 대가로 배우자로부터 취득하는 부동산은 소유권이전 등기접수일이 취득시기가 된다.

상속 및 증여(해제로 반환받는 경우 포함)로 취득한 경우

상속으로 인하여 취득하는 부동산의 취득시기는 상속개시일(사망일)이며, 증여로 취득한 부동산의 취득시기는 그 부동산을 증여받은 날(증여등기 접수일)이다.

그러나 증여 후 증여계약의 해제로 반환하는 경우에는 다음의 날로 한다.

① 증여받은 날이 속하는 달의 말일로부터 3개월 이내에 증여계약의 해제를 원인으로 증여부동산을 반환한 경우에는 당초 증여가 없는것으로 보아 증여세를 과세하지 아니한다(상속세 및 증여세법 §4⑤). 이 경우 반환받은 부동산의 취득시기는 증여자가 당초 취득한 날을 취득시기로 한다.

② 증여받은 날이 속하는 달의 말일로부터 6개월 이내에 증여계약의 해제를 원인으로 증여부동산을 반환한 경우에는 수증자에 대한 증여세가 과세되므로 수증일을 취득시기로 판단된다(서사-1324, 2008.5.30.).

■ 토지거래허가구역 내의 토지를 매매하고 나중에 허가를 받은 경우

토지거래허가지역 내의 토지매매계약은 허가를 받을 때까지는 미완성의 법률행위로서 효력이 발생되지 아니하지만, 나중에 허가를 받으면 소급하여 유효한 계약이 되므로 그 양도시기는 잔금을 청산한 날이다.

■ 유류분 권리자가 반환받은 상속재산의 경우

피상속인의 증여(유증 또는 사인증여 형식)에 의하여 부동산을 증여받은 자가 「민법」 제1115조에 따라 증여받은 부동산을 유류분 권리자(반환받을 자)에게 반환하는 경우 유류분 권리자가 반환받은 부동산의 취득시기는 상속개시일이다(서면5팀-1211, 2008.6.5.).

■ 장기할부조건으로 양도하는 부동산의 경우

장기할부조건으로 양도하는 부동산의 양도시기는 소유권 이전등기(등록 및 명의개서 포함) 접수일 · 인도일 또는 사용수익일 중 빠른 날로 한다.

"사용수익일"이란 당사자 간의 계약에 의하여 사용수익을 하기로 약정한 날을 말하나, 별도의 약정이 없는 경우에는 양도자의 사용승낙으로 인하여 양수인이 당해 자산을 실질적으로 사용할 수 있게 된 날을 말한다(부동산납세-498, 2014.7.15.).

보충설명

장기할부조건에 해당하는지 여부는 계약 당시를 기준으로 판단하는 것이므로 계약 당시에 장기할부조건에 해당하지 않았다면 장기할부조건 거래로 볼 수 없다(소득세법 집행기준 98-162-10).

가등기로 인해 본등기가 이행되는 경우

가등기는 물권변동의 효력이 없으므로 취득시기 및 양도시기에 영향을 미치지 아니한다. 그러나 다음의 가등기 목적에 따라 취득시기 및 양도시기가 달라진다.

① 가등기 설정 후 채무불이행으로 채권자 명의로 본등기를 한 경우에는 그 취득 및 양도시기는 본등기 한 날이다(가등기담보등에 관한 법률 §3).

② 매매예약 목적의 가등기는 가등기의 순위보전효력을 감안하여 실제 잔금청산일이 취득 및 양도시기이나 잔금청산일이 불분명한 경우에는 등기접수일을 취득 및 양도시기로 한다(국세심판원 2004중2263, 2004.9.24.).

법원의 확정판결에 의하여 부동산 소유권이 이전되는 경우

법원의 확정판결에 의하여 소유권을 이전한 경우 그 취득시기는 대금청산일을 확인하여 판정하는 것이며, 대금청산일이 불분명한 경우에는 소유권 이전등기접수일로 한다(소득세법 집행기준 98-162-5).

질의 **1984.12.31. 전에 취득한 부동산의 취득시기는 어느 때로 하나요?**

답변 1984.12.31. 전에 취득한 부동산의 취득시기는 1985.1.1.에 취득한 것으로 봅니다.

질의 **매매대금이 사회통념상 대부분 지급된 경우 양도시기는 언제로 하나요?**

답변 매매대금이 사회통념상 대부분 지급되었다고 볼만한 사정이 있는 경우로서 조세회피 또는 감면요건의 충족 등을 위하여 형식상 대금의 일부만을 남겨둔 경우에는 해당 매매대금이 대부분 지급된 시점을 양도시기로 봅니다(법규-710, 2014.7.8.).

질의 **자기가 건설한 건축물의 취득시기는 언제인가요?**

답변 자기가 건설한 건축물의 취득시기는 원칙적으로 사용검사필증 교부일입니다. 다만, 사용검사 전에 사용하거나 사용승인을 얻은 경우에는 사실상 또는 사용승인일 입니다. 또한, 건축허가를 받지 않고 건축한 건축물의 경우에는 사실상의 사용일입니다.

질의 **점유취득으로 인한 부동산 취득시기는 어느 때로 하나요?**

답변 20년 점유취득에 의하여 소유권이 이전되는 경우 그 부동산에 대한 양도 및 취득시기는 그 부동산의 점유를 개시한 날입니다(재일 46014-1637, 1995.6.29.).

질의 **공공사업용 토지로서 그 대금을 공탁한 경우에는 어느 때를 양도시기로 보나요?**

답변 공공사업용 토지로서 「공공용지의 취득 및 손실보상에 관한 특례법」상의 협의매매인 경우에는 그 매매대금의 청산일이 되는 것이나, 그 대금을 공탁한 경우에는 공탁일을 양도시기로 봅니다(재일 46014-1629, 1995.6.29.).

질의 **부동산소유권 이전등기 등에 관한 특별조치법에 따라 취득한 토지의 취득시기는 어느 때로 보나요?**

답변 부동산소유권 이전등기 등에 관한 특별조치법에 따라 부동산에 대한 소유권 이전등기를 하는 경우 사실상의 취득원인에 따라 증여재산은 등기접수일, 상속재산은 상속개시일로 합니다(서면2015-부동산0056, 2015.3.26.).

16

신축 · 증축한 건물을 5년 이내에 양도하면 어떤 불이익이 있나요?

건물을 신축 또는 증축(증축의 경우 바닥면적 합계가 85제곱미터를 초과하는 경우에 한정함)하고 그 건물의 취득일 또는 증축일부터 5년 이내에 해당 건물을 양도하는 경우에는 양도소득세 부담을 경감하려는 사례를 방지하기 위해 양도소득세 신고 시 가산세를 부과한다.

가산세는 감정가액 또는 환산취득가액을 그 취득가액으로 하는 경우 해당 건물의 감정가액(증축의 경우 증축한 부분에 한정함) 또는 환산취득가액(증축의 경우 증축한 부분에 한정함)의 100분의 5에 해당하는 금액(가산세)을 양도소득 결정세액에 더하여 납부하여야 한다(소득세법 §114의2).

만일 양도소득 산출세액이 없는 경우에도 적용한다.

양도가액을 명확히 계산하면 세금을 절약할 수 있다

양도가액을 명확히 계산하지 않으면 양도소득에 직접적인 영향을 미치고, 그로 인하여 추가로 납부할 양도소득세가 발생하는 경우에는 가산세도 부담된다.

양도가액은 양도소득세 계산 시 기준이 되는 금액으로서 해당 부동산의 양도당시 양도자와 양수자 간에 실제로 거래한 실지거래가액에 의해 산정함을 원칙으로 한다.

만일, 당초 매매거래가액이 상황변경 등의 사유로 계약이 변경된 경우에는 그 변경된 가액을 양도가액으로 한다.

1 양도가액에 포함하는 것은 어떤 것이 있나요?

다음의 금액은 양도가액에 포함한다.

① 양수인이 임차인의 임대보증금과 양도한 부동산에 저당권이 설정된 채무를 인수한 경우

② 양도인이 부담할 양도소득세를 양수인이 부담하기로 약정한 경우

③ 장기할부조건으로 매매지급방법에 따라 취득원가에 이자상당액을 가산하는 거래의 경우 등

질의 **약정없이 양도인이 부담할 양도소득세를 양수인이 부담하면 어떤 세금이 부과되나요?**

답변 양도소득세의 부담에 관한 별도의 약정이 없음에도 양수인이 아무런 조건없이 양도소득세를 납부한 때에는 이를 양도가액에 포함하는 것이 아니라 양도자가 양수인으로부터 증여받은 것으로 보아 증여세 납세의무가 있습니다(재산 01254-1748, 1987.6.30.).

질의 **아파트 양도 시 주택채권을 포함한 경우 양도가액에 포함하나요?**

답변 아파트를 취득할 때 첨가 취득한 주택채권을 포함하여 아파트를 양도하는 때에는 양도가액 총액에서 해당 주택채권의 양도당시 시가평가액을 공제한 금액을 아파트의 양도가액으로 합니다(재산 01254-1643, 1985.5.29.).

2 양도가액에 포함하지 않는 것은 어떤 것이 있나요?

다음의 금액은 양도가액에 포함하지 않는다.

① 양도대금의 선납으로 할인해 준 경우 그 할인금액

② 양도 대가를 지급함에 있어 약정기일을 어긴 대가로 받은 이자상당액

③ 양도계약의 위약, 해약에 따른 위약금, 해약금, 동 금액은 양도가액에 포함하지 않으며, 동 금액은 소득세법상 기타소득으로 분류한다.

질의 **매매계약서상 약정에 따라 양도대가가 하자로 변경되는 경우 양도가액은 어떤 금액으로 결정하나요?**

답변 매매계약서상의 특약조항에 의하여 양도일 이후 발생한 양도자산에 대한 하자에 대하여 지급한 보상금이 있고 그 지급금액이 객관성이 있을 때에는 당초의 양도가액에서 공제합니다(재산 46014-370, 2000.3.25.).

질의 **상가건물을 양도할 때 부가가치세 부담액은 양도가액에 포함하나요?**

답변 양수자로부터 거래 징수한 부가가치세액은 양도가액에 포함하지 않습니다(46014-1638, 1998.8.28.). 이 경우 매매계약서상 공급가액과 부가가치세가 구분되어 있어야 합니다.

질의 **토지 및 건물의 일괄 양도 시 토지와 건물가액은 어떻게 구분하나요?**

답변 토지와 건물 등을 일괄 양도하여 그 가액의 구분이 불분명할 때에는 기준시가에 따라 계산한 가액으로 안분하되, 감정평가가액이 있는 경우에는 그 가액에 비례하여 안분합니다.

18

취득가액을 명확히 계산하면 세금을 절약할 수 있다

양도가액과 같이 취득가액도 명확히 계산하지 않으면 양도소득에 직접적인 영향을 끼치고, 그로 인하여 추가로 납부할 양도소득세가 발생하는 경우에는 가산세가 부담된다.

취득가액이라 함은 당해 부동산의 취득에 소요된 실지거래가액을 말한다.

부동산을 양도하여 양도차익이 생기는 과정 중 양도가액에서 차감하는 필요경비(취득가액)는 취득단계, 보유단계 및 양도단계에 따라 다음의 요소로 구성된다.

① 취득단계 : 취득가액(취득당시 소요된 가액을 말함)
② 보유단계 : 자본적 지출액 등(취득한 부동산의 가치를 증가시키기 위해 지출한 비용과 부대비용을 말함)
③ 양도단계 : 양도비용(부동산을 양도하기 위해 지출한 비용을 말함)

❶ 취득당시 소요된 가액은 어떤 금액으로 하나요?

양도소득세 과세대상 부동산의 취득가액이란, 양도한 부동산의 취득단계에서 취득에 소요된 실지거래가액과 취득에 관련한 부대비용을 포함한 가액을 말한다.

그러나 다음의 것은 취득가액에 포함하지 아니한다.

① 상속받은 부동산에 대하여 납부한 상속세
② 부당행위계산 부인에 따른 시가초과액(특수관계인과의 거래로 고가양수에 따라 양도소득세를 부당하게 감소시킨 경우를 말함)
③ 당초 약정에 의한 거래가액의 지급기일의 지연으로 인하여 추가로 발생하는 이자상당액

보충설명

취득에 관련한 부대비용인 취득세·등록면허세(농어촌특별세와 지방교육세 포함)는 취득가액에 포함한다. 이 경우 부대비용을 인정받기 위해서는 거래한 증명서류가 있어야 하지만, 등록세 및 취득세의 경우에는 납입영수증이 없는 경우에도 취득가액에 포함한다(소득세법 기본통칙 97-5). 다만, 지방세법 등에 의하여 취득세가 감면된 경우의 당해 세액은 필요경비로 산입하지 아니한다(소득세법 기본통칙 97-0…3①).

■ 취득가액이 불분명한 경우 취득가액은 어떻게 산출하나요?

양도가액 또는 취득가액을 실지거래가액에 의하는 경우로서 양도 또는 취득당시의 실지거래가액의 확인을 위하여 필요한 장부·매매계약서·영수증 기타 증빙서류가 없거나 그 중요한 부분이 미비한 경우등에는 취득가액을 매매사례가액, 감정가액, 환산가액 또는 기준시가 등에 의하여 산출한다(소득세법 시행령 §176의2①).

이 경우 취득가액의 환산은 다음의 산식에 의한다.

> 환산취득가액 = 양도당시의 실지거래가액, 매매사례가액, 감정가액
> × 취득당시의 기준시가 / 양도당시의 기준시가

■ 양도가액에서 공제할 양도비 등은 어떤 것이 있나요?

양도가액에서 공제할 양도비 등이란, 다음과 같은 것을 말한다(소득세법 시행령 §163⑤).

① 취득세

② 자산을 양도하기 위하여 직접 지출한 비용(양도소득세 과세표준 신고 작성비용 등). 이는 사회통념상 지출이 인정되는 비용으로서 매수인이 확정된 후 지출되는 계약서비용, 공증비용, 인지대, 소개비 등을 말한다(대법원 87누83, 1987.10.13.).

③ 부동산 취득에 첨가취득한 국민주택채권, 토지개발채권매각손실

④ 부동산 양도와 관련하여 임차인에게 지급한 보상금이나 이사비용(부동산거래-676, 2011.8.2.)

⑤ 세입자를 내보내기 위한 조기퇴거비용(조세심판원 2010서1180, 2010.12.28.)

⑥ 부동산을 분할하기 위하여 지급한 지적측량수수료(국세심판원 2003서2408, 2004.1.14.)

⑦ 부동산 양도와 관련한 필수불가결한 컨설팅비용(재일 46014-3050, 1997.12.29.)

질의 상속 · 증여받은 부동산을 양도할 경우 취득가액은 어떻게 결정하나요?

답변 상속 · 증여로 취득한 부동산을 양도할 경우 취득가액은 상속개시일 또는 증여일 현재 「상속세 및 증여세법」에 따라 신고한 가액을 취득당시의 실지거래가액으로 합니다(부동산납세-920, 2014.12.3.).

질의 일시불 · 선납 등으로 할인받은 금액은 취득가액에서 차감하나요?

답변 아파트 중도금을 선납하여 일정액을 할인받은 때에는 그 할인받은 금액은 취득가액에 포함하지 않습니다(재일 46014-1973, 1998.10.13.).

질의 부동산을 취득할 때 소요된 중개수수료, 법무사비용, 취득컨설팅비용 등은 취득에 소요된 비용으로 보나요?

답변 부동산 취득과 관련하여 중개수수료, 취득에 관한 등기를 위하여 지출한 법무사비용, 취득 컨설팅비용 등 부동산을 취득하기 위한 직접 지출비용에 해당하므로 취득가액에 포함합니다(재일 46014-1973, 1998.10.31.).

질의 부동산 취득 시 임차보증금을 변제한 경우 취득가액에 포함하나요?

답변 임대부동산의 임차보증금을 대신 변제하기로 하고 그 임대부동산을 취득하는 경우에는 실제지급액 외에 임차보증금도 취득원가에 포함됩니다. 그러나 전 소유자인 임대인과 별도의 약정이 없고 임차보증금을 변제할 법적 의무가 없음에도 불구하고 대위변제한 경우 해당 임차보증금은 취득원가에 포함하지 않습니다(국세심판원 83부2210, 1984.1.10.). 이 경우 동 금액은 증여세가 과세됩니다.

질의 할부 또는 장기할부조건 등의 경우 이자와 연체이자는 취득가액에 포함하나요?

답변 할부 또는 장기할부조건 등으로 매매계약을 하고 당사자 간 약정에 따라 대금 지급방법에 의해 취득원가에 이자상당액을 가산하여 거래가액을 확정하는 경우 해당 이자상당액은 취득원가에 포함합니다.

질의 양수자가 약정에 따라 양도자의 양도소득세를 부담한 경우에는 취득가액에 포함하나요?

답변 부동산을 양도하고 양도자가 부담할 양도소득세를 양수자가 약정에 의하여 실제로 납부한 경우 양수자가 납부한 양도소득세는 취득가액에 포함합니다

(소득세법 기본통칙 97-6).

질의 **입주지체상금은 취득가액에 포함하나요?**

답변 분양아파트의 입주가 지체되어 계약의 위약으로 지체상금이 분양아파트 분양대금에서 차감된 경우 당초 분양가액을 취득가액으로 합니다.

질의 **부가가치세의 부담액은 취득가액에 포함하나요?**

답변 아파트를 분양받은 자가 부가가치세법상 일반과세사업자로서 사업용으로 분양받은 경우에는 그 부가가치세를 필요경비로 산입할 수 없습니다(소득세법 기본통칙 97-0…5). 한편, 사업용 자산의 취득과 관련하여 부담한 부가가치세 중 부가가치세법상 간이과세자인 사업자로서 공제받지 못한 매입세액은 해당 자산의 취득가액에 포함합니다(서일 46014-11891, 2003.12.23.).

질의 **양도한 부동산이 배우자 및 직계존비속에게 우회양도에 해당 할 경우 취득가액은 어떻게 계산하나요?**

답변 취득가액은 당초 배우자 또는 직계존비속이 취득한 당시를 기준으로 합니다(소득세법 §97의2①).

※ 제1편 "20. 특수관계인으로부터 부동산을 증여받아 5년 이내 타인에게 우회양도하면 무거운 세금이 과세된다"(p.84 참조)

2 취득가액에 포함하는 자본적 지출액은 어떤 것이 있어요?

부동산을 취득한 후 보유하는 단계에서 가치를 현실적으로 증가시키기 위해 지출하는 다음의 자본적 지출액은 취득가액에 포함한다(소득세법 §97①).

① 본래의 용도를 변경하기 위한 개조

② 엘리베이터 또는 냉난방 장치의 설치

③ 빌딩 등의 피난설비 등의 설치

④ 재해 등으로 건물이 훼손되어 원래 용도로의 복구

⑤ 개량·확장·증설 등으로 위와 유사한 것

⑥ 양도자산을 취득한 후 쟁송이 있는 경우에 그 소유권을 확보하기위하여 직접 소요된 소송비용·화해비용 등의 금액

⑦ 법률에 따라 토지 등이 협의 매수 또는 수용되는 경우로서 그 보상금의 증액과 관련하여 직접 소요된 소송비용·화해비용 등의 금액(증액보상금을 한도)

⑧ 양도자산의 용도변경·개량 또는 이용 편의를 위하여 지출한 비용

⑨ 개발부담금(개발부담금의 납부의무자와 양도자가 서로 다른 경우에는 양도자에게 사실상 배분될 개발부담금상당액을 말함)

⑩ 재건축부담금(재건축부담금의 납부의무자와 양도자가 서로 다른 경우에는 양도자에게 사실상 배분될 재건축부담금상당액을 말함)

⑪ 법률에 따라 시행하는 사업으로 인하여 해당 사업구역 내의 토지 소유자가 부담한 수익부담금 등의 사업비용

⑫ 토지이용의 편의를 위하여 해당 토지 또는 해당 토지에 인접한 타인 소유의 토지에 도로를 신설한 경우의 그 시설비

⑬ 토지이용의 편의를 위하여 해당 토지에 도로를 신설하여 국가 또는 지방자치단체에 이를 무상으로 공여한 경우 그 도로 토지의 취득당시 가액 등

질의 토지와 건물을 함께 취득한 후 토지만을 이용하기 위하여 건물을 철거할 경우 철거비용은 자본적 지출로 보나요?

답변 토지와 건물을 함께 취득한 후 토지만을 이용하기 위하여 토지와 건물을 함께 취득한 후 해당 건물을 철거하고 토지만을 양도하는 경우 철거된 건물의 취득가액과 철거비용의 합계액에서 철거 후 남아 있는 시설물의 처분가액을 차감한 잔액을 취득가액으로 합니다.

질의 베란다 샷시, 거실 확장공사비 등은 자본적 지출로 보나요?

답변 주택의 이용 편의를 위한 베란다 샷시, 거실 및 방 확장공사비, 난방시설 교체비 등의 내부시설의 개량을 위한 공사비는 자본적 지출액에 해당합니다(소득세법 집행기준 97-163…28). 그러나 현관·거실·주방·화장실 이미지 구현공사와 도장공사, 화장실공사, 타일공사, 수장공사, 조명공사 등은 아파트의 가치를 현저하게 상승시키거나 그 내용연수를 증가시키기 위한 공사비는 아파트의 원상회복, 거주환경 또는 그 외관을 보기좋게 하기 위한 공사이므로 자본적 지출액에 해당되지 않습니다(조세심판원 2013중3662, 2013.11.11.).

질의 벽지·장판 또는 싱크대 교체비용 등은 자본적 지출로 보나요?

답변 정상적인 수선 또는 부동산 본래의 기능을 유지하기 위한 경미한 개량인 벽지·장판의 교체, 싱크대 및 주방기구 교체비용, 옥상 방수공사비, 타일 및 변기공사비 등은 자본적 지출로 볼 수 없습니다(소득세법 집행기준 97-163…29).

3 부동산을 취득할 때 소요된 금융비용이 취득가액에 포함하나요?

부동산의 취득과 관련하여 지출한 금융비용은 발생원인과 발생기간에 따라 취득가액에 포함되는 경우와 그렇지 않은 경우가 있다.

당사자 간 약정에 의한 대금지급 방법에 따라 취득원가에 이자상당액을 가산하여 거래가액을 확정하는 경우 해당 이자상당액은 취득원가에 포함한다(소득세법 시행령 §163①).

임대사업자가 임대용 건물신축과 관련하여 차입금에 대한 건물 준공시까지의 지급이자는 동 임대용 건물에 대한 건설자금이자에 해당하므로 취득원가에 해당한다(국세심판원 2001중327, 2002.7.12.).

그러나 사업자가 아닌 개인이 주거용 주택구입에 소요된 금융비용은 취득가액에 포함하지 않는다.

19

배우자 또는 직계존비속 간 증여 후 5년 이내에 타인에게 양도하면 무거운 세금이 과세(이월과세)된다

이월과세 규정은 증여세에 대한 배우자공제(6억원)가 확대됨에 따라 배우자 또는 직계존비속 간 단기양도에 따른 양도소득세 회피를 방지하려는데 입법취지가 있다.

양도소득세를 부당하게 감소시키기 위해 거주자가 양도일부터 소급하여 5년 이내에 그 배우자 또는 직계존비속("배우자 등"이라 한다)으로부터 증여받은 토지 · 건물 및 부동산을 취득할 수 있는 권리 등을 타인에게 양도한 경우에는 증여자가 동 토지 · 건물 등을 직접 양도한 것으로 보아 양도소득세를 계산한다(소득세법 §97의2①).

이 경우 양도차익을 계산할 때 양도가액에서 공제할 취득가액은 당초 증여자의 취득가액으로 소급하여 과세한다.

보충설명

배우자로부터 이혼위자료에 갈음하여 증여 형식으로 대물변제받은 부동산을 양도하는 경우에는 해당 배우자 간의 증여가 아닌 양도로 보기 때문에 이월과세 규정이 적용되지 아니한다(서면4팀-530, 2007.2.8.).

그리고 분양권 등 부동산을 취득할 수 있는 권리에 대해서는 이월과세를 적용하지만, 비과세대상주택[양도소득의 비과세대상에서 제외되는 고가주택(이에 딸린 토지를 포함)을 포함]을 양도하는 경우에는 배우자 등 증여자산의 이월과세 규정을 적용하지 아니한다(소득세법 §97의2②).

❶ 이월과세가 적용되는 배우자 등의 관계

배우자 등 증여자산의 이월과세 규정을 적용함에 있어서 배우자 간의 증여는 증여당시 증여자와 수증자가 배우자 관계임을 그 요건으로 할 뿐이며, 해당 증여자산을 양도하는 당시에도 배우자 관계가 성립될 것을 필요하지 않는다.

따라서 배우자로부터 자산을 증여받은 후 이혼으로 배우자 관계가 소멸된 경우와 당초 직계존비속에게 증여한 재산이 양도일 현재 친생자관계부존재확인을 통해 증여한 직계존비속과의 관계가 소멸한 경우에도 이월과세를 적용하는 것이며 사망으로 혼인 관계가 소멸된 경우에는 이월과세 규정을 적용하지 아니한다.

❷ 수증자가 납부한 증여세 상당액의 필요경비산입

배우자 등 이월과세가 적용되는 경우에는 증여받은 해당 토지·건물 등에 대하여 납부하였거나 납부한 증여세상당액이 있는 경우에는 양도가액에서 공제할 필요경비에 산입한다.

그러나 수증인이 납부한 증여받은 자산에 대한 취득세·등록세 등은 필요경비로 인정하지 아니한다(부동산거래-118, 2013.3.19.).

질의 **증여당시에는 주택이었으나 양도당시에는 재건축입주권에 해당하는 경우에도 이월과세가 적용되나요?**

답변 증여당시에는 주택에 해당하였으나 양도당시에는 「주택건설촉진법」에 의한 재건축입주권에 해당하는 경우에도 취득가액 이월과세가 적용됩니다(서일 46014-11414, 2002.10.25.).

질의 **이혼위자료에 갈음하여 증여 형식으로 대물변제 받은 자산을 양도한 경우에도 이월과세를 적용받나요?**

답변 배우자로부터 이혼위자료에 갈음하여 증여 형식으로 대물변제 받은 자산을 양도하는 경우에는 이는 해당 배우자 간의 증여가 아닌 양도로 보므로 이월과세를 적용하지 아니합니다(서면4팀-530, 2007.2.8.).

3 배우자 등에게 양도한 사실이 명백히 인정되는 경우

배우자 등에게 양도한 재산은 그 재산을 양도한 때에 증여한 것으로 추정하는 것이나, 대가를 지급받고 양도한 사실이 명백히 인정되는 경우에는 증여한 것으로 추정하지 아니하며, 양도소득세 과세대상이 되는 것이다.

20

특수관계인으로부터 부동산을 증여받아 5년 이내 타인에게 우회양도하면 무거운 세금이 과세된다

양도소득세를 회피하기 위하여 부동산을 증여의 형식을 빌어 우회양도한 경우에는 이를 부인하고 실질소득의 귀속자인 증여자에게 양도소득세를 부과하는데 그 입법취지가 있다.

특수관계인(이월과세를 적용받는 배우자 및 직계존비속 제외)에게 자산을 증여한 후 그 자산을 증여받은 자가 증여일부터 5년(등기부에 기재된 소유기간을 말함)이내에 타인에게 양도하는 경우에는 우회 양도에 따른 부당행위계산 부인이 적용된다.

그러나 양도소득이 해당 수증자에게 실질적으로 귀속된 경우에는 부당행위계산 부인이 적용하지 아니한다.

보충설명

이월과세란, 배우자 및 직계존비속으로부터 토지, 건물 및 부동산을 취득할 수 있는 권리 등을 증여받은 후 5년 이내에 타인에게 양도하는 경우에는 당초 증여자의 취득가액에 의해 양도차익을 계산하는 제도를 말한다.

❶ 우회양도로 부당행위계산 부인이 적용되는 경우 양도소득세 계산

특수관계인(이월과세를 적용받는 배우자 및 직계존비속 제외)에게 부동산을 증여한 후 그 자산을 증여받은 자가 증여일부터 5년 이내에 이를 다시 타인에게 양도한 경우에는 다음의 "①과 ②" 중 많은 금액을 양도소득세로 부과한다. 다만, 양도소득이 해당 수증자에게 실질적으로 귀속된 경우에는 이를 적용하지 아니한다(소득세법 §101②).

① 증여받은 자의 증여세와 양도소득세의 합계액

② 증여자가 직접 양도하는 경우로 보아 계산한 양도소득세

만일 우회양도로 인하여 증여자가 양도소득세를 납부하는 경우 수증자는 이미 신고·납부한 증여세액을 환급 신청하여야 한다.

우회양도로 부당행위계산 부인이 적용되는 경우 가산세 적용

특수관계인으로부터 증여받은 자가 증여일부터 5년 이내에 그 증여받은 자산을 타인에게 양도하고 수증인이 양도소득세를 신고·납부하였으나 당초 증여자가 납세의무자가 되는 경우 증여자는 무신고한 것으로 보아 신고불성실가산세와 납부지연가산세가 적용된다(서사-1765, 2004. 11.1.).

증여받은 토지 위에 5년 이내에 주택을 신축하여 양도한 경우

특수관계인에게 토지를 증여하고, 증여받은 자가 그 토지 위에 주택을 신축하여 주택과 토지를 증여받은 날부터 5년 이내에 타인에게 양도한 경우에는 토지에 대해서만 증여자가 양도한 것으로 간주한다(양도소득세집행기준 101-167-11).

■ 부담부증여의 경우

특수관계인에게 자산을 증여할 때 증여자의 채무를 수증자에게 승계하는 조건으로 부담부증여하고 해당 채무분에 대하여 양도소득세가 과세된 경우 그 채무분에 대하여는 부당행위계산 부인이 적용되지 아니한다(서면5팀-1107, 2007.4.5.).

■ 비과세 요건을 갖춘 주택을 증여받아 5년 이내 양도한 경우

1세대 1주택의 비과세 요건을 갖춘 주택을 증여하고, 그 주택을 증여받은 자가 증여일부터 5년 이내에 타인에 양도한 경우로서 그 주택이 비과세 되는 1세대 1주택에 해당되는 경우에는 부당행위계산 부인이 적용되지 아니한다(부동산거래관리과-813, 2010.6.14.).

■ 수증자가 증여받은 주택을 5년 이내에 양도한 경우

1세대 2주택에 해당하는 자가 그 중 특수관계인으로부터 증여받은 후 증여일부터 5년 이내에 이를 타인에게 양도하는 경우에는 증여자가 직접 양도한 것으로 보며, 2주택 중 먼저 양도하는 주택의 경우 과세대상이다(재일 46014-1432, 1999.7.26.).

2 특수관계가 소멸된 후에 양도한 경우 부당행위계산 부인 적용 여부

특수관계인으로부터 자산을 증여받은 자가 그 자산을 양도할 당시 증여자가 사망 등으로 특수관계가 소멸된 경우에는 부당행위계산 부인이 적용되지 아니한다(서면4팀-797, 2008.3.25.).

■ 증여 당시는 특수관계인이 아니나, 양도당시는 특수관계인인 경우

증여 당시에는 특수관계인이 아니지만 양도 당시에는 특수관계인이

되는 경우에는 부당행위계산 부인이 적용되지 아니한다(서면4팀-1195, 2007.4.11).

질의 **우회 양도에 의한 부당행위계산 적용 시 양도소득세의 납세의무자는 누구로 하며 양도소득세는 어떤 기준으로 계산하나요?**

답변 우회 양도로 인하여 부당행위계산 부인이 적용되는 경우 양도소득세의 납세의무자는 당초의 증여자가 되는 것이며, 양도소득세 계산 등은 납세의무자의 양도일 현재 과세요건에 따라 결정합니다.

질의 **부당행위계산 부인 적용 시 증여자의 양도차손 통산 여부?**

답변 증여자가 부담하여야 할 양도소득세가 증여받은 자가 부담하여야 할 증여세와 양도소득세의 합계액보다 많아 부당행위계산 부인을 적용할 때 증여자의 다른 자산에서 발생한 양도차손이 있는 경우에는 이를 해당 자산에서 발생한 양도차익과 통산합니다(소득세법 집행기준 101-167-10).

질의 **특수관계인으로부터 증여받은 부동산을 5년이 지난 후 타인에게 양도하는 경우에는 부당행위계산이 적용되나요?**

답변 특수관계인으로부터 증여받은 부동산을 증여일부터 5년이 지난 후 타인에게 양도하는 경우에는 부당행위계산 부인이 적용되지 않습니다(재산-3525, 2008.10.29.).

질의 **증여받은 자산을 5년 이내에 재차 증여한 경우 부당행위계산은 어떻게 적용하나요?**

답변 증여받은 자산을 5년 이내에 재차 증여하여 그 재차 증여일부터 5년 이내에 이를 타인에게 양도하는 경우에는 재차 증여자가 그 자산을 직접 양도한 것으로 보아 부당행위계산을 적용합니다(재산-2446, 2008.8.25.).

21

상속 또는 증여받은 부동산을 양도한 경우 양도차익은 어떻게 계산하나요?

상속 또는 증여받은 부동산을 양도하는 경우 양도차익 계산은 상속 또는 증여받은 가액에 의한다.

1 상속 또는 증여받은 부동산을 양도하는 경우 취득가액 계산

양도일 현재 상속 또는 증여받은 부동산에 대한 상속세 또는 증여세를 신고·납부한 사실이 있는 경우에는 그 당시 신고한 평가액을 취득가액으로 한다. 그러나 신고 당시 평가액을 알 수 없는 경우에는 상속개시일 또는 증여일 현재 상속세 및 증여세법상 평가금액을 취득당시의 실지거래가액으로 한다.

2 상속 및 증여받은 부동산을 양도한 경우 장기보유특별공제액 계산

일반적으로 장기보유특별공제액은 양도차익에 보유기간 및 거주기간에 따른 공제율을 곱하여 산출한다.

이 경우 보유기간은 취득일부터 양도일까지로 하며, 거주기간은 취득일 이후 실제 거주한 기간으로 한다.

그러나 상속받은 부동산의 경우에는 상속개시일부터 양도일까지, 증여받은 부동산의 경우에는 증여등기일부터 양도일까지를 보유기간으로 하여 장기보유특별공제액을 계산한다.

3 공동상속 조합원입주권의 소유자는 어떻게 의제하나요?

공동상속 조합원입주권의 소유자는 다음의 순서로 한다.

① 상속지분이 가장 큰 상속인

② 당해 조합원입주권은 관리처분계획인가일 등 현재 해당 주택에 거주하였던 자

③ 최연장자

22

1세대 1주택의 비과세특례 제도를 활용하면 세금이 절약된다

국민 주거생활의 안정과 사회정책적인 목적 등으로 일정한 요건을 충족하면 양도소득세를 과세하지 않는 비과세특례 제도가 있다. 이는 국가에서 과세권을 당초부터 포기한 것이므로 납세자의 신고·신청 절차 없이 당연히 양도소득세가 과세되지 않는다.

관련예규

양도소득세가 비과세되는 경우에는 신고의무도 없다(부동산거래-943, 2010.7.20.).

1 1세대 1주택의 비과세 요건

1세대 1주택의 비과세가 되기 위해서는 다음의 요건을 모두 갖추어야 한다.

① 1세대가 국내에 1주택의 소유일 것

② 2년 이상 보유일 것(조정대상지역 내에 있는 주택은 보유기간 중 2년 이상 거주)

③ 미등기양도자산 및 고가주택이 아닐 것

④ 주택의 부수토지로서 도시지역 내 5배(2022.1.1. 양도분부터 도시지역 중 주거·상업·공업지역의 주택 부수토지는 3배), 도시지역 밖은 10배일 것

이 경우 1세대 1주택의 비과세요건 판정은 양도일을 기준으로 한다.

2 허위계약서를 작성하면 1세대 1주택의 비과세특례를 적용받을 수 없다

부동산을 매매하는 거래당사자가 매매계약서의 거래가액을 실지거래가액과 다르게(Up·Down) 적은 경우에는 해당 부동산에 대하여 양도소득세 비과세(또는 감면규정)을 적용할 때 비과세(또는 감면)받았거나 받을 세액에서 다음의 금액을 뺀다(소득세법 §91 및 조세특례제한법 §129①).

① 비과세규정 또는 감면규정을 적용받지 아니하였을 경우의 산출세액

② 계약상 거래금액과 실지거래가액차액

23

비과세되는 1세대 1주택이란?

토지·건물 등 부동산을 양도할 때에는 세금이 얼마나 되는지 일상생활을 계획하면 자금설계에 도움이 되지만, 그렇지 않은 경우에는 생각하지 않은 세금을 부담하게 될 때 낭패를 보는 경우가 있다.

부동산을 양도하면 일반적으로 양도소득세가 과세되지만, 세법에서 다양하게 시행하고 있는 비과세 및 감면요건을 알아두고 이를 갖추어 양도를 하게 되면 세금을 절세할 수 있다.

1세대 1주택자가 주거이전 목적 등으로 부득이 다른 곳으로 이사하기 위해 살던 1주택을 팔게 되는 경우 등 다음의 요건을 모두 충족하는 경우에 한하여 비과세를 적용받을 수 있다.

① 양도자의 1세대가 1주택을 소유할 것

② 2년 이상(비거주자가 3년 이상 보유·거주하던 중 거주자로 전환된 경우에는 3년) 보유할 것(조정대상지역 내에 있는 주택은 보유기간 중 2년 이상 거주). 이 경우 보유기간은 초일을 산입하여 계산한다(재산 46014-205, 2002.12.18.).

③ 미등기주택이 아닐 것

④ 실지거래가액이 9억원 이하인 주택

⑤ 주택의 부수토지로서 도시지역 내 5배(2022.1.1. 양도분부터 도시지

역 중 주거 · 상업 · 공업지역의 주택 부수토지는 3배), 도시지역 밖은 10배일 것

보충설명

주택에 딸린 토지를 분할하여 양도하는 경우 그 양도하는 토지부분은 비과세대상 1세대 1주택일지라도 부수되는 토지로 보지 않는다(조세심판원 2014중4848, 2015.3.13.).

따라서 비과세대상 1세대 1주택에 딸린 토지인 경우에도 비과세를 적용받기 위해서는 원칙적으로 주택과 함께 양도하여야 한다.

❶ 1세대란?

세대는 세법상 비과세되는 주택 수를 판정하는 단위이며, 1세대 1주택의 비과세특례를 적용할 때 기준이 된다.

1세대란, 본인(거주자) 및 그 배우자가 그들과 동일한 주소 또는 거소에서 생계를 같이하는 가족과 함께 구성하는 단위를 말한다.

생계를 같이하는 가족이란, 동일한 생활공간에서 동일한 생활자금으로 생계를 같이하는 거주자와 그 배우자의 직계존비속(그 배우자 포함) 및 형제자매를 말한다.

가족은 거주자와 그 배우자의 직계존비속(그 배우자 포함) 및 형제자매를 말하며, 취학 · 질병의 요양, 근무상 또는 사업상의 형편으로 본래의 주소 또는 거소를 일시 퇴거한 자를 포함한다(소득세법 집행기준 89-154-1).

관련예규

배우자의 직계존속(친정부모 포함)과 배우자의 형제자매(처제·처남 포함)도 동일한 주소에서 생계를 같이하는 경우에는 가족의 범위에 포함되는 것이나, 형제자매의 배우자(형수·제수·동서·형부·제부 포함)는 가족의 요건에서 제외된다(서일 46014-11713, 2002.12.17.).

양자의 직계존속에는 양부모와 생부모를 모두 포함하는 것이며, 양자가 양가와 생가 중 어느 세대에 속하는지는 형식상의 주민등록 내용에 불구하고 실질적으로 생계를 같이 하는지 여부에 따라 판단한다(소득세법 집행기준 89-154-7).

질의 **부부 간의 세대기준은 어떻게 판정하나요?**

답변 부부 간에는 각각 단독세대로 분리하여 사실상 생계를 달리하더라도 항상 동일한 세대로 봅니다(소득세법 기본통칙 89-2). 만일, 법률상의 혼인에 대하여 협의상 이혼하거나 재판상 이혼의 절차를 이행하더라도 사실상 이혼이 아닌 것으로서 양도소득세 회피용으로 이혼에 해당하는 경우에는 혼인상태가 지속되는 것으로 봅니다.

질의 **1세대를 구성하고 있는 본인과 배우자가 아들과 세대를 구성하고 있는 경우 동일세대로 보나요?**

답변 본인이 단독으로 1세대를 구성하고 배우자는 그들의 아들과 1세대를 구성하여 생계를 같이 하고 있는 경우에 본인과 그 배우자는 세대 또는 생계를 달리하여도 같은 세대원으로 봅니다. 그러나 그 아들이 1세대 구성원을 갖춘 경우에는 본인과 그 아들은 같은 세대원으로 보지 않습니다(소득세법 집행기준 89-154-9).

질의 **비과세 요건을 갖춘 주택과 그 주택에 딸린 토지를 동일세대 구성원이 각각 소유하고 있는 경우 동일세대로 보나요?**

답변 1세대 1주택의 비과세 요건을 갖춘 주택과 그 주택에 딸린 토지를 동일한 세대의 구성원이 각각 소유하고 있는 경우에는 1세대 1주택으로 봅니다(소득세법 기본통칙 89-154…6).

그러나 주택과 그 주택에 딸린 토지를 각각 다른 세대가 보유하는 경우에는 주택 소유자에 한하여 1세대 1주택의 비과세 규정을 적용하므로 주택에 딸린 토지의 소유자는 동 규정을 적용받을 수 없습니다(서면5팀-1515, 2007.5.10.).

질의 **부부가 각각 단독세대를 구성하거나 가정불화로 별거한 경우에도 1세대로 보나요?**

답변 현행 「민법」에서 혼인은 「가족관계의 등록 등에 관한 법률」에 따라 신고함으로써 그 효력이 생긴다고 규정하고 있어, 부부가 각각 단독세대를 구성하거나 가정불화로 별거 중이라도 법률상 배우자는 같은 세대로 봅니다(소득세법 집행기준 89-154-3).

배우자가 없는 단독 세대도 1세대로 인정되는 경우

세대 구성은 본인과 배우자 2인이 기본단위이므로 배우자가 없는 단독세대는 1세대로 인정받을 수 없으나 다음의 경우에는 배우자가 없어도 1세대로 본다.

① 본인의 연령이 30세 이상인 경우

② 배우자가 사망하거나 이혼한 경우

③ 「국민기초생활 보장법」 제2조 제11호에 따른 기준 중위소득의 40% 이상으로 관리·유지하면서 독립된 생계유지의 경우

2 1주택이란?

1세대 1주택의 여부는 양도일 현재 1세대가 소유하고 있는 주택의 수에 따라 판정한다.

주택이란?

주택이란, 공부상 용도구분에 관계없이 사실상 주거용으로 사용하는 건물을 말하며 그 용도가 불분명한 경우에는 공부상의 용도에 의한다(소득세법 기본통칙 89-154…3).

질의 오피스텔은 주택으로 보나요?

답변 주택 양도일 현재 공실로 보유하는 오피스텔의 경우 내부시설 및 구조 등을 주거용으로 사용할 수 있도록 변경하지 않고 「건축법」 상의 업무용으로 사용 승인된 형태를 유지하고 있는 경우에는 주택으로 보지 않으며, 내부시설 및 구조 등을 주거용으로 변경하여 항상 주거용으로 사용 가능한 경우에는 주택으로 봅니다(소득세법 집행기준 89-154-22).

질의 2주택을 소유한 자가 1개 주택을 헐고 나대지 상태인 경우 비과세를 적용받나요?

답변 2주택을 소유한 자가 그 중 1개 주택을 헐어버리고 나대지 상태로 소유하고 있는 동안에는 나머지 1주택이 1세대 1주택 비과세요건에 해당하는 경우에는 1주택으로 보아 비과세를 적용합니다(재산 01254-2745, 1986.9.5.).

질의 폐가 상태의 건물을 주택으로 보나요?

답변 「건축법」상 건축물로 볼 수 없는 폐가는 주택으로 보지 않습니다(부동산납세과-411, 2014.6.10.).

질의 1주택을 여러 사람이 공유하는 경우

답변 1주택을 여러 사람이 공유하는 경우에는 공유자 각인이 1주택을 소유한 것으로 보는 것이나 그 공유자가 동일세대를 구성한 경우에는 세대별 공유지분을 1주택으로 봅니다.

주택인지 여부를 판정하는 기준일은 어느 때로 하나요?

주택에 해당하는지 여부는 양도일 현재를 기준으로 판단하며, 매매특약에 의하여 매매계약일 이후 주택을 멸실한 경우에는 매매계약일 현재를 기준으로 판단한다(소득세법 집행기준 89-154-12).

주택에 딸린 토지란?

주택에 딸린 토지란, 거주자가 2년 이상 소유하고 있던 주택에 실제적으로 부수하여 사용한 토지를 그 대상으로 하는 것으로 반드시 동일세대가 소유하는 토지를 말하며, 통상 주택의 판정과 마찬가지로 한울타리 내에서 사용하고 있는 토지를 말한다(소득세법 기본통칙 89-154…7).

이 경우 등기부상의 명의나 지번의 수에 상관없이 실질사용에 따라 판단한다.

공동주택이란?

공동주택이란, 「주택법시행령」 제2조에서 규정하는 아파트, 연립주택, 다세대주택을 말하며, 아파트 · 연립주택의 경우에는 사실상 분양목적만으로 신축하여 개개인에게 분양함으로써 분리된 거주공간을 각각 1주택으로 본다.

질의 아파트를 사원용 숙소로 사용한 경우 주택으로 보나요?

답변 병원을 운영하는 개인사업자가 사원용 숙소로 사용하기 위해 아파트를 취득하는 경우에는 다른 아파트를 양도할 때 아파트 수를 포함하여 1세대 1주택 비과세 여부를 판정합니다(부동산납세과-647, 2014.8.29.).

질의 가정어린이집으로 사용하고 있는 아파트를 주택으로 보나요?

답변 건물이 일시적으로 주거가 아닌 다른 용도로 사용되어 있으나 그 구조나 기능, 시설 등이 본래 주거용으로서 주거용에 적합한 상태이고 주거기능이 그대로 유지 · 관리되어 있어서 주택으로 사용할 수 있다면 주택으로 봅니다(서면2164-부동산3431, 2016.6.2.).

다세대주택이란?

다세대주택은 각 세대별로 독립하여 거주할 수 있도록 구획된 부분을 각각 하나의 주택으로 보아 주택 수를 계산한다(재재산-614, 2005.12.6.).

다가구주택이란?

「건축법」에 따른 다가구주택은 원칙적으로 한 가구가 독립하여 거주할 수 있도록 구획된 부분을 각각 하나의 주택으로 본다. 그러나 1세대

1주택 비과세 규정을 적용함에 있어서 해당 다가구주택을 구획된 구분별로 양도하지 아니하고 하나의 매매단위로 하여 양도하는 경우에는 그 전체를 하나의 주택으로 본다(소득세법 시행령 §155⑮).

겸용주택이란?

※ 겸용주택은 제1편 "26. 겸용주택 중 비과세 주택분과 고가주택분은 어떻게 구분하나요?"(p.110 참조)

보충설명

2022.1.1. 이후 겸용주택의 양도분 중 양도가액이 9억원을 초과하는 경우에는 연면적 중 주택 부분의 연면적이 주택외의 부분의 연면적보다 넓은 경우에도 주택 외의 부분은 주택으로 보지 않는다. 이 경우 1세대 1주택에 대하여 적용하는 장기보유특별공제율은 주택 및 주택 부수토지에 대해서만 적용한다.

무허가주택이란?

건축허가를 받지 않거나, 불법으로 건축된 주택인 경우라도 주택으로 사용할 목적으로 건축된 건축물인 경우에는 건축완성에 대한 사용검사, 사용승인에 불구하고 주택으로 본다(소득세법 집행기준 89-154-15).

3 비과세를 적용받기 위한 보유기간 및 거주기간의 계산

1세대 1주택의 비과세 적용받기 위해서는 주택으로 보유한 기간이 2년 이상(조정대상지역 내에 있는 주택은 보유기간 중 2년 이상 거주)이어야 한다. 이 경우 2년 이상 보유는 주택 및 그 주택에 딸린 토지를 각각 2년 이상 보유한 것을 말하는 것이며, 보유기간은 취득한 날의 초일을 산입하여 양도한 날까지로 계산한다.

만일 2주택 이상(일시적 2주택 제외) 보유한 1세대의 경우 다른 주택을 양도 등을 한 이후 남은 1주택의 비과세 보유기간은 1주택이 된 날인 다른 주택의 양도일부터 계산한다.

보충설명

거주기간 계산은 해당 주택의 취득일 이후 실제 거주한 기간에 따르며 불분명한 경우에는 주민등록상 전입일부터 전출일까지의 기간으로 한다(소득세법 집행기준 89-154-29).

질의 **2주택을 보유한 1세대가 1주택(B주택 : 2019.5 취득)을 2021.1.1. 이후에 양도(과세)한 경우로서 남은 1주택(A주택 : 2015.6 취득)을 양도하는 경우 A주택의 비과세 요건 적용 시 보유기간은 어떻게 계산하나요?**

답변 국내에 1세대 2주택을 소유한 거주자가 종전의 B주택을 양도하고 당초 취득한 A주택을 양도할 경우 A주택에 비과세 여부 판단 시 보유기간 계산은 B주택의 양도일부터 계산합니다(2021.1.1. 이후 양도분부터 적용함).

질의 **A주택(2016.5 취득), B주택(2018.6 취득), C주택(2019.5 취득)을 보유한 1세대가 C주택을 양도(과세적용)한 후 A주택을 2021.1.1. 이후에 양도할 경우 비과세 요건 적용 시 보유 기간은 어떻게 계산하나요?**

답변 C주택을 양도함으로서 남은 A.B주택이 일시적 1세대 2주택에 해당하므로 A주택의 비과세 보유기간 계산은 취득일부터 계산합니다(2021.1.1. 이후 양도분부터 적용함).

질의 **A주택(2016.5 취득), B주택(2017.6 취득) 보유한 1세대가 A주택을 2018.4에 양도하여 비과세 적용을 받은 후 2018.6에 C주택을 보유한 상태에서 2021.1.1. 이후에 B주택을 양도할 경우**

답변 B주택의 비과세 보유기간 계산은 취득일(2018.6)부터 계산합니다(2021.1.1. 이후 양도분부터 적용함).

■ 동일세대원과 동일세대원이 아닌 자에게 상속 또는 증여받은 부동산을 양도할 경우 각각의 보유기간의 계산은 어떻게 하나요?

상속받은 부동산을 양도하는 경우로서 상속인이 동일세대원인 경우에는 피상속인의 보유기간과 상속인의 보유기간을 통산하는 것이며, 동일세대원인이 아닌 경우에는 상속개시일부터 양도일까지이다.

그리고 증여받은 부동산을 양도하는 경우로서 증여자가 동일세대원인 경우에는 증여자의 보유기간과 증여 후 수증인의 보유기간을 통산하는 것이며, 동일세대원이 아닌 경우에는 증여받은 날부터 양도일까지이다.

질의 **동일세대의 판정시기는 어느 때를 기준 하나요?**

답변 동일세대의 판정시기는 주택의 양도일 현재를 기준으로 합니다.

■ 이혼으로 인해 재산분할로 취득한 부동산을 양도할 경우 보유기간의 계산은 어떻게 하나요?

이혼으로 인하여 민법상 재산분할로 취득한 부동산의 보유기간 계산은 재산분할 전 배우자의 취득일부터 양도일까지 보유기간을 통산한다. 그러나 이혼위자료로 취득한 부동산의 보유기간 계산은 소유권 이전등기 접수일부터 양도일까지이다.

■ 점포를 주택으로 용도 재변경한 후 양도한 경우 보유기간 계산은 어떻게 하나요?

주택을 점포로 용도 변경하여 사업장으로 사용하다 이를 다시 주택으로 용도 변경한 후 해당 주택을 양도하는 경우 거주기간 및 보유기간 계산은 해당 건물의 취득일부터 양도일까지의 기간 중 주택으로 사용한 기간을 통산한다(소득세법 집행기준 89-154-33).

질의 **멸실된 주택과 재건축한 주택의 보유기간은 어떻게 계산하나요?**

답변 노후 등으로 인하여 해당 주택을 멸실하고 주택 외의 건물을 신축하였으나 임대가 되지 않아 주택 외의 건물 일부를 주택으로 용도 변경하여 양도할 때까지 사실상 주택으로 사용한 경우에는 멸실된 주택과 재건축한 건물 중 주택에 해당하는 부분의 보유기간을 통산합니다(법령재산-2443, 2016.6.17.).

국외 이주로 인하여 비거주자가 되었다가 다시 귀국하여 거주자가 된 경우 보유기간 계산은 어떻게 하나요?

국내에 1주택을 소유한 거주자가 국외 이주로 인하여 비거주자가 되었다가 그 비거주자가 다시 귀국하여 거주자가 된 상태에서 주택을 양도하는 경우 보유기간 계산은 거주자로서 보유기간만을 통산한다(소득세법 집행기준 89-154-3).

질의 **해외이주로 세대전원이 출국할 경우 언제까지 주택을 양도할 경우 비과세특례를 적용받나요?**

답변 1세대 1주택 비과세 요건을 충족한 1주택을 보유하다가 「해외이주법」에 따른 해외이주로 출국하는 경우 세대전원이 출국한 날부터 2년 이내에 국내에 보유하던 1주택을 양도하는 경우 해당 주택은 비과세특례를 적용받을 수 있습니다(서면부동산-1739, 2015.10.23.).

부동산 보유기간을 활용하면 세금을 절세할 수 있다

양도소득세 계산 시 보유기간은 절세의 핵심이다. 주택의 보유기간에 따라 비과세적용, 세율 및 장기보유특별공제율이 달라지므로 부동산 양도 전에 절세할 수 있는 방법을 충분히 검토하여야 한다.

1 1세대 1주택 비과세 적용 시 보유기간

일반적으로 1세대 1주택 비과세 적용은 주택의 양도일 현재 국내에 1주택을 보유하고 있는 경우로서 해당 주택의 보유기간이 2년 이상(조정대상지역은 보유기간 중 거주기간이 2년 이상)인 것을 말한다. 다만, 비거주자가 해당 주택을 3년 이상 계속 보유하고 그 주택에서 거주한 상태에서 거주자로 전환된 경우에는 3년으로 한다.

보충설명

관리처분계획인가일 이후에 주택재건축사업을 시행하는 정비사업의 조합원으로부터 입주권을 승계 취득한 경우 양도자산에 대한 장기보유특별공제액의 계산 및 세율을 적용함에 있어 재건축된 주택의 보유기간 기산일은 당해 재건축 아파트의 사용검사필증교부일, 사실상의 사용일 중 빠른 날로 한다.

동일 세대원인 가족에게 증여한 후 그 수증자가 이를 양도하는 경우 보유기간 계산

1세대 1주택을 적용함에 있어 1주택을 소유한 거주자가 그 주택을 동일세대원인 가족에게 증여한 후 그 수증자가 이를 양도하는 경우 증여자의 보유기간을 통산하여 비과세 여부를 판정한다(서면부동산-5213, 2016.12.30.).

재건축된 주택을 양도하는 경우 보유기간 계산

「도시 및 주거환경 정비법」에 의해 재건축된 주택을 양도하는 경우 1세대 1주택 비과세 여부를 판정할 때 보유기간 계산은 멸실된 종전 주택의 보유기간과 재건축기간 및 재건축한 신주택의 보유기간을 합산한다(서면부동산-4577, 2016.9.27.).

보유기간 및 거주기간의 제한이 없는 경우

1세대가 양도일 현재 국내에 1주택을 보유하고 있는 경우로서 다음의 어느 하나에 해당하는 경우에는 그 보유기간의 제한을 받지 않는다(소득세법 시행령 §154①).

① 건설임대주택 등에 5년 이상 거주한 이후 분양전환된 아파트를 양도하는 경우
② 주택 및 그 부수토지가 수용되는 경우
③ 해외이주로 세대 전원이 출국하는 경우
④ 1년 이상 국외거주를 위하여 세대 전원이 출국하는 경우
⑤ 1년 이상 거주한 주택을 취학, 근무상 형편, 질병의 요양, 그 밖에 부득이한 사유로 양도하는 경우

② 1세대 1주택 공동상속주택의 거주기간 적용 방법

1세대 1주택의 공동상속주택인 경우 거주기간은 다음의 순서로 한다.

① 상속지분이 가장 큰 상속인

② 당해 조합원입주권은 관리처분계획인가일 등 현재 해당 주택에 거주하였던 자

③ 최연장자

1세대 1주택이 고가주택에 해당하면 양도소득세가 과세된다

고가주택이란, 주택 및 이에 부수되는 토지의 양도 당시의 실지거래가액의 합계액이 9억원을 초과하는 주택을 말한다.

비과세 요건을 갖춘 1세대 1주택을 양도하여 발생한 양도소득에 대해서는 양도소득세를 부과하지 않지만, 고가주택의 경우에는 양도당시 실거래가액이 9억원을 초과하는 부분에 대해서만 양도소득세를 과세한다 (소득세법 시행령 §156).

조합원입주권도 실지거래가액이 9억원을 초과하는 경우에는 고가주택과 동일한 방식으로 양도소득세를 과세한다.

① 고가주택의 판정

고가주택 해당 여부는 그 소유지분에 관계없이 1주택(그 부수토지 포함) 전체를 기준으로 판정한다(소득세법 집행기준 89－156－1).

또한 주택 및 이에 딸린 토지의 양도당시 실지거래가액 합계액이 9억원을 초과하는 것은 소유지분, 지분·분할 양도와 관계없이 전체 자산을 기준으로 고가주택의 해당 여부를 판정한다(소득세법 시행령 §156①).

예컨대, 주택의 2분의 1의 실지거래가액이 5억원이지만, 전체 주택가액은 10억원(5억원 × 2/1)이 되므로 고가주택에 해당한다(서사-439, 2005.3.24.).

■ 부담부증여하는 주택의 경우 고가주택 판정은 어떻게 하나요?

주택을 부담부증여하는 경우로서, [채무액×(전체증여가액÷채무액)] 채무액을 차감하기 전의 전체가액이 9억원을 초과하는 경우에는 고가주택으로 본다(서사-1526, 2004.9.24.).

■ 1세대 1주택인 겸용주택의 고가주택 판정은 어떻게 하나요?

주택의 면적이 주택 외의 면적보다 크지 않을 경우에는 1세대 1주택의 비과세 요건의 충족 여부에 관계없이 해당 주택부분의 가액을 기준으로 고가주택 여부를 판정한다.

이 경우 주택 외의 부분이 주택으로 간주되어 1세대 1주택 비과세규정이 적용되는 경우, 그 주택 외의 부분의 가액이 포함된 전체 건물의 실지거래가액을 기준으로 고가주택을 판정한다(소득세법 시행령 §156②).

보충설명

2022.1.1. 이후 겸용주택의 양도분 중 양도가액이 9억원을 초과하는 경우에는 연면적 중 주택 부분의 연면적이 주택 외의 부분의 연면적보다 넓은 경우에도 주택 외의 부분은 주택으로 보지 않는다. 이 경우 1세대 1주택에 대하여 적용하는 장기보유특별공제율은 주택 및 주택 부수토지에 대해서만 적용한다.

■ 다가구주택의 고가주택 판정

다가구주택을 가구별로 분양하지 않고 하나의 매매단위로 하여 1인에게 양도한 때에는 단독주택으로 보아 그 다가구주택 전체의 양도 당시 실지거래가액을 합계액을 기준으로 9억원을 초과하는 고가주택 해당 여부를 판정한다(소득세법 시행령 §156③).

■■ 주택이 수용되는 경우 고가주택의 판정

주택 및 그에 딸린 토지가 일부 수용되는 경우 양도 당시의 실지거래가액 합계액에 양도하는 부분의 면적이 전체주택면적에서 차지하는 비율로 나누어 계산한 금액이 9억원을 초과하는 경우 고가주택으로 본다(소득세법 집행기준 89-156-5).

질의 **주택과 그 부수되는 토지의 소유자가 각각 다른 경우 고가주택의 판단은 어떻게 하나요?**

답변 주택과 그 부수되는 토지의 소유자가 각각 다른 경우에는 주택과 그 부수되는 토지의 양도가액(실지거래가액)의 합계액이 9억원을 초과하는 경우 고가주택에 해당합니다(서사-439, 2005.3.24.).

질의 **취득당시는 고가주택이 아니지만 양도당시에는 고가주택인 경우 고가주택의 판단시기는 어느 때로 하나요?**

답변 주택 취득당시에는 고가주택이 아니였으나 양도당시에는 고가주택에 해당한다면, 이는 고가주택에 해당합니다(대법원 2000두10465, 2001.2.8.).

2 고가주택의 양도차익 계산

고가주택으로서 1세대 1주택의 비과세요건을 갖춘 경우에는 다음의 산식에 따라 양도가액이 9억원을 초과하는 부분에 대해서만 양도소득세가 과세된다.

고가주택 양도차익 = 양도자산 전체의 양도차액(양도가액−필요경비) × (양도가액−9억원) / 양도가액

조합원입주권 및 아파트분양권을 고가로 양도한 경우

주택재개발사업 또는 주택재건축사업을 시행하는 정비사업조합의 조합원이 해당 조합에 기존건물과 그 부수토지를 제공하여 취득한 조합원입주권으로서 조합원입주권이 1세대 1주택에 해당하는 고가주택일 경우 해당 조합원입주권 양도 당시의 실지거래가액의 합계액이 9억원을 초과하는 부분에 대해서는 양도소득세가 과세된다(재산세제과-1061, 2010.11.1.).

2021.1.1. 이후에 취득하는 「건축물의 분양에 관한 법률」 등에 의한 아파트분양권을 포함한다.

3 고가주택의 장기보유특별공제액 계산

고가주택의 장기보유특별공제액은 다음 산식에 따라 계산한 금액으로 한다.

장기보유특별공제액 = 장기보유특별공제액 × (양도가액−9억원) / 양도가액

다만, 고가주택의 경우에 있어서도 다른 주택의 경우와 같이 그 보유기간이 3년 미만(거주기간은 2년 미만인 경우)인 것과 미등기양도자산에 대하여는 장기보유특별공제를 적용하지 아니한다.

조합원입주권(조합원으로부터 취득한 것 제외)의 경우에는 관리처분계획인가 전 토지 또는 건물분의 양도차익에 대하여 장기보유특별공제율을 적용한다.

1세대 1주택 고가주택인 겸용주택의 장기보유특별공제율

양도일 현재 1세대 1주택으로서 당초 상가면적이 주택면적보다 큰 겸

용주택에서 일부용도 변경으로 인해 주택면적이 상가면적보다 큰 겸용주택이 된 경우 건물 전체를 주택으로 보아 장기보유특별공제율을 적용한다(재산세과-264, 2009.9.21.).

그러나 2022.1.1. 이후 겸용주택의 양도분 중 양도가액이 9억원을 초과하는 경우에는 연면적 중 주택 부분의 연면적이 주택 외의 부분의 연면적보다 넓은 경우에도 주택 외의 부분은 주택으로 보지 않는다. 이 경우 1세대 1주택에 대하여 적용하는 장기보유특별공제율은 주택 및 주택부수토지에 대해서만 적용한다.

고가주택 양도차손분을 다른 자산의 양도소득에서 공제할 수 있는지 여부

1세대 1주택 고가주택의 양도 당시 양도차익이 발생하였다면 고가주택의 양도차손 중 9억원 초과분을 다른 주택의 양도소득금액에서 공제할 수 있다.

26

겸용주택 중 비과세 주택분과 고가주택분은 어떻게 구분하나요?

겸용주택이란, 주택의 일부 또는 동일 지번상에 점포 등 다른 목적의 건물이 있는 외관상 주택을 지칭하는 것으로서 하나의 건물이 주택과 주택 외의 부분으로 복합되어 있는 주택을 말한다.

세법상 겸용주택의 경우 주택의 판단기준은 주택면적이 주택 이외의 면적보다 크면 전체를 주택으로 보지만, 주택면적이 주택 이외의 면적보다 작거나 같은 경우에는 주택 부분만 주택으로 본다.

그러나 2022.1.1. 이후 겸용주택의 양도분 중 양도가액이 9억원을 초과하는 경우에는 연면적 중 주택 부분의 연면적이 주택 외의 부분의 연면적보다 넓은 경우에도 주택 외의 부분은 주택으로 보지 않는다. 이 경우 1세대 1주택에 대하여 적용하는 장기보유특별공제율은 주택 및 주택 부수토지에 대해서만 적용한다.

1 겸용주택 중 주택용도에 따른 비과세 판단은 어떻게 하나요?

겸용주택의 경우 용도구분은 공부상 용도와는 관계없이 사실상 용도에 의하여 판단하며 주택의 판정과 마찬가지로 양도 당시의 현황에 의해 판단하고 양도일 이후 개조나 용도변경 여부에 영향을 받지 않는다

(소득세법 기본통칙 89-154…4).

이 경우 주택에 딸린 상가가 공부상 상가이지만 실제 주택인 상태에서 양도한 경우에는 주택으로 인정받기 위해서는 상가가 아니라는 사실을 입증을 하여야 한다. 시시비비를 피하기 위해서는 공부상의 용도를 주택으로 변경한 후 양도한 경우에는 그 입증을 명확히 할 수 있다.

보충설명

주택 외로 용도 변경함에도 불구하고 실제 주택 구조를 갖추고 있고, 상수도·도시가스 사용량 및 주민등록상황에 비추어 볼 때 건물의 일부(용도변경 전 주택부분)를 계속하여 주거용도로 사용한 경우에는 사실상 주택에 해당한다(국심사양도 2010-387, 2011.4.22.).

2 겸용주택 중 고가주택은 어떻게 구분하나요?

겸용주택에 대한 고가주택은 1세대 1주택 비과세 여부에 따라 전체 실거래가액을 기준(9억원)으로 판단한다.

주택 외의 부분이 주택으로 간주되어 1세대 1주택 비과세규정이 적용되는 경우, 고가주택의 해당 여부를 판정함에 있어서 그 주택 외의 부분의 가액이 포함된 전체 건물의 실지거래가액을 기준으로 고가주택을 판정한다(소득세법 시행령 §156②).

27

조합원입주권 · 일반분양권의 세법적용

1 조합원입주권과 일반분양권의 양도소득세 특례 입법 취지

조합원입주권은 부동산을 취득할 수 있는 권리이므로 1세대 1주택 비과세 규정을 적용할 때 주택에서 제외되어 다른 주택을 양도한 경우에도 1세대 1주택으로 취급되어 투기의 대상이 되었다.

1세대 1주택 비과세 규정을 적용함에 있어서 주택 수를 계산할 때 조합원입주권은 포함되나 일반분양권은 포함하지 아니 하였으나 2021.1.1. 이후 일반분양권 취득분부터는 조합원입주권과 같이 주택 수에 포함함으로써 과세형평을 제고하였다.

보충설명

"조합원입주권"이란 「도시 및 주거환경정비법」 제74조에 따른 관리처분계획의 인가 및 「빈집 및 소규모주택 정비에 관한 특례법」 제29조에 따른 사업시행계획인가로 인하여 취득한 입주자로 선정된 지위를 말한다. 이 경우 재건축사업 또는 재개발사업, 소규모재건축사업을 시행하는 정비사업조합의 조합원으로서 취득한 것(그 조합원으로부터 취득한 것을 포함)으로 한정하며, 이에 딸린 토지를 포함한다.

"일반분양권"이란 「건축물의 분양에 관한 법률」 등에 따른 주택에 대한 공급계약을 통하여 주택을 공급받는 자로 선정된 지위(해당 지위를 매매 또는 증여 등의 방법으로 취득한 것을 포함)를 말한다.

❷ 조합원입주권의 범위

1세대 1주택과 조합원입주권을 보유하다가 해당 1주택을 양도하는 경우 비과세를 적용하지 않는 것은 조합원입주권을 주택으로 간주하는 것이 아니며 조합원입주권의 본질이 부동산을 취득할 수 있는 권리이기 때문이다.

재개발·재건축주택은 재개발사업 또는 재건축사업("재개발사업 등"이라 한다)을 통해 기존주택을 출자하여 해당 사업이 진행되면서 다음과 같이 "기존주택 → 부동산상 권리(조합원입주권) → 신축주택"으로 전환된다(소득세법 집행기준 89-156의2-5).

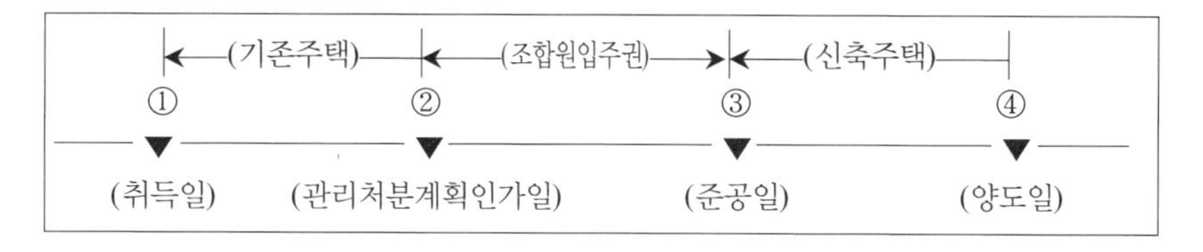

❸ 조합원입주권 보유 시 비과세특례를 적용하는 유형

1세대가 1주택과 조합원입주권(2021.1.1. 이후부터는 일반분양권을 포함)을 보유한 상태에서 주택을 양도한 경우에는 비과세를 적용하지 아니한다.

그러나 다음의 부득이한 경우에는 비과세를 적용한다.

① 1세대 1주택자가 일시적으로 조합원입주권을 취득 후 3년 이내에 종전 주택을 양도한 경우(소득세법 시행령 §156의2③)

② 1세대 1주택자가 조합원입주권 취득일부터 3년이 지나 일정 요건을 갖춘 종전 주택을 양도한 경우(소득세법 시행령 §156의2④)

③ 1세대 1주택자가 재개발·재건축사업 시행 기간 중 취득한 경우로서 일정 요건을 갖춘 대체주택을 양도하는 경우(소득세법 시행령 §156의2⑬)

④ 1세대 1주택자가 직계존속(60세 이상) 동거봉양을 위해 세대를 합침에 따라 2세대가 되는 경우로써 조합원입주권으로 전환되어 상속받은 조합원입주권의 경우 등(소득세법 시행령 §156의2⑥·⑦·⑧)

⑤ 1세대 1주택자가 혼인함으로써 1세대가 1주택·1조합원입주권 등을 소유하게 되어 혼인한 날부터 5년 이내에 일정 요건을 갖춰 먼저 양도하는 주택의 경우

다만, 위의 "①과 ②"에 한정해 일반분양권 취득을 조합원입주권과 동일하게 비과세특례를 적용하며, "③"에 대해서는 조합원입주권만 적용한다.

1세대 1주택자가 조합원입주권을 취득할 경우 비과세는 어떻게 적용하나요?

국내에 1주택을 소유한 1세대가 그 주택을 양도하기 전에 조합원입주권을 취득함으로써 일시적으로 1주택과 1조합원입주권을 소유하게 된 경우 종전의 주택을 취득한 날부터 1년 이상 지난 후에 조합원입주권을 취득하고 그 조합원입주권을 취득한 날부터 3년 이내에 종전주택을 양도하는 경우에는 이를 1세대 1주택으로 보아 비과세특례를 적용한다.

다만, 조합원입주권을 취득일부터 3년이 지나 종전의 주택을 양도하는 경우에는 아래의 요건(①, ②)을 모두 충족하는 경우에는 1세대 1주택 비과세 규정을 적용한다.

① 재개발사업, 재건축사업 또는 소규모재건축사업의 관리처분계획등에 따라 취득하는 주택이 완성된 후 2년 이내에 그 주택으로 세대 전원이 이사하여 1년 이상 계속하여 거주할 것

② 재개발사업, 재건축사업 또는 소규모재건축사업의 관리처분계획등에 따라 취득하는 주택이 완성되기 전 또는 완성된 후 2년 이내에 종전의 주택을 양도할 것

4 조합원입주권과 일반분양권의 차이 요약

구분	조합원입주권	일반분양권
재개발 · 재건축 사업관련 입주권의 종류	조합원입주권은 사업 시행지역의 기존주택 보유자인 조합원이 재개발 · 재건축 사업 시행으로 인하여 기존 주택과 토지에 갈음하여 취득하는 입주권을 말한다. * 물권(토지지분) + 채권(완성된 아파트를 받을 권리)	일반분양권은 조합원이 아닌 일반 개인이 사업 시행지역의 기존주택 보유를 전제하지 않고 청약에 의한 신규분양 절차를 통해 취득하는 분양권을 말한다. * 채권(완성된 아파트를 받을 권리)
양도소득세 과세시 주택 수 계산	포함	포함 (2021.1.1. 이후 양도분부터 적용)

질의 **재건축조합원이 입주권 취득을 포기하고 청산금을 수령한 경우 양도소득세가 과세되나요?**

답변 재건축조합의 조합원이 조합에 토지와 건물을 제공한 후 입주권의 취득을 포기하고 재개발조합으로부터 현금으로 청산한 경우 권리의 양도가 아닌 부동산의 양도에 해당됩니다(소득세법 집행기준 94-0-8).

질의 **상속받은 2조합원입주권을 보유하다가 1조합원입주권 양도 시 비과세 특례가 적용되나요?**

답변 1조합원입주권을 보유한 1세대가 별도세대인 직계존속으로부터 다른 조합원입주권을 상속받아 2조합원입주권을 보유하던 중 상속개시 당시 보유 중인 1조합원입주권을 양도하는 경우에는 비과세특례가 적용되지 않습니다(서면-2016-법령해석재산-3217[법령해석과-2639], 2016.8.16.).

질의 **관리처분계획인가에 따라 취득한 조합원입주권 2개를 같은 날 1인에게 모두 양도하는 경우 비과세특례를 어떻게 적용받나요?**

답변 1세대가 보유한 1주택(주택 부수토지 포함)이 주택재개발사업으로 조합원입주권 2개로 전환되어 같은 날 1인에게 모두 양도하는 경우에는 당해 거주자가 선택하여 먼저 양도하는 조합원입주권 1개는 양도소득세가 과세되는 것이며, 나중에 양도하는 조합원입주권 1개는 비과세특례가 적용되는 것입니다(서면-2016-법령해석재산-2865[법령해석과-529], 2016.2.23.).

질의 **재건축(재개발) 입주권 교환의 경우 양도에 해당하나요?**

답변 주택재개발사업 또는 주택재건축사업을 시행하는 정비사업조합의 조합원으로 참여한 자가 당초 관리처분계획의 변경없이 관리처분계획과 다르게 분양받을 주택이 변경되는 경우에는 교환으로 보아 양도소득세가 과세됩니다(상속증여세과-270, 2013.6.25.).

질의 **동거봉양합가로 인한 1주택과 1조합원입주권 중 조합원입주권을 먼저 양도하는 경우 비과세특례가 적용되나요?**

답변 부부가 2주택을 소유하다가 1주택이 관리처분계획에 따라 조합원입주권으로 전환된 상태에서 1주택을 별도 세대인 딸에게 증여하고 부부와 딸이 합가한 이후 양도한 조합원입주권은 비과세특례가 적용되지 않습니다(부동산거래관리과-0623, 2011.7.20.).

질의 **1조합원입주권을 보유한 1세대가 1주택을 소유한 父와 합가 후 父가 사망하여 父로부터 상속받은 주택을 양도하는 경우 비과세특례가 적용되나요?**

답변 1조합원입주권을 보유한 1세대가 1주택을 보유하고 있는 직계존속을 동거봉양하기 위하여 세대를 합친 후 직계존속이 사망하여 해당 주택을 상속받아 양도하는 경우 비과세특례 대상이 아닙니다(사전법령재산-411, 2016.12.30.).

질의 **조합원입주권이 신축 주택으로 완공된 경우 일시적 1세대 2주택으로 보나요?**

답변 1세대가 조합원입주권을 승계 취득한 후 새로운 주택을 취득한 경우로서 조합원입주권이 주택으로 완공된 이후에 새로운 주택을 양도하는 경우에는 일시적 1세대 2주택의 비과세특례를 적용받을 수 없습니다(재산-39, 2020.1.15.).

해외이주 등으로 세대전원이 출국한 경우 어떻게 하면 비과세특례를 적용받나요?

「해외이주법」에 의하여 해외이주로 세대전원이 출국하는 경우 또는 1년 이상 계속하여 국외 거주를 필요로 하는 취학 또는 근무상의 형편으로 세대전원이 출국하는 경우로서 출국일 또는 양도일 현재 1주택을 보유하고 그 출국일부터 2년 이내 양도하는 주택에 한하여 보유기간 및 거주기간에 관계없이 1세대 1주택의 비과세특례를 적용한다(소득세법 시행령 §154①).

1세대 1주택자가 해외 거주기간 동안 국내에 소재한 주택을 추가로 취득한 경우 어떻게 하면 비과세를 적용받나요?

해외이주 당시 1세대 1주택자가 해외 거주기간 동안 국내에 소재한 주택을 추가로 취득한 경우, 그 추가로 취득한 주택을 먼저 처분한 다음 출국일부터 2년 이내에 당초 소유하던 주택을 양도한 경우에는 1세대 1주택의 비과세특례를 적용할 수 있다(재재산-141, 2009.1.28.).

1세대 1주택자가 해외이주 외의 목적으로 출국하여 혼인한 후 현지에 이주하는 경우 어떻게 하면 비과세를 적용받나요?

1세대 1주택자가 해외이주 외의 목적으로 출국하여 혼인한 후 현지에 이주한 경우 그 혼인한 세대가 출국일 및 양도일 현재 국내에 1주택을 보유하고 있는 때에는 출국일부터 2년 이내에 해당 주택(고가주택 제외함)을 양도하면 보유 및 거주기간의 제한없이 비과세를 적용받을 수 있다(소득세법 집행기준 89-154-44).

관련예규

「해외이주법」에 따라 외국인과의 혼인을 기초로 하는 해외이주로 세대 전원이 출국한 사실이 서류에 의하여 확인되는 경우에 한하여, 출국일 현재 1주택을 보유하고 출국일부터 2년 이내에 해당 주택을 양도하는 경우에는 비과세특례를 적용받을 수 있다(사전법령재산-324, 2015.11.12.).

29

장기저당담보주택의 양도와 동거봉양으로 세대를 합친 경우 어떻게 하면 비과세특례를 적용받나요?

선진고령화 사회가 도래됨에 따라 정기적인 소득이 없는 노령자의 보유주택을 담보로 연금식 대출을 통해 노후 생활자금을 안정적으로 확보할 수 있도록 지원하기 위하여 장기저당담보주택을 양도하는 경우에는 거주기간의 제한없이 1세대 1주택 비과세특례를 적용받을 수 있다. 다만, 장기저당담보주택을 계약 기간만료 이전에 양도하는 경우에는 이를 적용하지 아니한다.

■ 장기저당담보주택이란?

장기저당담보주택이란, 국내에 1주택을 소유한 1세대가 다음의 요건을 모두 갖춘 장기저당담보대출계약을 체결하고 장기저당담보로 제공된 주택을 말한다(소득세법 시행령 §155의2①).

① 계약체결일 현재 주택을 담보로 제공한 가입자가 60세 이상일 것

② 장기저당담보 계약기간이 10년 이상으로서 만기 시까지 매월·매분기별로 대출금을 수령하는 조건일 것

③ 만기에 당해 주택을 처분하여 일시상환하는 계약조건일 것

■ 직계존속(장기저당담보주택 소유)을 동거봉양하기 위하여 세대를 합친 경우 어떻게 하면 비과세를 적용받나요?

1세대 1주택자가 장기저당담보주택을 소유하고 있는 직계존속(배우자의 직계존속 포함)을 동거봉양하기 위하여 세대를 합침으로써 2주택을 소유하게 되는 경우 먼저 양도하는 주택에 대하여는 1세대 1주택의 비과세 규정을 적용하며, 장기저당담보주택은 거주기간의 제한을 받지 아니한다(소득세법 시행령 §155의2②).

이 경우 1세대가 장기저당담보주택을 장기저당담보 계약기간(10년 이상)만료 이전에 양도하는 경우에는 장기저당담보주택에 대한 1세대 1주택 비과세특례 규정을 적용하지 아니하므로 장기저당담보주택과 다른 주택 중 어느 것을 양도할 것인지 검토해야 한다.

30

다른 곳으로 이사하기 위해 일시적 1세대 2주택인 경우 어떻게 하면 비과세특례를 적용받나요?

1주택을 소유한 1세대가 그 주택(종전 주택)을 양도하기 전에 다른 곳으로 이사하기 위해 다른 주택(새로운 주택)을 취득(자기가 건설하여 취득한 경우 포함)함으로써 일시적으로 2주택이 된 경우 다음의 요건을 모두 충족하는 경우에는 1세대 1주택 비과세특례를 적용한다(소득세법 시행령 §155①).

① 종전 주택은 양도일 현재 1세대 1주택 비과세 요건을 충족할 것

② 종전 주택을 취득한 날부터 1년 이상 지난 후 새로운 주택을 취득하고, 새로운 주택을 취득한 날부터 3년 이내에 종전 주택을 양도할 것

③ 조정대상지역 내 종전 주택이 있는 상태에서 조정대상지역 내 주택을 취득하는 경우 신규 주택 취득 후 1년 이내 전입하고 1년 이내 종전 주택의 양도요건을 모두 충족할 것

보충설명

1세대 1주택 비과세 요건은 다음과 같다.

① 1세대가 양도

② 양도일 현재 국내에 1주택 보유

③ 보유기간이 2년 이상(조정대상시역 내 주택은 보유기간 중 2년 이상 거주)
④ 미등기 양도주택이 아닐 것
⑤ 고가주택이 아닐 것
⑥ 매매계약서상 거래가액이 허위가 아닐 것 등

2개의 주택을 동시에 양도하는 경우 비과세특례는 어떻게 적용하나요?

거주자가 1년 이상 보유한 주택을 동시에 양도한 경우, 어느 주택을 1세대 1주택의 비과세 적용을 받는 주택으로 볼 것인지는 납세자가 선택한 순서에 따라 양도한 것으로 본다(소득세법 시행령 §154⑨).

동일세대원 간에 양도하는 경우 비과세특례를 적용받을 수 있나요?

동일세대원 간에 양도하는 경우에는 일시적 2주택의 비과세특례규정을 적용할 수 없다(재산-814, 2019.5.10.). 이는 일시적 2주택의 비과세특례규정이 종전 주택을 양도한 후에 1세대가 1주택을 소유할 것을 요건으로 하고 있기 때문이다.

고가주택을 소유한 자가 다른 곳으로 이사하기 위해 일시 2주택이 된 경우 비과세특례는 어떻게 적용하나요?

1세대 1주택(취득 후 1년 이상)인 고가주택을 소유한 자가 다른 곳으로 이사하기 위해 새로운 주택을 취득하여 일시적으로 2주택이 된 경우 다른 주택을 취득한 날부터 3년 이내에 고가주택(종전 주택)을 양도하는 때에는 일시적 2주택 비과세특례규정을 적용할 수 있으며 9억원을 초과하는 부분에 대해서만 양도소득세가 과세된다.

상속으로 일시적 1세대 2주택인 경우 어떻게 하면 비과세특례를 적용받나요?

상속주택에 대한 과세 여부는 피상속인과 상속인이 별도세대원인지를 확인하고 비과세특례 적용을 판단하여야 한다.

1주택을 소유한 1세대가 별도세대인 피상속인으로부터 상속받은 주택(조합원입주권을 상속받아 사업시행완료 후 취득한 신축 주택을 포함)과 그 밖의 주택(일반주택 : 상속개시 당시 상속인의 1세대 1주택을 말함)을 국내에 각각 1개씩 소유하게 되어 일시적으로 1세대 2주택이 된 경우, 먼저 일반주택을 양도하는 경우에는 1세대 1주택의 비과세특례를 적용한다(소득세법 시행령 §155②).

일반분양권 상속의 경우 조합원입주권과 동일하게 비과세특례를 적용한다.

그러나 동일세대원으로부터 상속받은 주택은 비과세특례를 적용받을 수 없으며, 상속받은 주택을 먼저 양도하면 양도소득세가 과세된다.

보충설명

① 1주택을 보유한 1세대가 1주택을 상속받아 일시 2주택이 된 경우 상속받은 주택은 일반주택의 1세대 1주택의 비과세 여부를 판정할 때 주택의 수에 포함하지 않는다.
② 상속받은 주택에 대하여 장기보유특별공제의 보유기간은 상속개시일부터 계산한다.
③ 세율적용 시 보유기간은 피상속인의 취득일부터 계산한다.

피상속인이 2주택 이상 소유한 경우 어느 것을 상속주택으로 보고 비과세 특례를 적용받나요?

피상속인이 상속개시 당시 2 이상의 주택을 소유한 경우에는 다음의 순위에 따른 1주택을 상속주택으로 본다(소득세법 시행령 §155②).

① 피상속인이 소유한 기간이 가장 긴 주택
② 피상속인의 거주기간이 가장 긴 주택
③ 피상속인이 상속개시 당시 거주한 1주택
④ 기준시가가 가장 높은 1주택 등

공동상속 조합원입주권의 소유자는 어떻게 판단 하나요

공동상속 조합원입주권의 소유자는 다음의 순서로 한다.

① 상속지분이 가장 큰 상속인
② 당해 조합원입주권은 관리처분계획인가일 등 현재 해당 주택에 거주하였던 자
③ 최연장자

■ 상속으로 여러사람이 공동소유하게 되어 일시적 2주택이 된 경우 비과세 특례는 어떻게 적용받나요?

상속으로 인하여 여러사람이 공동으로 소유하는 1주택을 소유하게 된 경우에는 상속지분이 가장 큰 소유자의 주택으로 보며, 나머지 소수지분자는 주택이 없는 것으로 본다.

만일 상속지분이 가장 큰 상속인이 2인 이상은 다음의 순서로 공동상속주택을 소유한 것으로 본다.

① 해당 주택에 거주하는 자

② 최연장자

공동으로 주택을 상속받은 이후 소유지분이 가장 크지 아니한 상속인이 다른 상속인의 소유지분을 추가로 취득하여 공동으로 상속받은 주택을 단독으로 소유한 경우 해당 주택은 비과세특례규정이 적용되는 공동상속주택으로 보지 아니한다(소득세법 집행기준 89-155-14).

■ 동일세대원으로부터 상속받은 주택을 양도하면 비과세를 적용받을 수 없다.

1세대 1주택의 동일세대원은 세대 단위로 판정하는 것이므로 동일세대원으로부터 상속받은 경우에는 사망 전·후로 변동이 없으므로 비과세특례를 적용받을 수 없다(국세심판원 2007중4070, 2007.12.31.).

질의 **상속받은 주택을 배우자에게 증여하고 그 밖의 주택을 양도하는 경우 양도소득세가 과세되나요?**

답변 상속받은 주택과 그 밖의 주택을 국내에 각각 1개씩 소유하다가 상속받은 주택을 배우자에게 증여하고 그 밖의 주택을 양도하는 경우 배우자에게 증여한 주택은 상속주택의 비과세특례 규정을 적용받을 수 없습니다(서면부동산-1363, 2015.9.21.).

질의 **대체취득으로 1세대 2주택이 된 상태에서 상속으로 인하여 1세대 3주택이 된 경우 비과세는 어떻게 적용하나요?**

답변 1세대 1주택을 소유한 1세대자가 종전주택을 취득한 날부터 1년 이상 지난 후 새로운 주택을 취득하여 일시적 2주택을 소유하고 있던 중 상속(혼인 또는 직계존비속을 봉양하기 위하여 합친 경우 포함)으로 1세대 3주택을 소유하게 되는 경우 새로운 주택을 취득한 날부터 3년 내에 종전의 주택을 양도하는 경우에는 비과세특례를 적용합니다(소득세법 기본통칙 89-155…2①).

질의 **상속주택을 멸실하고 새로운 주택을 신축한 경우 비과세특례규정이 적용되나요?**

답변 상속받은 주택을 멸실하고 새로운 주택을 신축한 경우 그 신축주택은 상속받은 주택의 연장으로 보아 비과세특례를 적용합니다.

32

직계존속동거봉양 합가로 인해 1세대 2주택인 경우 어떻게 하면 비과세특례를 적용받나요?

1세대 1주택을 소유한 1세대가 합가일 당시 1주택을 가진 60세 이상의 직계존속(배우자의 직계존속을 포함)을 동거봉양에 의하여 일시적 1세대 2주택이 된 경우, 세대를 합친 날부터 10년 이내에 먼저 양도하는 주택(비과세 요건을 갖춘 주택)은 비과세특례를 적용한다(소득세법 시행령 §155④).

동거봉양 합가 후 10년 이내에 주택을 증여받은 경우 비과세특례를 적용받을 수 있나요?

동거봉양을 위하여 세대를 합가한 경우로서 합가일부터 10년 이내에 해당 직계존속 소유주택을 증여받은 때에는 증여받은 주택은 동거봉양 합가에 따른 특례규정이 적용되지 않으며, 합가일부터 10년 이내에 양도하는 본인 소유주택은 동거봉양 합가로 인한 비과세특례가 적용된다(소득세법 집행기준 89-155-20).

■ 동거봉양 합가 후 동일세대원으로부터 상속받은 조합원입주권에 대하여 비과세특례를 적용받을 수 있나요?

상속개시일 현재 같은 세대원으로부터 상속받은 조합원입주권 등은 1세대 1주택 비과세특례가 적용되지 아니한다. 그러나 동거봉양 목적으로 합가한 후 같은 세대원으로부터 상속받은 조합원입주권 등은 비과세특례를 적용받을 수 있다(소득세법 집행기준 89-156의2-15).

■ 동거봉양하던 중 세대 분리 후 양도하는 경우 비과세특례를 적용받을 수 있나요?

자녀가 부모를 동거봉양하다가 세대를 분리한 경우, 세대가 분리된 상태에서 각각의 세대별로 비과세 요건을 갖춘 해당 주택을 양도하면 양도소득세가 비과세 된다.

33

동거봉양 및 혼인으로 세대를 합하여 1세대 2주택인 경우 어떻게 하면 비과세특례를 적용받나요?

1주택을 보유한 자가 1주택을 보유한 자와 혼인함으로써 1세대 2주택을 보유하게 되는 경우 또는 1주택을 보유하고 있는 60세 이상의 직계존속을 동거봉양하는 무주택자가 1주택을 보유하고 있는 자와 혼인함으로써 1세대가 2주택을 보유하게 되는 경우에는 혼인한 날부터 5년 이내에 먼저 양도하는 주택은 비과세특례를 적용한다(소득세법 시행령 §155⑤).

보충설명

1세대 1주택 비과세특례 규정이 적용되는 혼인합가의 혼인한 날은 「가족관계의 등록 등에 관한 법률」에 따라 관할지방관서에 혼인신고한 날을 말한다(소득세법 집행기준 89-155-22).

■ 혼인한 후 1세대 2주택 중 1주택을 동일세대원에게 양도하는 경우 비과세를 적용받을 수 있나요?

국내에 1주택을 보유하는 거주자가 1주택을 보유하는 자와 혼인하여 1세대가 2주택을 보유하게 된 상태에서 1주택을 같은 세대원에게 양도하는 경우에는 혼인합가로 인한 비과세특례가 적용되지 않는다(소득세법 집행기준 89-155-21).

■ 혼인 또는 동거봉양 전에 보유한 조합원입주권(일반분양권 포함)으로 취득한 주택에 대하여 비과세를 적용받을 수 있나요?

혼인·동거봉양에 따른 1세대 1주택, 혼인 또는 동거봉양 전 보유한 조합원입주권(일반분양권 포함)에 의해 취득한 주택을 포함하며, 주택 완공 후 보유기간이 3년 이상이고 혼인·동거봉양한 날부터 5년 이내에 양도하는 경우에 한하여 적용한다(소득세법 집행기준 89－155－17).

■ 남편의 주택을 부인에게 증여하고 그 주택을 양도한 경우 비과세를 적용받을 수 있나요?

각각 1주택을 소유한 거주자가 혼인한 후, 배우자로부터 증여받아 혼인한 날부터 5년 이내에 배우자로부터 증여받은 주택을 먼저 양도하는 경우에는 혼인에 따른 비과세특례를 적용받을 수 없다(부동산거래－196, 2011.3.7.).

■ 혼인하여 1세대가 2주택을 보유하던 중 부득이한 사유로 세대전원이 주거를 이전한 경우 비과세를 적용받을 수 있나요?

각각 1주택을 소유한 거주자가 혼인하여 1세대가 2주택을 보유하게 된 경우로써 그 혼인한 날부터 5년 이내에 배우자의 근무상 형편으로 인한 부득이한 사유로 세대전원이 주거를 이전하기 위하여 남편소유의 1주택(1년 이상 거주한 경우에만 적용함)을 먼저 양도하는 경우 비과세특례를 적용할 수 있다(부동산거래－162, 2011.2.18.).

34

농어촌 이주 등으로 인해 1세대 2주택인 경우 어떻게 하면 비과세특례를 적용받나요?

농어촌 이주 등으로 인하여 수도권 밖의 지역 중 읍 지역(도시지역 안의 지역 제외) 또는 면 지역에 소재하는 농어촌주택과 일반주택을 국내에 각각 1개씩 소유하고 있는 1세대가 일반주택을 먼저 양도하는 때에는 비과세특례를 적용한다(소득세법 시행령 §155⑦).

그러나 농어촌주택을 먼저 양도하는 경우와 귀농으로 인하여 세대전원이 농어촌주택으로 이사하는 경우에는 귀농 후 최초로 양도하는 1개의 일반주택에 한하여 비과세특례가 적용되는 것이며, 그 이후 새로이 취득한 일반주택은 적용되지 않는다.

농어촌주택이란?

1세대 2주택 비과세특례대상인 농어촌주택이란, 다음의 주택을 말한다.

① 상속주택 : 피상속인이 취득 후 5년 이상 거주한 사실이 있는 주택을 말한다.

② 이농주택 : 이농인(어업에서 떠난 자를 포함)이 취득일 후 5년 이상 거주한 사실이 있는 이농주택

③ 귀농주택 : 영농 또는 영어에 종사하고자 하는 자가 취득(귀농 이전

에 취득한 것 포함)하여 취득일 후 5년 이상 거주한 사실이 있는 주택으로서 다음의 요건을 갖춘 것을 말한다.

㉮ 연고지에 소재할 것

㉯ 고가주택이 아닐 것

㉰ 대지면적이 660㎡(200평) 이내일 것

㉱ 영농 또는 영어의 목적으로 취득하는 것으로서 1,000㎡ 이상의 농지를 소유하는 자가 당해 농지 소재지에 있는 주택을 하거나, 어업인이 취득할 것

㉲ 세대전원이 이사(취학, 근무상 형편, 질병의 요양 등으로 이사를 하지 못하는 경우 포함)하여 거주할 것

보충설명

영농목적이 아닌 여가선용 목적으로 취득한 주말농장에 대하여는 비과세특례 규정을 적용하지 아니한다(재일 16014-913, 1995.4.12.).

비과세를 적용받은 귀농주택을 영농 등에 종사하지 않으면 추징세액을 신고·납부하여야 한다

귀농주택에 대하여 비과세특례를 적용받은 귀농주택 소유자가 귀농일(귀농주택에 주민등록을 이전하여 거주를 개시한 날을 말함)부터 계속하여 3년 이상 영농 또는 영어에 종사하지 아니하거나 그 기간 동안 해당 주택에 거주하지 아니한 경우 양도한 일반주택은 비과세특례를 적용받을 수 없다.

이 경우 비과세 규정을 받을 수 없는 사유가 발생한 경우에는 해당 사유가 발생한 날이 속하는 달의 말일부터 2개월 이내에 다음에 따라 계산한 금액을 양도소득세로 신고·납부하여야 한다(소득세법 시행령 §155⑫).

납부할 양도소득세	=	일반주택 양도당시 귀농주택 비과세 적용하지 아니하였을 때 납부하였을 세액	−	일반주택 양도당시 귀농주택 비과세 적용을 적용받아 납부한 세액

질의 **일반주택 취득 후 읍·면 지역소재 농·어촌주택을 취득한 경우 이농주택에 해당하나요?**

답변 이농주택은 영농 또는 영어에 종사하던 자가 전업으로 인하여 다른 시·구·읍·면으로 전출할 때 이농하는 자가 소유하고 있는 주택을 말하는 것이며 일반주택을 먼저 취득한 후 농어촌주택을 취득한 경우 해당 농어촌주택은 이농주택에 해당되지 아니합니다(소득세법 집행기준 89-155-24).

35

취학 · 직장변경 등의 사유로 수도권 밖 이전을 위해 1세대 2주택인 경우 어떻게 하면 비과세특례를 적용받나요?

1년 이상 거주한 1주택을 세대전원이 다음의 부득이한 사유로 다른 시 · 군으로 주거를 이전하기 위해 취득한 수도권 밖에 소재한 주택과 그 밖의 주택을 소유한 1세대가 다음의 부득이한 사유가 해소된 날부터 3년 이내에 그 밖의 주택을 양도하는 경우에는 비과세특례를 적용한다 (소득세법 시행령 §155⑧).

① 「초 · 중등교육법」에 따른 학교(초등학교 및 중학교 제외) 및 「고등교육법」에 따른 학교에의 취학

② 직장의 변경이나 전근 등 근무상의 형편

③ 1년 이상의 치료나 요양을 필요로 하는 질병의 치료 또는 요양

④ 학교폭력으로 인한 전학(학교폭력대책자치위원회가 피해 학생에게 전학이 필요하다고 인정하는 경우에 한함)

여기서 수도권 밖에 소재한 주택이란, 「수도권정비계획법」 제2조 제1호에 따른 (서울, 인천, 경기도)밖에 소재하는 주택을 말하며, 주택의 가액 · 규모에 제한이 없다.

보충설명

다른 시·군의 범위란, 다음의 지역을 말한다.

① 다른 시(특별시·광역시·특별자치시·행정시 포함)·군으로 이전하기 위해 취득하는 주택
② 광역시지역 안에서 구지역과 면지역 간에 주거를 이전하기 위해 취득하는 주택
③ 특별자치시·도농복합형태의 시지역 및 행정시 안에서 동지역과 읍·면지 간에 주거 이전으로 취득하는 주택

질의 **세대원의 일부가 부득이한 사유로 거주하지 않은 경우에도 비과세 혜택을 적용받을 수 있나요?**

답변 세대원의 일부가 취학, 근무 또는 사업상의 형편, 질병의 요양, 동거봉양, 가정불화 등 부득이한 사유로 처음부터 본래의 주소에서 거주하지 않은 경우에도 나머지 세대원이 거주요건을 충족한 경우에는 비과세 규정을 적용합니다(소득세법 집행기준 89-154-31).

질의 **수도권 밖으로 인사발령 후 해당 분양권이 완공되어 주택을 취득하고 종전 주택을 양도한 경우 비과세특례를 적용받나요?**

답변 서울에서 근무하던 자가 수도권 밖으로 근무처가 변경되는 것을 모르는 상태에서 주택을 취득할 의사로 서울에 소재하는 주택을 분양계약하여 중도금을 계속 불입하던 중에 수도권 밖으로 근무지가 변경되고, 근무지 변경 후 완공하여 취득한 해당 주택은 비과세특례가 적용됩니다(서면법령재산-22556, 2015.7.23.).

36

임대주택사업자 등이 거주주택을 양도한 경우 어떻게 하면 비과세특례를 적용받나요?

임대주택 공급의 활성화를 위해 주택임대사업자의 거주용 자가주택의 양도소득세 부담을 완화하기 위해 일정 요건을 충족한 자가주택을 양도한 경우에 양도소득세의 비과세특례 규정을 마련한 것이다.

■ 장기임대주택 소유자의 거주주택을 양도한 경우 비과세특례

장기임대주택과 그 밖의 1주택을 국내에 소유하고 있는 1세대가 각각 다음의 "①과 ②"의 요건을 충족하고 해당 거주주택을 양도하는 경우에는 국내에 1개의 주택을 소유하고 있는 것으로 보아 1세대 1주택 비과세특례를 적용한다. 다만, 생애 한 차례만 거주주택을 최초로 양도하는 경우에 한정하여 1세대 1주택 비과세특례를 적용한다(소득세법 시행령 §155⑳).

① 거주주택 : 보유 기간 중 거주기간이 2년 이상일 것

② 장기임대주택 : 양도일 현재 사업자등록을 하고, 민간임대주택으로 등록하여 임대하고 있으며, 임대보증금 또는 임대료("임대료 등"이라 한다)의 증가율이 5%를 초과하지 않아야 한다.

■ 장기어린이집 소유자의 거주주택을 양도한 경우 비과세특례

장기가정어린이집과 그 밖의 1주택을 국내에 소유하고 있는 1세대가 각각 다음의 "①과 ②"의 요건을 충족하고 해당 거주주택을 양도하는 경우에는 국내에 1개의 주택을 소유하고 있는 것으로 보아 1세대 1주택 비과세특례 규정을 적용한다.

① 거주주택 : 보유 기간 중 거주기간이 2년 이상일 것

② 장기가정어린이집 : 양도일 현재 사업자등록을 하고, 장기가정어린이집을 운영하고 있을 것

37

5년 이상 거주한 건설임대주택을 취학 등의 이유로 양도하면 비과세특례를 적용받나요?

임대주택에 따른 건설임대주택을 취득하여 양도하는 경우로서 해당 건설임대주택의 임차일부터 해당 주택의 양도일까지의 기간 중 세대 전원이 거주(취학 · 근무상의 형편 · 질병의 요양 · 그 밖에 부득이한 사유로 세대 구성원 중 일부가 거주하지 못하는 경우를 포함)한 기간이 5년 이상인 경우에는 보유기간에 제한을 받지 아니하고 1세대 1주택으로 비과세된다(소득세법 시행령 §154①).

질의 **임대주택을 승계한 경우 거주기간은 통산하나요?**

답변 임대기간 중에 당초 임차자가 임차를 포기한 후에 임대승계 예약을 받은 경우에는 그 승계계약자가 5년 이상 거주하고 취득하여 양도한 경우에만 양도소득세가 비과세 됩니다(재일 46014-1347, 1995.6.3.).

질의 **취학 · 질병의 요양 · 근무상 형편 등으로 거주하지 못하고 일시 퇴거한 경우 그 기간을 거주기간에 포함하나요?**

답변 세대주 및 세대원 중 일부가 취학 · 질병의 요양 · 근무상 형편 등으로 당해 임대주택에서 거주하지 못하고 일시 퇴거한 경우에는 그 일시 퇴거자도 생계를 같이하는 동거가족으로 보는 것이므로 그 일시 퇴거한 기간은 임대주택의 거주기간 계산에 포함합니다(서면4팀-242, 2005.2.11.).

38

농지를 교환 또는 분합하는 경우 어떻게 하면 비과세특례를 적용받나요?

양도소득세가 비과세되는 농지의 교환이란, 자기의 농지와 타인의 농지를 서로 바꾸는 것을 말하며, 분합이란 자기의 농지 일부를 타인에게 주고 타인의 농지 일부를 자기 소유로 하는 것을 말한다.

농지란, 전 · 답으로서 지적 공부상의 지목에 관계없이 실제로 경작에 사용되는 토지를 말하며, 농지경영에 직접 필요한 농막 등을 포함한다(소득세법 시행령 §153①).

농지의 교환 및 분합의 요건

다음의 농지를 교환 또는 분합하는 경우로서 그 교환 또는 분합하는 쌍방 토지 가액의 차액이 가액이 큰 편의 4분의 1 이하인 경우에는 양도소득세를 과세하지 아니한다(소득세법 시행령 §153①).

① 국가 또는 지방자치단체가 시행하는 사업으로 인하여 교환 또는 분합하는 농지

② 국가 또는 지방자치단체가 소유하는 토지와 교환 또는 분합하는 농지

③ 경작상 필요에 의하여 교환하는 농지. 다만, 교환에 의하여 새로이 취득하는 농지를 3년 이상 농지 소재지에 거주하면서 경작하는 경우에 한한다.

④ 「농어촌정비법」·「농지법」·「한국농어촌공사 및 농지관리기금법」 또는 「농업협동 조합법」에 의하여 교환 또는 분합하는 농지

■ 농지 소재지란?

비과세 요건인 경작상 필요에 의하여 교환하는 농지를 3년 이상 농지 소재지에서의 경작 여부를 판정함에 있어 농지 소재지란, 다음의 어느 하나에 해당하는 지역(경작개시 당시에는 해당 지역이 행정구역의 개편 등으로 이에 해당하지 않은 지역을 포함)을 말한다.

① 농지가 소재하는 시(행정시를 포함)·군·구(자치구인 구를 말함) 안의 지역
② 위 "①"의 지역과 연접한 시(행정시를 포함)·군·구(자치구인 구를 말함) 안의 지역
③ 농지로부터 직선거리 30㎞ 이내에 있는 지역

39

8년 이상 자경농지를 양도하면 무조건 양도소득세가 감면되나요?

은퇴 농업인의 소득안정을 도모하기 위해 농지의 양도를 유도하여 경영규모를 확대하고 농업의 경쟁력을 제고하는 한편 영농에서 은퇴하는 소규모 영세 은퇴 농업인의 생활 안정을 지원하기 위해서 8년 이상 다음에 해당하는 지역에 있는 자경농지를 한국농어촌공사 또는 농업법인에게 2021.12.31.까지 양도하는 경우에는 양도소득세의 100%에 상당하는 세액을 감면한다(조세특례제한법 §69).

① 농지가 소재하는 시(특별자치시와 행정시 포함)·군·구(자치구인 구를 말함) 안의 지역

② 위 "①"의 지역과 연접한 시·군·구(자치구인 구를 말함) 안의 지역

③ 농지로부터 직선거리 30㎞ 이내에 있는 지역

보충설명

농지가 공부상 명의자와 실제 소유자가 다른 경우 자경농지에 해당하는지 여부는 농지 원부 및 자경을 입증할 수 있는 객관적인 자료 등을 종합하여 사실관계를 판단하는 것이며, 그 실질 내용이 불분명한 경우에는 공부상의 등재내용에 따른다(서면4팀-2968, 2008.8.28.).

❶ 직접경작을 하여야 한다. 직접경작이란?

직접경작은 거주자가 그 소유농지에서 농작물의 경작 또는 다년성 식물의 재배에 상시 종사하거나 농작업의 2분의 1 이상을 자기의 노동력에 의하여 경작 또는 재배하는 것을 말한다(소득세법 집행기준 69-66-6).

그러나 농지 소재지에 거주하면서 자기가 직접 경작한 농지로서 위탁경영하거나 대리경작 또는 임대차한 농지는 제외한다(소득세법 기본통칙 69-0…3).

여기서 농지 소재지 거주 여부를 판단함에 있어 '거주'란 임시 거처를 두는 정도가 아니라 생활의 근거지를 말하므로, 주된 생활의 근거지로 하지 아니한 채 주민등록만 농지 소재지 또는 인근 지역으로 옮겨 놓고 틈틈이 들러서 직접경작을 하였다는 것은 거주하였다고 볼 수 없다(수원지법 2015구단30856, 2015.11.25.).

❷ 자기가 경작한 농지이어야 한다. 이때 자경농지란?

감면대상 농지는 보유기간 중 자경기간이 8년(경영이양직접지불보조금의 지급대상이 되는 농지를 한국농어촌공사·영농조합법인·농업회사법인에 2021.12.31.까지 양도하는 경우에는 3년) 이상인 농지를 말한다.

감면대상 농지의 판정 기준은 어떻게 하나요?

감면대상 농지의 판정은 양도일 현재를 기준으로 하는 것이나, 양도일 이전에 매매계약조건에 따라 매수자가 형질변경, 건축 착공 등을 한 경우에는 매매계약일 현재의 농지를 기준으로 판정한다(소득세법 집행기준 69-66-21).

휴경상태의 농지는 감면대상에서 배제하나요?

공부상 지목이 농지인 경우에도 양도일 현재 경작에 사용되고 있지 않는 토지는 토지소유자의 자의에 의한 것이든 또는 타의에 의한 것이든 여부에 불문하고 일시적인 휴경상태에 있는 것이 아니라면 양도일 현재의 농지로 볼 수 없다(소득세법 기본통칙 69-66-28).

3 자기가 경작한 자경기간이란?

감면요건 중 자경기간의 8년은 어떻게 계산하나요?

자경기간이 양도할 때까지 8년(또는 3년) 이상 직접 경작한 토지란, 취득한 때부터 양도할 때까지 사이에 8년(또는 3년) 이상 자기가 경작한 사실이 있는 농지를 말한다. 즉, 자기가 거주 경작한 사실만 있으면 족하고, 계속하여 8년(또는 3년) 간 거주 경작하여야 하는 것은 아니다.

근로소득(총급여) 및 사업소득의 합계액이 일정금액이면 자경기간에서 제외하나요?

자경기간계산 시 거주자 각각(농지를 상속받은 경우 배우자를 포함한 피상속인)의 사업소득금액(농업·임업에서 발생하는 소득, 부동산임대업에서 발생하는 소득과 농가부업소득은 제외)과 총급여액의 합계액이 3,700만원 이상인 과세기간이 있는 경우에는 그 기간을 자경기간에서 제외한다. 사업소득금액이 음수인 경우에는 0으로 한다.

피상속인 또는 동일세대원이 경작한 기간은 자경기간에 포함하나요?

자경농지는 본인이 직접 경작한 경우에 한하여 자경감면을 받을 수 있으므로 부인소유의 농지를 같은 세대원인 남편이 자경한 경우에는 자경기간에 포함되지 아니한다(소득세법 집행기준 69-66-12).

그러나 피상속인의 자경기간과 상속인의 자경기간을 합한다.

즉 피상속인이 배우자가 경작한 토지를 상속받은 경우(재차상속) 피상속인의 "배우자의 자경기간 + 피상속인의 자경기간 + 상속인의 자경기간"을 합한다.

상속인 또는 피상속인이 배우자로부터 상속받아 경작한 경우 경작기간을 자경기간에 포함하나요?

상속받은 농지에 대한 경작기간을 계산함에 있어 상속인이 상속받은 농지를 1년 이상 계속하여 경작하는 경우 피상속인이 취득하여 경작한 기간(직전 피상속인의 경작기간으로 한정함) 및 피상속인이 배우자로부터 상속받아 경작한 사실이 있는 경우에는 피상속인의 배우자가 취득하여 경작한 기간을 상속인이 경작한 기간으로 본다.

그 밖의 자경기간에 관련한 사례

그 밖의 농지의 자경기간 계산은 다음에 따른다(소득세법 기본통칙 69-0…1).

① 환지된 농지의 자경 기간 계산은 환지 전 자경기간도 합산하여 계산한다.

② 증여받은 농지는 수증일 이후 수증인이 경작한 기간으로 계산한다.

③ 교환으로 인하여 취득하는 농지에 대하여는 교환일 이후 경작한 기간으로 계산한다.

4 8년 이상 자경을 했다는 입증방법은 어떻게 하나요?

감면대상 8년 이상 자경의 입증은 일반적으로 농지세 납세증명서에 의하여 8년간 농지세가 과세(비과세·감면 및 소액부징수 포함)되었음을 증명하는 것이 일반적이나 경작한 농지에 대한 농지대장등재 및 경작명세서의 발급 여부에 관계없이 사실상 전답으로서 개간준공인가서, 주민등록등본, 경작 사실에 관한 인우보증 등의 서류에 의한다. 이외에도 비료, 농약의 구입 사실, 농업협동조합 출자증권, 가축매매증명서, 과수원의 경우 객관적으로 확인 가능한 과수의 수령 등에 의하여 입증이 가능하다.

■ 재산분할청구로 소유권 이전된 농지의 자경기간 계산은 어떻게 하나요?

거주자가 혼인 후 배우자 명의로 취득한 농지에 대해 재산분할을 청구하여 소유권을 이전하고 이를 제3자에게 양도하는 경우로서 양도일 현재 농지에 해당하고 이혼 전 배우자가 농지를 취득한 때로부터 당해 거주자가 양도할 때까지의 사이에 8년 이상 농지 소재지에 거주하면서 자기가 경작한 사실이 있는 경우에는 양도소득세 감면을 적용받을 수 있다.

주택에 대한 양도소득세 감면 등의 종류

본서에서 설명하지 못한 주택의 양도와 관련하여 「소득세법」과 「조세특례제한법」에서 규정하는 비과세 및 감면의 종류와 조세지원 내용을 요약하면 다음과 같다.

종류	조문	조세지원내용	일몰시한
1세대 1주택	소법 §89①3호	비과세	-
5호 이상 장기 임대주택	조특법 §97	• 1986.1.1.~2000.12.31. 신축 • 1985.12.31. 신축공동주택 50% 감면, 100% 면제	2000.12.31.까지 임대개시분 (5년 이상 임대)
신축임대주택	조특법 §97의2	5년간 양도소득세 면제	2001.12.31.까지 취득분 (5년 이상 임대)
장기일반민간 임대주택 등	조특법 §97의3	양도소득세의 과세특례 장기보유특별공제 50% 또는 70% 적용	2022.12.31.
미분양주택에 대한 과세특례	조특법 §98	20% 세율, 종소세 과세선택	1998.12.31.
신축주택취득자 5년 감면	조특법 §99	5년간 양도차익의 100% 세액감면	1999.12.31.까지 취득분

종류	조문	조세지원내용	일몰시한
신축주택1세대 1주택자의 주택 등 취득자 특례	조특법 §99의2	5년간 양도차익 100% 감면	2013.4.1.~ 2013.12.31.
신축주택취득자 5년 감면	조특법 §99의3	5년간 양도차익의 100% 세액감면	2003.6.30.까지 취득분
농어촌주택 및 고향주택 취득자에 대한 양도소득세 특례	조특법 §99의4	일반주택의 1세대 1주택 비과세 판정시 농어촌 주택은 주택수에서 제외	2017.12.31.까지 취득분
지방미분양 주택	조특법 §98의2	• 보유기간 및 주택수 관계없이 일반세율 적용 • 1세대 1주택자의 장기 보유특별공제(표2) 적용	2010.12.31.까지 취득분
신축주택	조특법 §98의3	• 5년 이내 100% 감면(5년 경과 후 과밀억제권역 60%, 서울 제외) • 일반세율 및 장기보유 특별공제(30% 한도)적용	2010.2.11.까지 취득분
수도권 밖의 미분양주택	조특법 §98의5	5년 이내 양도, 분양가격 인하율에 따라 60%~100% 감면	2011.4.30.까지 취득분
준공 후 미분양 주택	조특법 §98의6	5년간 발생한 양도소득금액의 50% 감면	2011.3.29. 현재 준공 후 미분양 주택

41

다주택자에 대한 양도소득세 중과는 어떤 경우에 적용하나요?

다주택자에 대한 양도소득세 중과세 규정의 입법취지는 다주택 소유가 거주목적에 의한 실수요가 아닌 재산증식 수단으로 악용하여 부동산투기로 인한 이득을 양도소득세로 흡수하여 과세 형평을 도모하고 부동산투기를 억제하는데 있다.

중과세 적용 대상주택은 어떤 주택인가요?

다주택자의 중과세율 적용은 1세대 2주택 이상인 자가 양도하는 주택이 조정대상지역에 소재하는 주택이어야 한다.

중과세율 적용은 중과세 대상 주택이 2주택 이상이거나 주택과 조합원입주권(분양권 포함)의 수의 합계가 2 이상인 경우로서 조정대상지역에 소재하는 주택을 양도하는 경우에만 적용된다.

따라서 조정대상지역이 아닌 지역에 소재한 주택을 양도하는 주택은 중과세율이 적용되지 아니한다.

다음의 다주택자가 조정대상지역에 소재하는 주택을 양도하는 경우에는 중과세 대상이다.

① 1세대 2주택자가 양도하는 주택

② 1주택과 1조합원입주권(일반분양권 포함)을 각각 1개씩을 보유한

경우로서 양도하는 주택

③ 1세대 3주택 이상자가 양도하는 주택

④ 주택과 조합원입주권(일반분양권 포함)의 수의 합계가 3 이상인 경우 양도하는 주택

보충설명

주택 수를 계산할 때 다주택자의 중과세율 적용 시 주택을 소유한 자가 조합원입주권(분양권 포함)을 소유한 경우에는 조합원입주권도 주택 수에 포함하는 것이나 조합원입주권(분양권 포함)을 양도하는 경우에는 주택이 아니므로 중과세 대상이 아니다.

중과세율 적용제외 주택

① 수도권 외의 지역에 소재하는 기준시가 3억원 이하 주택

② 장기임대주택 등 3주택 이상자의 중과제외대상 주택

③ 양도소득세가 감면되는 주택

④ 10년 이상 장기사원용주택

⑤ 수도권 밖 읍·면 소재 상속주택(피상속인이 취득 후 5년 이상 거주한 상속주택 등)

다주택자의 조정대상지역주택을 양도하면 장기보유특별공제 배제와 중과세율 적용

조정대상지역에 소재하는 주택으로서 1세대 2주택 이상에 해당하는 주택을 양도하는 경우 장기보유특별공제의 적용을 배제하고, 세율은 기본세율+10%(2021.6.1. 양도분 : 20%), 1세대 3주택 이상은 기본세율+20%(2021.6.1. 양도분 : 30%)을 적용한다.

질의 동일한 날에 2개 이상의 주택을 양도하는 경우 어느 날을 양도로 보나요?

답변 1세대 3주택(조합원입주권 포함) 이상에 대한 중과세율을 적용함에 있어서 동일한 날에 2개 이상의 주택을 양도하는 경우에는 당해 거주자가 선택하는 순서에 따라 주택을 양도하는 것으로 봅니다(서면4팀-1805, 2005.9.30.).

질의 1세대 3주택 중과세율 배제 판정 시 조합원의 지위를 승계하여 취득하는 재건축아파트의 취득시기는 언제로 하나요?

답변 1세대 3주택 중과세율 배제 판정 시 조합원의 지위를 승계하여 취득하는 재건축아파트의 취득시기는 사용검사필증 교부일(사실상의 사용일 또는 사용승인일)이 됩니다(재산-1462, 2009.7.17.).

질의 재건축조합으로부터 입주권과 청산금을 교부받은 경우 청산금은 중과세율 대상인가요?

답변 주택재개발 정비사업에 참여한 조합원이 1세대 3주택에 해당하는 주택(부수토지 포함)의 대가로 재건축조합으로부터 입주권과 청산금을 교부받은 경우 청산금은 중과세율이 적용됩니다(재산-1156, 2009.6.11.).

질의 분쟁으로 소송이 진행 중인 주택도 중과세율이 적용되나요?

답변 재건축 아파트 동·호수 추첨에 관한 분쟁으로 소송이 진행 중인 경우 당해 주택은 중과세율 적용이 배제되는 주택에 해당하지 않습니다(재산-2501, 2008.8.28.).

질의 본인 토지 위에 타인 소유의 주택이 있는 경우 주택 수에 포함하나요?

답변 다주택자의 중과세율 대상 주택은 해당 주택 소유자를 기준으로 판단하므로 본인의 토지 위에 타인 소유의 주택이 있는 경우 본인이 소유하는 주택을 양도 시 주택 수에 포함되지 않습니다(소득세법 집행기준 104-167의3-11).

질의 다주택자의 주택에 딸린 토지를 양도하는 경우 중과세가 적용되나요?

답변 중과세율이 적용되는 다주택자의 주택에 딸린 토지를 양도하는 경우에도 중과세율이 적용됩니다.

질의 **조정대상지역에 있는 종전주택의 취득일부터 1년이 되기 전에 신규주택을 취득하고, 신규주택을 취득한 날부터 3년 이내에 종전주택을 양도하는 경우 다주택자 중과세율이 적용되나요?**

답변 종전 주택을 취득한 후 1년이 되기 전에 신규 주택을 취득하여 일시적 2주택에 따른 1세대 1주택의 비과세특례를 적용받을 수 없으나 신규주택의 취득일부터 3년 이내에 종전주택을 양도하는 경우에는 중과세율이 적용되지 아니합니다.

42

비사업용 토지를 양도하면 높은 세율이 적용되어 무거운 세금이 과세된다

비사업용 토지에 대하여 양도소득세가 중과되는 입법취지는 토지를 실수요에 따라 생산적 용도로 사용하지 않고 재산증식수단으로 사용하는 경우에는 조세부담을 강화함으로써 부동산투기를 억제하고 부동산시장을 안정화하여 투기이익을 세금으로 회수하려는데 있다.

비사업용 토지란, 토지 양도자가 해당 토지를 보유기간 중 일정기간 동안 토지의 지목 본래의 용도에 사용하지 아니한 것을 말한다.

1 비사업용 토지를 판정하는 기간 요건

비사업용 토지란, 토지 양도자가 토지를 보유하는 기간 동안에 일정기간(기간기준) 지목 본래의 용도에 사용하지 않는 것을 말한다(소득세법 시행령 §168의6①).

비사업용 토지는 양도한 해당 토지가 다음의 3가지 기간요건 중 어느 하나에 충족하지 못하는 경우를 말한다.

① 양도일 직전 5년 중 3년 이상(소유기간 중 60% 이상)을 직접 사업에 사용한 토지

② 양도일 직전 3년 중 2년 이상(소유기간 중 60% 이상)을 직접 사업에 사용한 토지
③ 토지 소유기간 중 2년 이상(소유기간 중 60% 이상)을 직접 사업에 사용한 토지

위 기간 계산 시 토지를 상속받은 경우 피상속인이 소유한 기간은 합산하지 아니한다(서면4팀-272, 2007.1.19.).

2 비사업용 토지의 범위

비사업용 토지는 그 토지를 소유하는 기간 중 비사업용으로 보는 기간 동안에 다음의 직접 사업에 사용하지 아니한 토지를 말한다.

① 농지로서 소유자가 농지 소재지에 거주하지 아니하거나 자기가 경작하지 아니하는 농지
② 임야 소재지에 거주하지 아니하는 자가 소유한 임야 등
③ 축산업을 경영하지 아니하는 자가 소유하는 목장용지 등. 목장용지는 축산업을 영위하기 위하여 초지를 조성한 토지 및 소·돼지·닭 등 가축을 사육하는 축사 등의 부지와 이와 접속된 부속시설물의 부지를 말한다(소득세법 집행기준 104의3-168의10-1).
④ 농지, 임야 및 목장용지 외의 토지 중 재산세가 비과세되거나 면제되는 토지와 재산세 별도 합산과세대상 또는 분리과세대상이 되는 토지 등
⑤ 주택의 부수토지로서 도시지역 내 5배(2022.1.1. 양도분부터 도시지역 중 주거·상업·공업지역의 주택 부수토지는 3배임), 도시지역 밖은 10배일 것
⑥ 주거용 건축물로서 상시 주거용으로 사용하지 아니하고 휴양, 피서, 위락 등의 용도로 사용하는 건축물(별장)의 부속토지 등

⑦ 그 밖에 위와 유사한 토지로서 거주자의 거주 또는 사업과 직접 관련이 없다고 인정할 만한 상당한 이유가 있는 토지

보충설명

비사업용 토지 여부는 토지 소유와 관계없이 토지 이용현황으로 판정하는 것이므로 해당 토지를 임대(주차장운영업용 토지는 제외)한 경우에는 임차인의 토지 이용현황에 따라 판정한다.

3 기간기준에 관계없이 비사업용 토지로 보지 않는 토지의 범위

다음의 토지는 기간기준에 관계없이 비사업용 토지로 보지 않는다.

① 2006.12.31. 이전 상속받은 농지 · 임야 · 목장용지(2009.12.31.까지 양도분에 한함)

② 8년 이상 재촌 · 자경한 농지 등을 상속 · 증여받은 경우. 재촌은 농지 소재지와 동일하거나 연접한 시 · 군 · 구(자치구), 농지로부터 30㎞ 이내의 지역에 거주하여야 한다.

③ 2006.12.31. 이전에 20년 이상 소유한 농지 · 임야 · 목장용지

④ 공익사업에 의해 양도한 토지

⑤ 시지역 중 도시지역에 해당하는 농지로서 종중이 양도한 농지(2005.12.31. 이전에 취득한 것)와 상속에 의하여 취득한 농지로서 그 상속 개시일부터 5년 이내 양도하는 토지 등

사용이 금지 또는 제한된 토지 등은 비사업용 토지로 보지 않는다

법령에 따라 사용이 금지되거나 제한된 다음의 토지는 양도당시 그 기간동안 비사업용 토지에 해당하는지 여부를 판정한다(소득세법 시행령

§168의14①). 이 경우 해당 기간동안은 비사업용 토지로 보지 아니한다.

① 토지를 취득한 후 법령에 따라 사용이 금지 또는 제한된 토지 : 사용이 금지 또는 제한된 기간
② 토지를 취득한 후 「문화재보호법」에 따라 지정된 보호구역 안의 토지 : 보호구역으로 지정된 기간
③ 위 "①" 및 "②"에 해당되는 토지로서 상속받은 토지 : 상속개시일부터 위 "①" 및 "②"에 따라 계산한 기간
④ 그 밖에 공익, 기업의 구조조정 또는 불가피한 사유로 인한 법령상 제한, 토지의 현황·취득 사유 또는 이용 상황 등을 감안하여 부득이한 사유에 해당되는 토지

예컨대, 토지를 취득한 후 법령에 따라 당해 사업과 관련된 인가·허가(건축허가를 포함)·면허 등을 신청한 자가 행정지도에 따라 건축허가가 제한됨에 따라 건축을 할 수 없게 된 토지 등을 말한다.

관련예규

도시개발구역 안의 토지를 도시개발사업이 진행중에 취득한 경우, 해당 토지를 취득한 날부터 건축이 가능한 날의 전일까지의 기간은 비사업용 토지의 기간에서 제외하지 않는다(서면부동산-1868, 2015.10.8.).

경매 등으로 양도하는 비사업용 토지 판단 기준

다음의 경매 등에 해당하는 경우에는 그 날을 양도일로 보아 그 토지를 비사업용 토지로 보지 않는다(소득세법 시행령 §168의14②).

① 「민사집행법」에 따른 경매에 따라 양도된 토지 : 최초의 경매기일
② 「국세징수법」에 따른 공매에 따라 양도된 토지 : 최초의 공매일 등

❹ 비사업용 토지에 대한 장기보유특별공제액 계산

비사업용 토지에 대한 장기보유특별공제액은 다음의 보유기간에 따라 공제율을 적용한다(소득세법 §95②).

보유기간	공제율
3년 이상 4년 미만	6%
4년 이상 5년 미만	8%
5년 이상 6년 미만	10%
6년 이상 7년 미만	12%
7년 이상 8년 미만	14%
8년 이상 9년 미만	16%
9년 이상 10년 미만	18%
10년 이상 11년 미만	20%
11년 이상 12년 미만	22%
12년 이상 13년 미만	24%
13년 이상 14년 미만	26%
14년 이상 15년 미만	28%
15년 이상	30%

❺ 비사업용 토지에 적용할 중과세율

비사업용 토지를 양도함으로 인하여 발생한 양도소득에 적용할 세율(일반지역 : 기본세율 + 10%)은 다음의 양도소득 과세표준금액 크기에 따라 적용한다(소득세법 §104①).

양도소득 과세표준	세율
1,200만원 이하	16%
1,200만원 초과 4,600만원 이하	192만원 + (1,200만원 초과액 × 25%)
4,600만원 초과 8,800만원 이하	1,042만원 + (4,600만원 초과액 × 34%)
8,800만원 초과 1억5천만원 이하	2,470만원 + (8,800만원 초과액 × 45%)
1억5천만원 초과 3억원 이하	5,260만원 + (1억5천만원 초과액 × 48%)
3억원 초과 5억원 이하	1억2,460만원 + (3억원 초과액 × 50%)
5억원 초과 10억원 이하	2억2,460만원 + (5억원 초과액 × 52%)
10억원 초과	4억8,460만원 + (10억원 초과액 × 55%)

43

미등기 부동산을 양도하면 높은 세율이 적용되어 무거운 세금이 과세된다

부동산에 관하여 법률행위에 따른 부동산권리의 변동은 등기를 하여야만이 그 효력이 생긴다.

따라서 형식상 적법한 그 권리의 확보를 위하여 「부동산등기법」에 따라 등기행위 절차가 필요하며, 부동산을 취득하여 그 부동산에 대한 권리를 확보하기 위해서 등기를 하는 것이다.

등기 등을 하려면 취득세 또는 등록면허세가 과세되며, 그 부동산을 양도할 때 양도인에게는 양도소득세가 과세된다.

이와 같이 취득하는 과정에서 과세되는 조세의 회피수단으로 미등기 양도라는 악습이 행해지고 있으므로, 정부에서는 이를 규제하기 위해 조세정책상 등의 목적으로 양도소득세에 대한 비과세 · 감면이 되는 부동산일지라도 미등기 양도부동산은 이를 배제할 뿐 아니라 양도소득세의 높은 세율 등을 적용하여 무거운 세금을 과세하고 있다.

미등기 부동산을 양도하면 세제상 불이익이 있다

미등기 부동산이란, 양도소득세 과세대상 자산인 토지와 건물 · 지상권 · 전세권 및 등기된 부동산임차권을 취득한 자가 그 자산의 취득에 관한 등기를 하지 아니하고 양도하는 것을 말한다(소득세법 §104③).

세법에서는 부동산을 취득한 자가 그 부동산의 취득에 관한 등기를 하지 않고 양도하는 경우에는 다음과 같은 불이익을 적용받는다.

① 부동산을 미등기로 양도하면 1세대 1주택에 대한 양도소득세 비과세, 각종 감면혜택을 받지 못한다.
② 장기보유특별공제를 적용하지 못한다.
③ 양도소득세를 계산할 때 양도소득기본공제(연1회 2,500,000원)를 공제받지 못한다.
④ 높은 양도소득세 세율(70%)을 적용한다.

미등기 부동산으로 보지 않는 자산은 어떤 것이 있나요?

다음에 해당하는 부동산을 양도하는 경우에는 미등기 부동산으로 보지 아니한다.

① 장기할부조건으로 취득한 부동산으로서 그 계약조건에 의하여 양도당시 그 부동산의 취득에 관한 등기가 불가능한 부동산
② 법률의 규정 또는 법원의 결정에 의하여 양도당시 그 부동산의 취득에 관한 등기가 불가능한 부동산
③ 양도소득세가 감면되는 8년 이상의 자경농지 및 대토하는 농지와 비과세대상인 교환·분합하는 농지
④ 비과세대상인 1세대 1주택으로서 「건축법」에 의한 건축허가를 받지 아니하여 등기가 불가능한 부동산(소득세법 기본통칙 91-0…1)
⑤ 상속에 의한 소유권이전등기를 하지 아니한 자산으로서 「공익 사업을 위한 토지 등의 취득 및 보상에 관한 법률」에 따라 사업시행자에게 양도하는 것
⑥ 「도시개발법」에 따른 도시개발사업이 종료되지 아니하여 토지 취득등기를 하지 아니하고 양도하는 토지

⑦ 건설업자가 「도시개발법」에 따라 공사용역 대가로 취득한 체비지를 토지구획 환지처분공고 전에 양도하는 토지

⑧ 명의신탁에 의한 소유권 이전등기후 소유권환원등기 없이 양도한 토지(국세심판원 2005전3614, 2005.12.12.)

⑨ 이혼시 재산분할청구소송에 따른 확정판결로 재산분할을 하지 않고 양도할 경우(부동산납세-141, 2013.11.8.)

질의 **토지거래허가구역 내에 있는 토지를 허가받지 않고 양도한 경우에는 미등기 양도부동산으로 보나요?**

답변 토지거래허가구역 내에 있는 토지를 이전하는 경우, 토지거래허가를 받지 않고 양도하는 토지는 미등기 양도부동산에 해당합니다(대법원 2004두5058, 2005.6.24.).

질의 **법원의 결정 등으로 양도한 부동산이 미등기에 해당하나요?**

답변 법률의 규정 또는 법원의 결정에 따라 양도 당시 그 부동산의 취득에 관한 등기가 불가능한 부동산의 경우에는 미등기 양도부동산으로 보지 아니합니다(서면부동산-1282, 2015.7.31.).

명의 신탁부동산을 소유권 환원 등기 없이 양도하는 경우 미등기 양도로 보나요?

명의 신탁부동산을 양도하는 경우 양도소득세 납세의무자는 사실상 그 소득을 얻은 명의 신탁자(당해 자산을 위탁한 자)이다(서면4팀-663, 2005.4.29.). 이 경우 미등기와는 무관하다.

미등기전매의 경우 미등기 양도자산에 해당하나요?

분양권 전매는 미등기양도에 해당한다(대전지법 2012구단1223, 2013.5.31.).

농지취득자격증명을 받을 수 없다는 사유는 미등기로 보지 않는다

토지에 관하여 농지취득자격증명을 받을 수 없다는 사유는 법률상 일반적으로 토지 취득에 관한 등기가 제한 또는 금지됨으로써 등기절차의 이행이 불가능한 경우에 해당 한다고 할 수 없고, 취득 당시 소유권 이전등기가 곤란하다는 점을 예상하고 있었던 것으로 보이므로 미등기 양도로 본다(서울고법 2012누4649, 2012.9.13.).

분양대금의 2.3%에 상당하는 잔금을 납부하지 못한 채 미등기 상태로 양도하면 미등기 양도부동산에 해당하나요?

분양대금의 2.3%에 상당하는 잔금을 납부하지 못할 부득이한 사정이 없음에도 이를 납부하지 아니한 채 미등기 상태에서 양도한 경우에는 미등기 양도부동산으로 본다(조세심판원 2012서479, 2012.4.10.).

양도소득기본공제는 어떻게 적용하나요?

양도소득기본공제는 양도소득세 과세대상 부동산을 양도함으로 인하여 해당 과세기간 동안에 발생한 양도소득금액에서 연 250만원을 공제한다.

이 경우 양도소득기본공제는 거주자 또는 비거주자에게 종합소득 중 다른 소득이 있는지 여부에 불구하고 공제를 할 수 있으며, 양도소득세 예정·확정신고 여부에 관계없이 공제된다. 다만, 미등기양도자산은 이를 적용하지 아니한다(소득세법 §103).

보충설명

2 이상의 양도한 부동산은 선 양도분의 양도차익에서 순차로 공제하지만 어느 자산을 먼저 양도하였는지 불분명한 경우에는 납세자에게 유리한 양도소득금액부터 공제한다(서일 46014－11741, 2005.12.24.).

질의 **양도소득금액에 감면소득금액과 감면소득 외의 양도소득금액이 함께 있는 경우 양도소득 기본공제는 어떻게 적용하나요?**

답변 양도소득금액에 감면소득금액과 감면소득 외의 양도소득금액이 함께 있는 경우에는 감면소득 외의 양도소득금액에서 먼저 공제한 후 나머지 미공제액은 감면소득금액에서 공제하며, 동일한 과세기간에 양도가 여러차례 있는 경우에는 먼저 양도한 자산의 양도소득금액부터 순차로 공제합니다.

장기보유특별공제는 어떻게 적용하나요?

장기보유특별공제는 장기간에 걸쳐 형성된 양도소득을 단일 누진세율체계로 과세함에 있어서 장기 또는 단기 보유에 따른 양도소득세부담의 균형을 유지할 필요가 있어 채택한 제도이다.

양도소득세를 절세하는 방법 중 양도시기 또는 취득시기를 검토하여 양도하거나 취득할 부동산에 대한 보유기간(주택은 거주기간을 포함)을 조절하면 세금 부담을 줄일 수 있다.

1 장기보유특별공제의 적용

장기보유특별공제가 적용되는 자산은 보유기간이 3년 이상인 토지 및 건물(미등기 양도자산 제외) 및 조합원입주권(조합원으로부터 취득한 것은 제외)에 한한다.

이 경우 입주권의 장기보유특별공제의 적용방법은 조합원으로부터 취득한 것은 제외하며, 관리처분계획인가 및 사업시행계획인가 전 토지 또는 건물분 양도차익에 대해서만 적용한다.

장기보유특별공제가 적용 배제되는 자산은 다음과 같다.

① 부동산이 아닌 자산(조합원입주권 제외)

② 보유 기간 3년 미만의 부동산

③ 미등기양도자산(법률에 따라 등기가 불가능한 자산 제외)

④ 국외 부동산

⑤ 중과대상 다주택자가 양도하는 조정대상지역 주택

2 양도 부동산의 유형별 장기보유특별공제

일반토지 및 건물에 적용하는 장기보유특별공제액 계산

토지 및 건물의 장기보유특별공제액은 보유기간이 3년 이상인 것에 대하여 그 부동산의 양도차익에 다음의 보유기간별 공제율을 곱하여 계산한 금액으로 한다(소득세법 §95②).

보유기간별 공제율	
보유기간	공제율
3년 이상 4년 미만	6%
4년 이상 5년 미만	8%
5년 이상 6년 미만	10%
6년 이상 7년 미만	12%
7년 이상 8년 미만	14%
8년 이상 9년 미만	16%
9년 이상 10년 미만	18%
10년 이상 11년 미만	20%
11년 이상 12년 미만	22%
12년 이상 13년 미만	24%
13년 이상 14년 미만	26%
14년 이상 15년 미만	28%
15년 이상	30%

다만, 미등기양도자산과 다음의 주택에 대해서는 장기보유특별공제를 적용하지 아니한다.

① 조정대상지역에 있는 주택으로서 1세대 2주택에 해당하는 주택
② 조정대상지역에 있는 주택으로서 1세대가 1주택과 조합원입주권 또는 분양권을 1개 보유한 경우의 해당 주택. 다만, 장기임대주택 등은 제외한다.
③ 조정대상지역에 있는 주택으로서 1세대 3주택 이상에 해당하는 주택
④ 조정대상지역에 있는 주택으로서 1세대가 주택과 조합원입주권 또는 분양권을 보유한 경우로서 그 수의 합이 3 이상인 경우 해당 주택. 다만, 장기임대주택 등은 제외한다.

관련예규 등

주택이 노후 등으로 멸실되어 재건축된 경우 종전 주택과 신축주택의 보유 기간을 통산하여 장기보유특별공제액을 계산한다(대법원 2014두36921, 2015.4.23.).

1세대 1주택에 적용하는 장기보유특별공제액 계산

1세대 1주택(이에 딸린 토지를 포함)에 해당하는 자산의 경우의 장기보유특별공제액은 양도차익에 다음의 보유기간별 공제율 및 거주기간별 공제율을 곱한 금액의 합한 금액으로 한다(소득세법 §95②).

이 경우 장기보유특별공제를 적용하기 위한 보유기간은 처음 취득한 날부터 계산하는 것이며, 거주기간은 취득일 이후 실제 거주한 기간에 따라서 계산한다.

보유기간별 공제율		거주기간별 공제율	
보유기간	공제율	거주기간	공제율
3년 이상 4년 미만	12%*	2년 이상 3년 미만	8%*
		3년 이상 4년 미만	12%
4년 이상 5년 미만	16%	4년 이상 5년 미만	16%
5년 이상 6년 미만	20%	5년 이상 6년 미만	20%
6년 이상 7년 미만	24%	6년 이상 7년 미만	24%
7년 이상 8년 미만	28%	7년 이상 8년 미만	28%
8년 이상 9년 미만	32%	8년 이상 9년 미만	32%
9년 이상 10년 미만	36%	9년 이상 10년 미만	36%
10년 이상	40%	10년 이상	40%

*보유기간이 3년 이상(12%)이고 거주기간이 2년~3년(8%)인 경우 적용함.

비사업용 토지에 적용할 장기보유특별공제액 계산

비사업용 토지에 대한 장기보유특별공제액은 양도차익에 위 "일반토지 및 건물에 적용하는 장기보유특별공제액 계산"에 있는 보유기간별 공제율을 곱하여 계산한 금액으로 한다(소득세법 §95②).

장기보유특별공제율 적용 시 유형별 보유기간은 어떻게 계산하나요?

장기보유특별공제액을 계산하기 위해 양도한 부동산의 보유기간은 그 자산의 취득일부터 양도일까지로 한다. 그러나 장기보유특별공제를 위한 보유기간 기준일은 다음에 따라 계산한다.

① 상속받은 부동산의 경우에는 상속개시일부터 보유기간을 계산한다.

② 증여받은 부동산의 경우에는 증여받은 날부터 보유기간을 계산한다. 다만, 세율 적용을 위한 보유기간 계산은 피상속인의 취득일부터 기산한다.

③ 재산분할 부동산의 경우에는 이혼 전 배우자의 취득한 날부터 보유기간을 계산한다.

④ 이월과세대상 부동산의 경우에는 당초 증여자가 취득한 날부터 보유기간을 계산한다.

⑤ 부당행위계산 부인 대상 부동산의 경우에는 당초 증여자가 취득한 날부터 보유기간을 계산한다.

⑥ 다세대주택을 다가구주택으로 용도 변경한 후 양도하는 경우 보유기간별 공제율을 적용하고자 할 때 다가구주택으로 용도변경한 날부터 양도일까지의 보유기간을 계산하여 장기보유특별공제를 적용한다(소득세법 집행기준 95-159의2-6).

양도한 부동산의 종류에 따른 적용하는 세율과 양도소득세액은 어떻게 계산하나요?

양도한 자산의 그 양도차익에서 장기보유특별공제액과 양도소득기본공제를 차감한 금액(양도소득과세표준)에 세율을 적용하여 다음과 같이 계산한 금액을 그 산출세액으로 한다.

예정신고 산출세액 = 양도소득 과세표준 × 세 율
양도소득 과세표준 = 양도차익 – 장기보유특별공제 – 양도소득 기본공제

양도소득세 세율은 과세대상 자산별로 각기 달리 규정되어 있으며, 동일한 과세대상 자산일지라도 보유기간, 보유현황 및 등기여부에 따라 다르게 적용한다.

1 세율적용 방법

양도한 부동산 등의 보유기간에 따라 적용할 세율은 다음과 같다.

<table>
<tr><th colspan="2" rowspan="3">구분</th><th colspan="4">현행 세율</th><th colspan="2">2021.6.1. 양도분부터 적용하는세율</th></tr>
<tr><th rowspan="2">주택외 부동산</th><th rowspan="2">주택 · 입주권</th><th colspan="2">분양권</th><th rowspan="2">주택 · 입주권</th><th rowspan="2">분양권</th></tr>
<tr><th>조정 지역</th><th>비조정 지역</th></tr>
<tr><td rowspan="3">보유기간</td><td>1년 미만</td><td>50%</td><td>40%</td><td rowspan="3">50%</td><td>50%</td><td colspan="2">70%</td></tr>
<tr><td>2년 미만</td><td>40%</td><td rowspan="2">기본세율</td><td>40%</td><td>60%</td><td rowspan="2">60%</td></tr>
<tr><td>2년 이상</td><td>기본세율</td><td>기본세율</td><td>기본세율</td></tr>
</table>

위 표의 세율 적용 시 양도한 부동산 등의 보유기간은 다음에 따른다(소득세법 집행기준 104-1-11).

구분	보유기간 계산
보유기간 계산 원칙	취득일부터 양도일까지
상속받은 자산	피상속인의 취득일부터 양도일까지
이월 과세대상 자산	증여자의 취득일부터 양도일까지

보충설명

가등기 상태에서 양도한 부동산은 미등기양도에 해당되므로 70%의 세율이 적용된다(재일 46014-2736, 1996.12.10.).

질의 **구 주택을 멸실하고 신축한 주택을 단기 양도하는 경우 주택분과 토지분의 보유기간을 어떻게 계산하여 세율을 적용하나요?**

답변 구 주택을 멸실하고 주택을 신축하여 단기 양도하는 경우 양도소득세 세율 적용 시 신축주택의 보유기간에 구 주택 보유기간은 포함하지 않는 것이며 주택에 딸린 토지의 보유기간은 구 주택과 신축주택의 부수토지의 기간을 합하여 1년 이상인 경우 일반세율을 적용합니다(서면법규-1222, 2014.11.19.).

질의 **조정대상지역이 아닌 곳에 2년 이상 보유한 분양권을 2021.6.1. 이후에 양도하는 경우 양도소득세율은 어떻게 적용하나요?**

답변 조정대상지역 여부에 관계없이 보유기간에 따라 다음과 같은 세율이 적용됩니다.

① 1년 미만 보유 : 70%

② 1년 이상 보유 : 60%

기본세율을 적용하는 부동산 등

2년 이상 보유, 1세대 1주택 중 비과세가 아닌 것, 1세대 2주택 및 3주택에 대하여는 다음의 양도소득 과세표준의 크기에 따라 해당 세율을 적용한다(소득세법 §55①). 이를 기본세율이라 한다.

종합소득 과세표준	세율
1,200만원 이하	과세표준의 6%
1,200만원 초과 4,600만원 이하	72만원 + (1,200만원을 초과하는 금액의 15%)
4,600만원 초과 8,800만원 이하	582만원 + (4,600만원을 초과하는 금액의 24%)
8,800만원 초과 1억5천만원 이하	1,590만원 + (8,800만원을 초과하는 금액의 35%)
1억5천만원 초과 3억원 이하	3,760만원 + (1억5천만원을 초과하는 금액의 38%)
3억원 초과 5억원 이하	9,460만원 + (3억원을 초과하는 금액의 40%)
5억원 초과 10억원 이하	1억7,460만원 + (5억원을 초과하는 금액의 40%)
10억원 초과	3억8,460만원 + (10억원을 초과하는 금액의 45%)

보충설명

주택과 그 부수토지의 소유자가 별도세대인 경우로서 그 토지를 양도하는 경우에는 주택의 부수토지가 아닌 일반토지로서 양도소득세 기본세율을 적용한다(서면법규-944, 2014.8.28.).

❷ 하나의 자산이 둘 이상의 세율에 해당되는 경우 어떻게 세액을 계산하나요?

하나의 자산이 2 이상의 세율에 해당하는 때에는 다음의 "①과 ②" 중 큰 것으로 세액을 계산한다.

① 해당 과세기간의 양도소득 과세표준 합계액 × 기본세율

② 자산별 양도소득 산출세액 합계액

❸ 미등기양도자산의 세율적용

미등기양도자산에 대한 세율은 70%를 적용한다.

❹ 비사업용 토지에 적용할 세율

비사업용 토지에 대하여 적용할 세율은 다음의 양도소득 과세표준의 크기에 따른 해당 세율을 적용한다.

양도소득 과세표준	세율
1,200만원 이하	16%
1,200만원 초과 4,600만원 이하	192만원 + (1,200만원 초과액 × 25%)
4,600만원 초과 8,800만원 이하	1,042만원 + (4,600만원 초과액 × 34%)
8,800만원 초과 1억5천만원 이하	2,470만원 + (8,800만원 초과액 × 45%)
1억5천만원 초과 3억원 이하	5,260만원 + (1억5천만원 초과액 × 48%)
3억원 초과 5억원 이하	1억2,460만원 + (3억원 초과액 × 50%)
5억원 초과 10억원 이하	2억2,460만원 + (5억원 초과액 × 52%)
10억원 초과	4억8,460만원 + (10억원 초과액 × 55%)

양도소득세의 신고 · 납부의무를 게을리하면 어떤 가산세가 부과되나요?

가산세란, 조세채권의 실현을 용이하게 하기 위하여 납세자가 정당한 이유 없이 세법에 규정된 신고 · 납부 등 각종 의무를 위반한 경우 세법이 정하는 바에 따라 부과 · 징수하는 금액을 말한다.

양도소득세의 가산세는 신고의무, 자진납부의무 및 기타의 협력의무 등을 이행하지 아니한 경우에 부과하는 일종의 행정벌로서 무신고가산세 및 과소신고가산세 등이 있다.

질의 **과세관청이 양도소득세에 대한 안내에 따라 신고해야 하는지요?**

답변 양도소득세는 납세의무자가 스스로 과세표준과 세액을 계산하여 신고 및 납부하는 세금으로서 과세관청이 이에 대한 안내를 하지 않았다고 하더라도 무신고, 무납부에 따른 가산세 부과는 정당합니다(조세심판원 2015중5785, 2016.1.25.).

1 무신고가산세

양도소득이 있는 납세자가 해당 과세기간의 법정신고기한 내에 양도소득 과세표준예정신고를 하지 아니한 경우에는 산출세액 20%(허위증빙 또는 허위문서 등의 부정무신고인 경우 : 40%)에 상당하는 금액을 납부한다(국세기본법 §47의2①).

무신고가산세 = 무신고산출세액 × 20%(또는 40%)

부정무신고라 함은 다음의 어느 하나를 말한다.

① 허위증빙 또는 허위문서의 작성
② 허위증빙 등의 수취(허위임을 알고 수취한 경우에 한함)
③ 장부와 기록의 파기
④ 재산을 은닉하거나 소득 · 수익 · 행위 · 거래의 조작 또는 은폐
⑤ 그 밖에 국세를 포탈하거나 환급 · 공제받기 위한 사기 그 밖에 부정한 행위
⑥ 이중장부의 작성 등 장부의 허위기장

관련예규

양도소득세 예정신고 시 과세표준신고서상 취득 · 양도가액 등 세액산출내역을 기재하지 아니하고 1세대 1주택 비과세 매매계약서 등 관련증빙미제출로만 표기하여 제출한 자는 과세표준신고서를 법정신고기한까지 제출한 자에 해당되지 아니하며, 납세자가 국세의 과세표준 또는 세액 계산의 기초가 되는 사실의 전부 또는 일부를 은폐하거나 가장하는 것과 같이 적극적인 행위를 수반하지 아니한 경우에는 부정한 방법에 해당되지 아니한다(징세-1040, 2012.9.27.).

질의 **부동산을 미등기 전매로 무신고하는 경우에는 어떤 가산세가 적용되나요?**

답변 부동산을 미등기 전매하고, 이에 대하여 양도소득세를 신고하지 않은 경우에는 부정무신고가산세(40%) 등이 적용됩니다(조세심판원 2015중5785, 2016.1.25.).

질의 **양도소득세 신고내용이 수익·행위의 조작한 경우에는 어떤 가산세가 적용되나요?**

답변 건축주 명의를 양수인으로 변경하고 건물 보존등기를 양수인 명의로 하는 등 건물 신축 및 양도 사실을 은닉하고 토지 양도에 대해서 부정무신고가산세(40%) 등이 적용됩니다(울산지법 2015구합179, 2015.7.16.).

질의 **토지를 명의신탁한 경우 어떤 가산세가 적용되나요?**

답변 토지를 명의신탁하는 등 양도소득세 부담을 회피하기 위하여 부정한 적극적인 행위를 한 경우에는 부정무신고가산세(40%)를 부과합니다(조세심판원 2011서2319, 2013.7.18.).

2 과소신고가산세

양도소득이 있는 자가 법정신고기한까지 양도소득 과세표준신고서를 제출한 경우로서 해당 과세기간의 다음연도 5월 1일부터 5월 31일까지 신고한 양도소득 과세표준이 신고하여야 할 양도소득 과세표준에 미달한 경우에는 다음의 산식을 적용하여(10% : 허위증빙 또는 허위문서 등의 부정한 행위인 경우에는 40%) 계산한 금액을 납부할 세액에 가산하거나 환급받을 세액에서 공제한다(국세기본법 §47의3①).

$$\text{과소신고가산세} = \text{산출세액} \times \frac{\text{과소신고 과세표준}}{\text{과세표준}} \times 10\%(\text{또는 } 40\%)$$

3 초과환급신고가산세

양도소득이 있는 납세자가 법정신고기한까지 세법에 따른 양도소득 과세표준신고서를 제출한 경우로서 신고·납부하여야 할 세액을 납세자가 환급받을 세액으로 신고하거나 납세자가 신고한 환급세액이 신고하여야 할 환급세액을 초과하는 경우에는 그 환급신고한 세액 또는 그 초과환급신고한 세액의 10%(부당초과환급가산세는 40%)에 상당하는 금액을 납부할 세액에 가산하거나 환급받을 세액에서 공제한다(국세기본법 §47의3①).

초과환급신고가산세 = 초과환급신고세액 × 10%(또는 40%)

4 납부지연가산세

양도소득이 있는 납세자가 납부기한까지 양도소득세를 납부하지 아니하거나 납부한 양도소득세액이 납부하여야 할 세액에 미달한 경우에는 다음의 산식을 적용하여 계산한 금액을 납부할 세액에 가산하거나 환급받을 세액에서 공제한다(국세기본법 §47의4).

납부지연 가산세 = 납부하지 아니한 세액 또는 미달한 납부세액 × 납부기한의 다음날부터 또는 자진납부일까지의 기간 × 2.5/10,000 (년 9.125%)

보충설명

납세자가 납세고지서를 받고서도 양도소득세를 납부하지 않으면, 체납된 양도소득세에 3%의 가산금이 부과되며, 체납된 양도세가 100만원 이상인 경우에는 납부기한이 지난날부터 매 1개월이 지날 때마다 1.2%의 가산금이 5년 동안 부과된다.

질의 **납세자의 고의 · 과실 또는 법령에 대한 무지 및 오인이 가산세 감면의 정당한 사유에 해당하나요?**

답변 납세자의 고의 · 과실 또는 법령에 대한 무지 및 오인은 가산세 감면의 정당한 사유에 해당하지 아니한다(조세심판원 2015중1601, 2015.6.3.).

48

양도소득세를 과소납부한 경우 추가납부(수정신고)는 어떻게 신고 · 납부하나요?

수정신고는 양도소득세 과세표준예정신고(또는 확정신고)를 납세지 관할 세무서장에게 신고한 후 납세자가 그 기재사항에 누락이나 오류가 있음을 발견하고 이를 보완하거나 보정할 수 있는 기회를 부여한 제도이다.

양도소득세 예정신고를 법정신고기한까지 관할 세무서에 제출한 자가 신고세액이 신고할 세액에 미달하거나, 환급세액을 초과신고한 경우에는 양도소득세 과세표준 및 세액의 수정신고서("수정신고"라 한다)를 제출하고 그에 따라 부족한 세금을 신고 · 납부하여야 한다(국세기본법 §45).

보충설명

법정신고기한이란, 각 세법에서 규정하는 과세표준과 세액에 대한 신고기한 또는 신고서의 제출기한을 말한다. 다만, 신고기한이 연장된 경우에는 그 연장된 기한을 법정신고기한으로 본다(국세기본법 집행기준 45-0-2).

❶ 수정신고 대상자는 누구인가요?

수정신고를 할 수 있는 자는 예정신고를 법정신고기한까지 납세지 관할 세무서장에게 제출한 자에 한한다. 따라서 예정신고를 법정신고기한까지 납세지 관할 세무서장에게 제출하지 아니한 자는 수정신고를 할 수 없다.

질의 **양도소득세를 신고한 후에 기 수용된 토지의 보상가액이 증액된 경우에는 어떻게 수정신고를 해야 하나요?**

답변 거주자가 소유하는 토지가 공공사업 시행자에게 수용되어 사업시행자 명의로 소유권이전 등기하고, 수용개시일을 기준으로 법정신고기한까지 양도소득과세표준신고서를 제출한 이후 토지 보상가액이 증액된 경우, 해당 증액된 보상금은 수정신고 하여야 합니다(부동산납세-269, 2014.4.17.).

질의 **양도소득세 신고 후 매매계약의 특약으로 추가로 양도대금을 받은 경우 수정신고를 해야 하나요?**

답변 양도일 이후에 매매계약의 특약으로 추가로 받기로 한 경우 일정금액을 받는 날에 양도가액을 경정하여 수정신고를 하여야 합니다(부동산거래-440, 2010.3.22.).

❷ 수정신고기한은 언제까지 하나요?

양도소득세예정신고를 수정할 수 있는 기한은 납세지 관할 세무서장이 예정신고에 대한 세액을 결정하여 통지하기 전까지이다.

❸ 수정신고는 빠를수록 가산세를 줄일 수 있다

양도소득세예정신고에 대하여 수정신고를 하는 자는 이미 납부한 양도소득세액에 대해 수정신고 시 납부할 세액에 부족한 때에는 그 부족한 세액과 가산세를 수정신고서의 제출과 함께 납부하여야 한다.

이 경우 법정신고기한(예정신고 및 확정신고) 후 수정신고하는 경우 가산세는 다음에 따라 감면된다(국세기본법 §48).

그러나 양도소득과세표준과 세액을 경정할 것을 미리 알고 과세표준 수정신고서를 제출한 경우는 제외한다.

수정신고	가산세 감면율
법정신고기한이 지난 후 1개월 이내 수정신고한 경우	90%
법정신고기한이 지난 후 1개월 초과 3개월 이내에 수정신고한 경우	75%
법정신고기한이 지난 후 3개월 초과 6개월 이내에 수정신고한 경우	50%
법정신고기한이 지난 후 6개월 초과 1년 이내에 수정신고한 경우	30%
법정신고기한이 지난 후 1년 초과 1년 6개월 이내에 수정 신고한 경우	20%
법정신고기한이 지난 후 1년 6개월 초과 2년 이내에 수정 신고한 경우	10%

3 법정신고기한까지 제출하지 아니한 자가 법정신고기한이 지난 후 기한 후 신고한 경우 가산세는 어떻게 적용하나요?

양도소득과세표준신고서를 법정신고기한까지 제출하지 아니한 자가 법정신고기한이 지난 후 기한 후 신고(국세기본법 제47조의2에 따른 가산세를 말하며, 과세표준과 세액을 결정할 것을 미리 알고 기한 후 과세표준신고서를 제출한 경우 제외)에는 다음에 따라 감면한다.

기한 후 신고	가산세 감면율
법정신고기한이 지난 후 1개월 이내 기한 후 신고를 한 경우	50%
법정신고기한이 지난 후 1개월 초과 3개월 이내 기한 후 신고	30%
법정신고기한이 지난 후 3개월 초과 6개월 이내 기한 후 신고	20%

4 수정신고서의 기재사항

양도소득세 과세표준 수정신고서에는 다음의 사항을 적어야 하며, 수정한 부분에 관하여 당초의 과세표준신고서에 첨부하여야 할 서류가 있는 경우에는 이를 수정한 서류를 첨부하여야 한다(국세기본법 집행기준 45-25-1).

① 당초 신고한 과세표준과 세액

② 수정신고하는 과세표준과 세액

③ 그 밖에 필요한 사항

49

양도소득세를 과다하게 신고 · 납부한 경우에는 어떻게 환급(경정청구)받나요?

양도소득세의 경정청구는 양도소득세 과세표준예정신고(또는 확정신고)한 납세자가 관할 세무서장에게 예정신고 등을 한 후 그 신고서상 기재사항에 오류 등이 있음을 발견하고 이를 보완하거나 수정할 수 있는 기회를 부여한 제도이다.

양도소득세과세표준 예정신고 등을 법정신고기한까지 관할 세무서에 제출한 자가 이미 신고한 세액이 신고하여야 할 세액보다 많이 납부하였거나, 환급받을 세액을 적게 신고한 경우에는 예정신고 등이 지난 후 5년(소송 등의 경우 확정판결을 안 날부터 3개월) 이내에 수정된 경정청구서를 관할 세무서장에게 제출 · 청구하여 양도소득세를 환급받을 수 있다(국세기본법 §45의2).

1 경정청구 대상자는 누구인가요?

경정청구를 할 수 있는 자는 예정신고 기한 내에 납세지 관할 세무서장에게 예정신고서를 제출한 자에 한한다.

따라서 예정신고서를 법정신고기한 내에 납세지 관할 세무서장에게 제출하지 아니한 자는 경정청구를 할 수 없다.

❷ 경정청구는 언제까지 할 수 있나요?

부동산을 양도한 후 예정신고서를 기한 내에 관할 세무서에 제출한 후 신고내용에 착오가 있어서 이를 시정하기 위해서는 예정신고를 제출한 후 5년 이내 경청청구를 할 수 있다.

이 경우 예정신고서를 제출한 후 5년 이내 경정청구한다는 의미는 법정신고기한인 확정신고기한이 지난 후(다음연도 6월 1일을 말함) 5년 이내에 경정 등의 청구를 말하는 것이며(징세 46101－714, 1999.12. 18.), 예정신고기한 이내에 예정신고를 한 자는 확정신고 기한이 도래하기 전이라도 당초 신고내용에 대하여 경정청구를 할 수 있다(서삼 46019－11364, 2003.8.25.).

❸ 경정청구신고서의 기재사항

결정 또는 경정의 청구를 하려는 자는 다음의 사항을 적은 결정 또는 경정청구서를 제출(국세정보통신망을 활용한 제출을 포함)하여야 한다.

① 청구인의 성명과 주소 또는 거소

② 결정 또는 경정 전의 과세표준 및 세액

③ 결정 또는 경정 후의 과세표준 및 세액

④ 결정 또는 경정의 청구를 하는 이유

⑤ 그 밖에 필요한 사항

양도소득세 신고를 법정신고기한까지 할 수 없는 경우에는 기한 후 신고를 할 수 있다

양도소득세의 법정신고기한까지 과세표준신고서를 제출하지 아니한 자는 관할 세무서장이 양도소득세의 과세표준과 세액(가산세를 포함)을 결정하여 통지하기 전까지 기한 후 과세표준신고서를 제출할 수 있으며, 납부할 세액이 있는 경우에는 세금을 납부하여야 한다(국세기본법 §45의3①, ②).

■ 기한 후 신고 시 가산세의 감면

법정신고기한이 지난 후 기한 후 신고를 한 경우에는 다음의 구분에 따라 무신고가산세를 감면한다(국세기본법 §48).

① 법정신고기한이 지난 후 1개월 이내에 수정신고한 경우 : 해당 가산세액의 50%에 상당하는 금액

② 법정신고기한이 지난 후 1개월 초과 3개월 이내에 수정신고한 경우 : 해당 가산세액의 30%에 상당하는 금액

③ 법정신고기한이 지난 후 3개월 초과 6개월 이내에 수정신고한 경우 : 해당 가산세액의 20%에 상당하는 금액

51

양도소득세 예정신고(또는 확정신고) · 납부기한은 언제인가요

종합소득세는 확정신고 · 납부로 납세의무가 확정되지만, 양도소득세는 확정신고 전이라도 예정신고 · 납부하는 경우에는 납세의무가 확정된다.

이 경우 양도소득세 과세대상 부동산을 양도한 거주자가 해당 부동산에 대한 양도소득세과세표준 신고서를 예정신고기한 내에 주소지 관할 세무서장에게 제출하여야 한다.

보충설명

양도차익이 없거나 양도차손이 발생한 경우에도 양도소득세 과세표준 예정신고 및 확정신고 의무가 있다(서면4팀-1403, 2006.5.17.). 그러나 양도한 부동산이 비과세대상이 되는 경우에는 예정신고를 하지 않아도 된다.

1 예정신고 · 납부기한은 언제까지 인가요?

양도소득세의 과세표준 예정신고는 양도일이 속하는 달의 말일부터 2개월로 한다. 다만, 부담부증여의 채무액에 해당하는 부분으로서 양도로 보는 경우에는 그 양도일이 속하는 달의 말일부터 3개월이다(소득세법

§105①).

만일, 예정신고를 하지 아니한 경우에는 다음의 가산세가 부과된다.

① 신고불성실가산세(무신고가산세) : 20%(부당무신고 : 40%)
② 과소신고 가산세 : 10%(부당무신고 : 40%)
③ 납부지연가산세 : 1일 10,000분의 2.5(연 9.125%)

■ 1년에 2회 이상 양도한 경우 예정신고·납부방법은 어떻게 하나요?

1년에 2회 이상 양도한 경우에는 이미 신고한 양도소득금액에 합산하여 기본공제 2,500,000원(연 1회)을 공제한 금액에 양도소득세율을 적용한 금액으로 한다. 이 경우 제1회때 납부한 세액은 기납부세액으로 공제하여 제2회때 양도일이 속하는 달의 말일부터 2개월 내에 신고·납부한다.

누진세율적용대상 자산에 대한 양도소득 과세표준 예정신고를 2회 이상 한 자가 이미 신고한 양도소득금액과 합산하여 신고하지 않은 경우에는 양도소득 과세표준 확정신고를 해야 한다(부동산거래-98, 2011.2.1.).

2 확정신고·납부기한은 언제로 하나요?

예정신고한 자에 한하여 양도소득세의 산출의 오류 등으로 납부한 세액이 달라지는 경우에는 예정신고하는 연도의 다음연도 5월 1일부터 5월 31일까지 납세지 관할 세무서장에게 신고·납부하여야 한다.

그러나 양도소득만 있는 자가 연간 양도소득을 합산하여 예정신고를 마친 경우에는 확정신고를 하지 않아도 된다.

❸ 양도소득세의 분할 납부는 어떻게 하나요?

양도소득세액이 1천만원을 초과하는 경우에는 납부할 세액의 일부를 납부기한 경과 후 2개월 이내에 다음과 같이 나누어 분할 납부할 수 있다.

① 납부할 세액이 2천만원 이하인 경우 : 1천만원 초과하는 금액
② 납부할 세액이 2천만원을 초과하는 경우 : 납부할 세액의 2분의 1 이하의 금액

❹ 예정(또는 확정)신고 시 첨부할 서류는 어떤 것이 있나요?

양도소득 과세표준의 예정신고를 하는 때에는 양도소득 과세표준예정신고 및 납부계산서에 다음의 서류를 첨부하여 예정신고·납부세액을 납세지 관할 세무서, 한국은행 또는 체신관서에 납부하여야 한다.

① 토지대장 및 건축물대장등본
② 토지 및 건물등기부등본
③ 환지관련부동산의 경우에는 환지예정원증명원, 잠정등급확인원 및 관리처분 내용을 확인할 수 있는 서류 등
④ 매매계약서
⑤ 자본적 지출액 및 양도비 명세서

52

토지거래허가구역 내 토지를 양도한 경우 양도소득세 신고·납부는 어떻게 하나요?

「국토의 계획 및 이용에 관한 법률」 제117조의 규정에 따라 토지거래허가구역 내에 있는 토지를 이전하는 경우, 해당 토지거래에 대한 시장·군수·구청장의 허가를 얻지 못하면 그 취득에 대한 등기가 불가능할 뿐 아니라 이는 유효한 토지거래계약으로 보지 않는다.

이 규정은 강행규정이므로 토지거래허가를 받지 않고 매매한 거래는 원칙적으로 무효이나, 토지거래허가를 받기 전에 이행한 예정신고에 대하여 대금을 청산한 후 허가를 받는 경우에는 그 효력이 소급하여 인정된다(서면5팀-62, 2007.1.14.).

양도소득세의 예정신고는 토지거래 허가일을 기준으로 하여 허가일이 속하는 달의 말일부터 2개월까지 할 수 있다(소득세법 §105①).

보충설명

토지거래허가 전에 신고한 예정신고 또는 확정신고는 추후 허가를 얻는 때에 유효하다. 다만 허가를 받지 못하여 당초 계약이 취소되는 경우에는 세법상 신고 취소제한에 불구하고 신고·납부한 세액을 즉시 환급하여야 한다(징세과-5856, 2008.11.28.).

53

비거주자가 부동산을 양도하면 양도소득세 신고 · 납부는 어떻게 하나요?

비거주자(거주자가 아닌 개인을 말함)가 국내에 소재하는 부동산을 양도하고 양도소득세를 신고 · 납부하지 않은 경우 국가의 입장에서는 과세채권의 확보에 어려움이 있다.

세법에서는 이를 해결하기 위해 비거주자와 거래한 양수자는 양수한 부동산 대금을 지급하면서 양도소득세 상당액을 원천징수하여 납부하도록 규정하고 있다(소득세법 §156①).

현행 세법에서는 비거주자가 국내에 있는 부동산을 양도한 경우에는 양도소득세의 납세의무가 있으며, 법인이 비거주자에게 부동산 매입대가를 지급하는 경우 원천징수의무가 있다.

그러나 비거주자가 부동산을 양도 시 양수자가 개인인 경우에는 원천징수의무가 없다.

보충설명

비거주자로부터 국내부동산을 매입하고 그 매입대가를 지급할 때 양도가액(실지거래가액)의 10%와 실지 양도차익의 20% 중 적은 금액을 원천징수하고, 그 원천징수세액을 원천징수한 날이 속하는 달의 다음달 10일까지 납부한다(소득세법 §156①).

양도자(비거주자)는 거주자의 경우와 동일한 방식으로 양도소득세를 예정(확정)신고·납부하여야 하며, 해당 양수자(원천징수의무자)에게 지급한 원천징수세액이 있는 경우에는 예정(확정)신고 시 기납부세액으로 하여 공제한다(소득세법 §121②).

만일 양수자(원천징수의무자)가 원천징수세액을 납부기한까지 납부하지 아니하거나 과소하게 납부한 경우에는 납부하지 아니한 세액 또는 과소납부분 세액의 10%에 상당하는 금액을 한도로 하여 다음의 금액을 합한 금액을 가산세로 납부하여야 한다(국세기본법 §47의5).

① 납부하지 아니한 세액 또는 과소납부분 세액의 2.5%에 상당하는 금액

② 납부하지 아니한 세액 또는 과소납부분 세액 × 납부기한의 다음날부터 자진납부일 또는 납세고지일까지의 일수 × 2.5/10,000 (년 9.125%)

허위계약서를 작성하면 양도소득세 비과세 · 감면이 배제되며 동시에 무거운 가산세가 부과된다

부동산을 양도하고 허위계약서(up · down계약서 등을 말함)를 작성하면 자경농지에 대한 감면 등의 요건을 충족한 경우라도 양도소득세 비과세 · 감면을 적용받을 수 없다.

양도인이 비과세대상 1세대 1주택 적용 대상자이거나, 또한 양수인의 경우에도 해당 부동산을 양도할 때 양도소득세 비과세 · 감면 요건을 충족한 경우라도 양도소득세 비과세 · 감면을 적용받을 수 없다.

그리고 허위계약서를 작성하여 양도소득세를 무신고하거나 과소신고에 해당되는 경우에는 무거운 부정무신고 · 부정과소신고가산세 및 납부지연가산세가 적용된다.

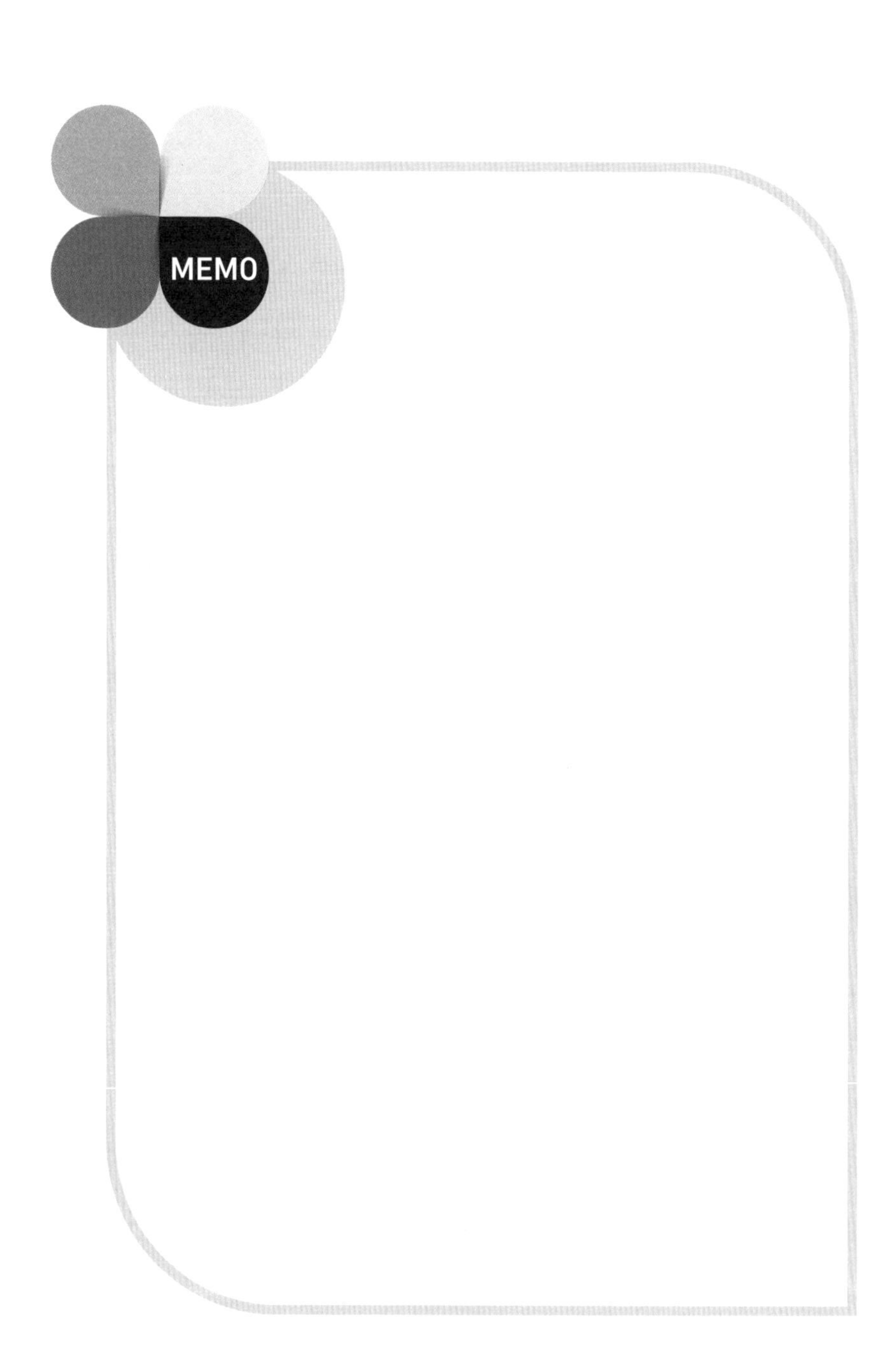
MEMO

제2편 상속세 및 증여세

본 편에서는 부동산(토지 및 건물)의 상속 및 증여에 관련하여 일상생활에서 필요한 세금을 알기쉽게 설명하고자 한다.

제 1 장

상속세

상속세와 관련한 용어를 알면 상속세가 쉽게 보인다

상속세와 관련하여 세법 규정을 정확하게 이해하고 이를 실행에 옮기기 위해서는 「민법」 중 상속편에 관한 법규정을 알아야 할 필요가 있다.

상속은 자연인이 사망으로 인하여 그가 가진 권리와 의무를 상속인이 승계받는 것으로서 사망자를 피상속인라고 하며, 피상속인의 권리와 의무를 포괄적으로 당연히 승계하는 자를 상속인이라 한다.

피상속인이 사망한 때에 상속이 개시되며 상속인은 상속세의 납세의무가 있다.

■ 상속이란?

세법에서 상속이란, 「민법」 제5편에 따른 상속을 말하며 다음의 것을 포함한다(상속세 및 증여세법 §2).

① 유증(遺贈)이란, 유언으로 재산을 타인에게 증여하는 상대방이 없는 단독행위를 말한다.

② 「민법」 제562조에 따른 증여자의 사망으로 인하여 효력이 생길 증여(상속개시일 전 10년 이내에 피상속인이 상속인에게 진 증여채무 및 상속개시일 전 5년 이내에 피상속인이 상속인이 아닌 자에게 진 증여채무의 이행 중에 증여자가 사망한 경우의 그 증여를 포함. 이를

"사인증여"(死因贈與)라 한다). 이는 증여자의 사망으로 인하여 효력이 생기는 증여를 말한다.

③ 「민법」 제1057조의2에 따른 피상속인과 생계를 같이 하고 있던 자, 피상속인의 요양 간호를 한 자 및 그 밖에 피상속인과 특별한 연고가 있던 자("특별연고자"라 한다)에 대한 상속재산의 분여(分與)를 말한다.

상속인 및 수유자란?

상속인이란, 재산을 상속받을 사람을 말하며, 혈족인 법정상속인과 대습상속인 사망인의 배우자 등 상속을 포기한 사람 및 특별연고자를 말한다(상속세 및 증여세법 §2).

수유자란, 유증을 받는 자와 사인증여로 재산을 취득(증여채무의 이행 중에 증여자가 사망한 경우의 그 증여재산을 취득한 자를 포함)한 자를 말한다.

상속권이란?

상속이 개시된 경우 피상속인의 유산에 대하여 직계비속, 형제자매, 4촌 이내의 방계혈족 및 배우자에게 상속권을 부여하고 있다.

대습상속이란?

대습상속이란, 피상속인이 사망하기 전에 추정상속인이 사망하였거나 상속인의 결격으로 인하여 상속권을 상실한 경우 그를 대신해서 배우자나 직계비속이 상속받는 것을 말한다.

상속인의 결격이란?

상속인이 상속에 관한 이득을 얻으려고 인륜에 반하는 행위를 하거나 범죄행위를 한 경우 정상적인 상속권을 인정하지 아니하고 상속을 상실하게 하는 것으로 이에 해당하는 결격사유는 다음과 같다.

① 고의로 직계존속, 피상속인, 그 배우자 또는 상속의 선순위나, 동순위에 있는 자를 살해하거나 살해하려는 자
② 고의로 직계존속, 피상속인과 그 배우자에게 상해를 가하여 사망에 이르게 한 자
③ 사기 또는 강박으로 피상속인의 상속에 관한 유언 또는 유언의 철회를 방해한 자
④ 사기 또는 강박으로 피상속인의 상속에 관한 유언을 하게 한 자
⑤ 피상속인의 상속에 관한 유언서를 위조・변조・파기 또는 은닉한 자

상속세란?

상속세란, 사망인(피상속인)이 남긴 재산이 가족이나 친족 등에게 상속・유증・사인증여 등으로 무상 이전되는 경우 그 재산을 유산으로 물려받는 상속인에게 부과하는 불로소득에 대한 조세이다.

거주자란?

거주자란, 국내에 주소를 두거나 183일 이상 거소(居所)를 둔 사람을 말하며, 비거주자란 거주자가 아닌 사람을 말한다(상속세 및 증여세법 §2).

특수관계인이란?

특수관계인이란, 본인과 친족관계, 경제적 연관관계 또는 경영지배관계 등에 있는 자를 말한다. 이 경우 본인도 특수관계인의 특수관계인으로 본다(상속세 및 증여세법 §2).

상속개시일 현재 피상속인의 모든 상속재산은 관계기관을 통해서 소유현황 정보를 제공받을 수 있다

피상속인이 평소에 소유재산을 알려주지 않은 채 갑작스러운 사망으로 상속인들은 피상속인의 재산을 정확히 알 수 없어 당황하는 경우가 있다.

이러한 경우에도 세법에서는 상속개시일이 속하는 달의 말일부터 6개월 이내 상속세를 신고·납부하여야 하므로 상속세신고 후 새로운 상속재산이 밝혀지면 세법상 불이익(가산세)이 발생한다.

이런 경우를 방지하기 위해 피상속인의 명의로 된 금융재산은 금융감독원 본·지원(홈페이지) 및 접수대행기관에 신청서를 접수하거나 금융기관에 상속인이 조회서비스를 신청하여 각종 금융재산을 확인할 수 있으며, 신청서류는 사망자의 사망일시가 기재된 기본증명서, 사망진단서 등과 가족관계증명서(최근 3개월 내 발급분), 상속인의 신분증이 필요하다.

그리고 피상속인의 부동산(토지만 해당)은 상속인이 국토교통부 국가공간정보센터에 조회서비스를 신청하여 각종 부동산을 확인할 수 있으며, 신청서류는 가족관계증명서(최근 3개월 내 발급분) 또는 제적등본과 상속인의 신분증이 필요하다.

03

상속세 과세대상 상속재산이란?

상속세는 자연인의 사망으로 그의 유산이 상속, 유증, 사인증여로 무상이전되는 경우 유산을 물려받은 상속인 또는 수유자에게 과세되는 세금이다.

이 경우 상속세가 과세대상이 되는 재산은 피상속인이 상속개시일(사망일 등을 말함) 현재 거주자인 경우에는 피상속인의 국내 · 외에 있는 모든 상속재산을 말하며, 비거주자인 경우에는 국내에 있는 상속재산을 말한다.

상속세 과세대상 재산(상속재산)은 피상속인에게 귀속되는 재산으로서 금전으로 환가할 수 있는 경제적 가치가 있는 모든 물건과 재산적 가치가 있는 법률상 또는 사실상의 권리의 재산을 말한다.

일반적으로 상속재산은 다음과 같은 것이 있다.

① 상속개시 전 피상속인이 부동산 양도계약을 체결하고 잔금을 영수하기 전에 사망한 때에는 양도대금 전액에서 상속개시 전에 영수한 계약금과 중도금을 차감한 잔액

② 상속개시 전 피상속인이 부동산 양수계약을 체결하고 지급하기 전에 사망한 경우에는 이미 지급한 계약금과 중도금

③ 피상속인이 생전에 토지거래계약에 관한 허가구역 내의 토지허가를 받지 아니하고 매매계약을 체결하여 매매대금의 잔금까지 수령한 경우에는 해당 토지

④ 피상속인이 신탁한 재산과 피상속인이 타인으로부터 신탁의 이익을 받을 권리를 소유하고 있는 경우에는 이익에 상당하는 가액

⑤ 피상속인이 타인과 함께 합유등기한 부동산은 그 부동산 가액 중 피상속인의 몫에 상당하는 가액 등

⑥ 신탁계약에 의해 위탁자의 사망 시 수익자가 수익권을 취득 또는 신재산에 기한 급부를 받는 신탁

그러나 다음의 것은 상속재산에 포함하지 아니한다.

① 피상속인이 신탁한 재산 중 타인이 신탁의 이익을 소유하고 있는 경우 그 이익에 상당하는 가액

② 상속개시일 현재 피상속인 명의로 소유하고 있는 부동산이 상속개시 전에 이미 제3자에게 처분된 사실이 객관적으로 확인되는 부동산

보충설명

신탁이란 「신탁법」에 따라 위탁자와 수탁자와의 특별한 신임관계를 바탕으로 자기의 재산을 신탁업을 하는 회사에 신탁하고, 그 신탁재산에서 생기는 수익은 신탁자 또는 신탁자가 정하는 다른 사람에게 귀속시키는 계약을 말한다.

질의 **부친사망 후 자녀의 명의로 증여 등기한 경우 상속재산에 포함하나요?**

답변 부친이 사망한 후에 부친 소유의 부동산을 자녀의 명의로 증여 등기한 경우에는 상속받은 것으로 봅니다(서면4팀-3143, 2007.10.31.).

질의 **미등기된 부동산도 상속재산에 포함하나요?**

답변 상속개시일 현재 피상속인이 소유한 미등기된 부동산도 상속재산에 포함됩니다(서면4팀-1345, 2006.5.12.).

상속재산에 대한 상속인 몫은 어떻게 정하는지?

상속인은 상속이 개시된 때로부터 피상속인의 재산에 관한 포괄적 권리의무를 승계한다(민법 §1005).

이 경우 상속인이 여러 사람인 경우에는 각각의 상속인에게 배분되는 몫을 정하게 되는데 그 배분율을 상속분이라 하며, 동 상속분에는 피상속인의 의사결정에 따라 정해지는 지정상속분과 법률에 의하여 결정되는 법정상속분이 있다.

1 상속분이란?

상속분이란, 상속재산(유류분 포함)에 대하여 상속인이 승계할 몫을 말한다.

이 경우 「민법」상 상속분은 피상속인의 유언에 따라 정하는 지정상속분과 법률상 법정상속분에 따라 상속재산을 분할하는 것으로 구분한다.

피상속인은 유언에 의하여 법정상속분에 우선하여 유증받은 자로 하여금 상속재산을 취득하게 할 수 있으나, 피상속인의 유언이 공동상속인 중 특정인에게만 상속재산의 전부를 상속하는 경우에는 사회적으로 바람직하지 않기 때문에 「민법」에서는 유류분제도를 두어 유증을 받지 못한 상속인에게도 최소 한도로 상속을 받을 수 있도록 보호하고 있다.

질의 **피상속인의 소유재산을 상속인이 아닌 자에게 증여한 경우에는 어떤 세금이 과세되나요?**

답변 피상속인이 소유재산을 상속인이 아닌 자에게 증여한 경우에는 해당 자산을 상속받아서 상속인이 아닌 자에게 증여한 것으로 보아 상속세와 증여세가 각각 과세됩니다(국세심판원 1999서2436, 2000.7.21.).

2 지정상속분이란?

피상속인이 생전에 유언에 의하여 상속분을 지정하는 경우에는 이를 지정상속분이라 한다.

3 법정상속분이란?

상속재산 전체에 대하여 유언상속이 아닌 공동상속인이 각각 승계할 법정상속지분은 다음과 같다.

상속인수	상속인	법정상속분	상속비율
1	배우자	1	1
2	자녀	1	1/2
	자녀	1	1/2
3	배우자	1.5	3/7
	자녀	1	2/7
	자녀	1	2/7
4	배우자	1.5	3/9
	자녀	1	2/9
	부	1	2/9
	모	1	2/9

유언으로 상속인을 지정한 경우에는 유언상속이 우선하며, 유언이 없는 경우에는 「민법」에 따라 직계비속 · 직계존속 · 형제자매 · 4촌 이내에 방계혈족 및 배우자에게 다음과 같은 순위로 상속권을 부여하고 있다. 상속개시 당시 태아가 있는 경우에는 태아도 상속 순위에 대하여 출생한 것으로 본다.

제 1 순위	직계비속과 배우자	항상 상속인이 된다.
제 2 순위	직계존속과 배우자	1순위가 없는 경우에는 상속인이 된다.
제 3 순위	형제자매	1, 2순위가 없는 경우에는 상속인이 된다.
제 4 순위	4촌 이내의 방계혈족	1, 2, 3순위가 없는 경우에는 상속인이 된다.

이 경우 법정상속인을 결정할 때 같은 순위의 상속인이 여러 명인 때에는 촌수가 가장 가까운 상속인을 우선순위로 하며 촌수가 같은 상속인이 여러 사람인 때에는 공동상속인이 된다.

배우자란, 사망자의 배우자는 혈족이 아닌 상속인이며 혼인신고를 한 법률상의 배우자를 말하므로 사실혼 배우자는 상속권이 인정되지 아니한다.

질의 **최초 협의분할 시 법정상속분을 초과하여 상속받으면 증여세가 과세되나요?**

답변 상속개시 후 최초로 협의분할에 의한 상속등기를 함에 있어서 특정 상속인이 법정상속분을 초과하여 재산을 취득하는 경우에는 증여세가 과세되지 않습니다(재산-157, 2012.4.24.).

보충설명

협의분할이란?

유언에 따른 상속의 경우를 제외하고 공동상속인은 협의에 의하여 상속재산을 분할할 수 있으며, 이 경우 협의에는 공동상속인이 참가하여야 한다. 상속재산의 분할은 상속이 개시된 때에 그 효력이 있다(민법

§1013).

다만, 상속개시 후 상속재산에 대하여 등기 · 등록 · 명의개서 등에 의하여 각 상속인의 상속분이 확정되어 등기 등이 된 후, 그 상속재산에 대하여 공동상속인이 협의하여 분할한 결과 특정상속인이 당초 상속분을 초과하여 취득하게 되는 재산가액은 그 분할에 의하여 상속분이 감소한 상속인으로부터 증여받은 것으로 본다(상속세 및 증여세법 §4③).

선 순위 상속인이 상속 포기로 후 순위 상속인이 상속재산을 취득하는 경우

상속인 중 상속순위가 선 순위인 단독상속인 또는 동 순위의 공동상속인 전원이 상속을 포기하여 그 다음 순위에 있는 상속인(후 순위 상속인)이 재산을 받게 되는 경우에는 그 후 순위 상속인이 받은 상속재산의 비율에 따라 상속세를 납부할 의무가 있다(상속세 및 증여세법 기본통칙 3-0).

보충설명

상속인의 상속포기로 인하여 그 다음 순위 상속인이 재산을 상속받은 후, 포기한 상속인에게 상속재산의 일부를 재분배한 경우에는 그 재분배한 재산에 대하여 증여세가 과세된다(재산-195, 2011.4.19.).

피상속인의 배우자와 자녀 모두가 상속포기한 경우 누가 상속인이 되나요?

상속을 포기한 자는 상속개시 때부터 상속인이 아니었던 것과 같은 지위에 놓이게 되므로 피상속인의 배우자와 자녀 중 자녀 전부가 상속을 포기한 경우에는 배우자와 피상속인의 손자녀 또는 직계존속이 공동으로 상속인이 되고, 피상속인의 손자녀와 직계존속이 존재하지 아니하면 배우자가 단독으로 상속인이 된다(대법원 2013다48852, 2015.5.14.).

④ 유류분에 따른 상속분

피상속인의 유언에 의하여 재산을 상속하는 경우로서 여러 사람의 상속인 중 어느 한 사람에게 지나치게 유증(유언에 의한 재산증여를 말한다)하는 경우 사회적으로 바람직하지 못하므로 「민법」에서는 각 상속인이 최소 한도로 받을 수 있는 상속분을 정하고 있다. 이를 유류분제도라 한다.

유류분의 상속인별 상속가액은 다음의 비율에 의한다(민법 §1112).

① 피상속인의 배우자 또는 직계비속 : 법정상속분의 1/2

② 피상속인의 직계존속 또는 형제자매 : 법정상속분의 1/3

상속세 납세의무자(연대납부의무자 포함)는 누구인가요?

우리나라는 피상속인의 모든 상속재산에 대하여 상속세를 부과하는 유산세제도를 채택하고 있으므로 거주자의 사망으로 인하여 상속이 개시된 경우에는 상속재산이 국내에 있거나, 국외에 있거나 상관없이 모두 상속세 납세의무가 있다.

상속세란, 자연인의 사망으로 그의 재산이 가족이나 친족 등에게 무상으로 이전되는 경우에 해당 상속재산에 대하여 과세하는 세금을 말하며, 상속세 납세의무가 있는 상속인은 법정신고기한까지 상속세를 신고 · 납부하여야 한다.

이 경우 상속인이나 수유자는 부과된 상속세에 대하여 상속재산 중 각자가 받았거나 받을 재산을 기준으로 계산한 상속지분비율에 따라 상속세를 납부할 의무가 있다.

보충설명

태아는 민법상 상속에 있어서는 이미 출산한 것으로 보는 것이므로 자연인과 같이 상속세 납세의무가 있다. 다만, 사체로 출산되면 상속 능력이 없다(민법 §1000③).

피상속인이 상속개시일 현재 거주자인지, 비거주자인지에 따라 상속재산의 범위와 상속세 계산 시 상속공제액 등이 달라지게 되므로 이에 대한 판정은 매우 중요하다.

1 상속세 납세의무자의 범위

상속세 납세의무자는 상속인과 수유자로 상속인과 수유자의 범위는 다음과 같다.

① 상속으로 인하여 재산을 취득한 상속인의 경우에는 민법상 상속순위에 따른 상속인, 대습상속인, 피상속인의 배우자 및 결격상속인
② 상속포기한 상속인
③ 민법상 특별연고자
④ 유증·사인증여를 받은 자
⑤ 증여채무를 이행하는 중에 증여자가 사망하는 경우에는 그 증여재산을 취득한 자

2 상속세 납세의무는 상속이 개시되는 때에 성립한다

상속세 납세의무는 상속이 개시되는 때에 성립하며, 상속으로 인한 법률효과의 원인이 발생하는 것을 말한다.

이 경우 상속개시일이 중요한 이유는 상속세 납세의무 성립일이기도 하며, 상속세 과세대상 재산판정 및 평가기준일, 상속세 납세의무가 있는 상속인의 상속세 신고·납부기한, 결정 및 경정 등의 기준일이 되기 때문에 매우 중요하다.

상속개시는 다음의 사망 등으로 인하여 개시된다.

① 사망 : 실제로 자연 사망한 시점

② 실종선고 : 실종선고를 받은 자는 실종기간이 만료되는 때

③ 인정사망 : 수해, 화재나 그 밖의 재난에 인하여 사망한 경우에 사망자의 시신이 없더라도 사망을 추정하고 가족관계등록부에 사망을 기재하는 경우

④ 부재선고 : 실종선고일(법원의 실종선고일)

질의 5년 이내 사전증여만 있는 손자에게 상속세 납세의무가 있나요?

답변 손자가 피상속인으로부터 증여받은 재산을 상속세 과세가액에 가산하는 경우에도 그 손자가 상속받은 재산이 없는 경우로서 피상속인으로부터 상속개시 전 5년 이내에 증여받은 재산만 있는 상속인 외의 자는 상속세 납부의무 및 연대납부의무가 없습니다(재산-149, 2010.3.10.).

3 상속인은 상속세 연대납세의무가 있다

상속인이나 수유자는 세법에 따라 부과된 상속세에 대하여 각자가 받았거나 받을 재산(상속으로 얻은 자산총액-부채총액-상속세-사전증여재산가액)을 한도로 연대하여 납부할 의무가 있다.

상속인 중 일부가 상속세를 납부하지 못하는 경우에는 다른 상속인들은 자기가 받은 상속재산의 범위 내에서 연대하여 상속세를 납부할 의무가 있다(상속세 및 증여세법 집행기준 3-0-1).

이 경우 각자가 받았거나 받을 상속재산을 초과하여 대신 납부한 상속세액에 대하여는 다른 상속인에게 증여한 것으로 보아 증여세가 과세됩니다.

질의 상속인 중 일부가 상속세를 납부하지 못하는 경우 상속세 연대납부의무를 지나요?

답변 상속개시일 전의 피상속인이 부담할 세금이 고지되거나 장차 고지될 세금

이 있을 경우에는 이를 상속인이 납세의무를 승계하게 되므로 상속인 각자 상속받은 비율에 따라 승계한 세금을 부담하는 것이며, 연대하여 납부할 의무가 있습니다. 이 경우 상속세는 국세, 가산금, 체납처분비를 포함합니다(서면상속증여-1630, 2015.9.14.).

질의 **다른 상속인이 납부해야 할 상속세를 연대하여 대신 납부한 경우 증여세가 과세되나요?**

답변 상속인 또는 수유자는 각자가 상속으로 인하여 얻은 자산총액에서 부채총액과 그 상속으로 인하여 부과되거나 납부할 상속세를 공제한 가액을 한도로 상속세를 연대하여 납부할 의무가 있습니다(재산세과-454, 2011.9.27.).

질의 **2인 이상의 연대납세의무자로서 상속인들이 납부한 국세 등에 대하여 발생한 국세환급금은 누구로 하나요?**

답변 국세환급금은 환급하여야 할 상속세 등을 납부한 당해 납세자에게 환급함이 원칙이며, 2인 이상의 연대납세의무자로서 상속인들이 납부한 상속세 등에 대하여 발생한 국세환급금은 각자가 납부한 금액에 따라 안분한 금액을 각자에게 환급하는 것입니다(징세 46101-585, 1999.3.16.).

4 상속 포기한 상속인의 상속세 납세의무?

상속이 개시되면 피상속인의 재산상 모든 권리와 의무는 상속인의 의사와 관계없이 법률상 상속인이 상속받게 된다.

상속재산이 부채보다 많은 경우에는 당연히 상속을 받아야 하겠지만, 부채가 상속재산보다 많은 경우에는 상속재산을 초과하는 분을 상속인이 갚아야 하기 때문에 「민법」에서는 상속포기제도를 두어 상속인을 보호하고 있다.

세법에서는 상속포기한 상속인이라도 상속개시일 전 10년 이내에 피상속인으로부터 증여받은 재산이 있거나 사용처가 불분명으로 추정상속재산이 있는 경우에는 상속세 납세의무 및 연대납세의무가 있다.

질의 **상속인이 상속포기로 상속받은 재산이 없고 사전증여받은 재산만 있는 경우 상속세 납부의무가 있나요?**

답변 본래의 상속재산은 없고 사전증여재산만 있는 경우로서 상속인이 상속 포기를 했더라도 상속세 납세의무가 있습니다(국세심판원 2001부3083, 2002.6.5.).

5 유류분으로 반환받은 상속재산도 상속세 납세의무가 있다

피상속인의 유증을 받아 상속재산을 취득한 자가 「민법」 제1115조의 규정에 따라 법정상속인에게 해당 상속재산을 유류분으로 반환한 사실이 확인되고 반환한 재산가액은 반환받은 상속인이 상속받은 것으로 보며 상속세 납세의무가 있다(서면상속증여-947, 2020.4.13.).

이 경우 각자가 상속받았거나 받을 재산을 한도로 상속세를 연대하여 납부할 의무가 있다.

6 피상속인이 비거주자인 경우 국내의 모든 재산에 대하여만 상속세 납세의무가 있다

비거주자의 사망으로 인하여 상속이 개시된 경우에는 국내에 소재한 재산에 대하여만 상속세 납세의무가 있다(상속세 및 증여세법 §13②). 해당 비거주자의 경우 상속세 과세가액은 다음의 산식과 같이 상속재산가액에 증여재산가액을 더하고, 공과금, 채무 등의 과세가액을 뺀 금액으로 하므로 거주자의 경우와 동일하다.

상속세 과세가액 = 상속재산가액 + 증여재산가액 − 공과금 − 채무 등

피상속인이 거주자 또는 비거주자인지에 따라 상속세 적용에 어떤 차이가 있나요?

1 피상속인이 거주자와 비거주자인지 판단은 어떻게 하나요?

피상속인이 상속개시일 현재 거주자와 비거주자인지에 따라 상속세 과세범위, 상속세 신고기한, 채무 등이 달라지므로 이들의 판단은 매우 중요하다.

거주자란, 국내에 주소를 두거나 183일 이상 거소를 둔 사람을 말하며, 비거주자는 거주자가 아닌 사람을 말한다.

비거주자가 국내에 영주를 목적으로 귀국하여 국내에서 사망한 경우에는 거주자로 본다.

2 피상속인이 거주자와 비거주자에 따른 상속세 적용 차이는 어떻게 다른가요?

피상속인이 거주자인 경우에는 국내·외의 모든 재산에 대하여 상속세가 과세되는 것이며, 피상속인이 비거주자인 경우에는 국내에 있는 모든 재산에 대하여만 상속세가 과세된다. 이와 관련한 상속세 적용차

이는 다음과 같다.

<table>
<tr><th>피상속인</th><th>거주자</th><th>비거주자</th></tr>
<tr><td>납세지 · 관할세무서</td><td>피상속인의 주소지 관할세무서</td><td>주된 상속재산의 소재지 관할세무서</td></tr>
<tr><td>상속세 신고기한</td><td>상속개시일이 속하는 달의 말일부터 6개월 이내, 상속 전원이 외국에 주소를 둔 경우에는 9개월 이내</td><td>상속개시일이 속하는 달의 말일부터 9개월 이내</td></tr>
<tr><td>과세대상</td><td>국내 · 외에 소재하는 모든 재산</td><td>국내에 소재하는 모든 재산</td></tr>
<tr><td>공과금</td><td rowspan="3">공제 가능</td><td>공제불가능. 다만, 국내사업장분만 가능</td></tr>
<tr><td>장례비</td><td>공제불가능</td></tr>
<tr><td>채무</td><td>상속재산분 전세권 · 임차권 등만 가능</td></tr>
<tr><td>연부연납</td><td colspan="2">가능</td></tr>
</table>

상속재산보다 부채가 많으면 무조건 상속포기를 하여야 하나요?

상속이 개시되면 피상속인의 재산상의 모든 권리와 의무는 상속인의 의사와는 관계없이 법률상 당연히 상속인에게 포괄적으로 승계된다.

일반적으로 피상속인의 재산을 상속인의 의사와 관계없이 법률상 상속인이 물려받게 되는데, 상속재산이 부채보다 적은 경우에는 피상속인의 부채를 상속인의 고유재산으로 갚아야 하는 우려가 있다.

이 경우 상속포기 제도를 이용하면 억울한 세금을 보호받을 수 있다.

상속포기 제도

상속포기 제도는 상속인의 재산에 대하여 권리와 의무의 승계를 부인하고 처음부터 상속인이 아닌 것으로 효력을 생기게 하는 단독의 의사표시를 말한다.

이런 경우 「민법」에서는 상속포기 제도를 두어 상속인을 보호하고 있다. 상속을 포기하려면 상속개시가 있음을 안 날부터 3개월 내에 가정법원에 상속포기 신고를 해야 한다.

상속재산 중 부채가 불분명한 때에는 상속으로 인하여 취득할 재산의 한도 내에서 피상속인의 채무를 변제할 것을 조건으로 상속을 승인할 수 있으며, 이를 한정승인이라 한다.

상속인이 한정승인을 하고자 하는 경우에는 상속개시가 있음을 안 날부터 3개월 내에 상속재산의 목록을 첨부하여 상속개시지의 가정법원에 한정승인 신고를 하여야 한다.

공동상속인도 각 상속인은 단독으로 포기할 수 있다.

일단 상속포기를 한 경우에는 3개월의 기간 내 이를 취소할 수 없다.

다만, 미성년자와 한정치산자가 법정대리인의 동의없이 한 경우 등에는 포기를 취소할 수 있다(민법 §1024).

질의 **상속인이 상속포기로 상속받은 재산이 없고 사전증여받은 재산만 있는 경우 상속세 납부의무가 있나요?**

답변 본래의 상속재산은 없고 사전증여재산만 있는 경우로서 상속인이 상속포기했더라도 상속세 납세의무가 있습니다(국세심판원 2001부3083, 2002.6.5.).

질의 **상속지분을 포기하는 대가로 현금을 받는 경우에는 어떤 세금이 과세되나요?**

답변 피상속인의 재산을 상속함에 있어서 공동상속인 중 1인이 상속을 포기한 대가로 다른 상속인들로부터 현금을 지급받는 경우에는 그 상속인의 지분에 해당하는 재산은 다른 공동상속인에게 유상이전된 것으로 봅니다(서면상속증여-865, 2015.7.17). 이 경우 유상이전분은 양도소득세가 과세됩니다.

상속세 신고는 어느 곳(관할 세무서)으로 하나요?

상속세 신고는 신고당시 피상속인의 주소지(주소지가 없거나 불분명한 경우에는 거소지로 한다)를 관할하는 세무서에 제출하여야 한다. 다만, 상속개시지가 국외인 때에는 국내에 주된 재산의 소재지를 관할하는 세무서에 신고·납부하여야 한다(상속세 및 증여세법 §6).

보충설명

상속세는 주소지를 관할하는 세무서장 등이 과세하는 것이며, 이 때 주소는 국내에서 생계를 같이 하는 가족 및 국내에 소재하는 재산의 유무 등 객관적 사실에 따라 판정하되 그 객관적 사실의 판정은 원칙적으로 「주민등록법」의 규정에 의한 주민등록지를 기준으로 한다(재산-464, 2011.10.7.).

1 과세 관할(관할 세무서)이란?

피상속인의 주소지(주소지가 없거나 분명하지 아니한 경우에는 거소지를 말하며, "상속개시지"라 한다)를 관할하는 과세관할을 요약하면 다음과 같다.

구분	과세관할
상속개시지가 국내인 경우	• 상속개시지를 관할하는 세무서장 • 국세청장이 특히 중요하다고 인정하는 것에 대해서는 관할 지방국세청장
상속개시지가 국외인 경우	• 상속재산 소재지를 관할하는 세무서장 • 상속재산이 둘 이상의 세무서장 등의 관할구역에 있는 경우에는 주된 재산의 소재지를 관할하는 세무서장
실종선고에 의한 상속 개시의 경우	• 피상속인의 상속개시지를 관할하는 세무서장 • 피상속인의 상속개시지가 불분명한 경우에는 주된 상속인의 주소지를 관할하는 세무서장

상속개시지란, 상속이 개시되는 장소로서 상속개시일의 피상속인의 주소지가 되며, 주소지가 없거나 불분명한 경우에는 거소지가 상속개시지가 된다(상속세 및 증여세법 집행기준 6-0-2).

상속재산에 대한 재산의 소재지의 판정은 상속개시 당시의 현황에 의한다.

보충설명

거주자의 사망으로 인하여 상속이 개시되는 경우에는 상속재산의 소재지가 국내·국외에 관계없이 모든 상속재산이 과세대상이 된다. 그러나 비거주자의 사망으로 인하여 상속이 개시되는 경우에는 국내에 소재하는 상속재산만이 상속세 과세대상이 되므로 상속재산의 소재지가 과세 관할 결정의 기준이 된다.

2 과세 관할을 위반하여 상속세를 신고를 한 경우 신고의 효력이 있나요?

상속세의 납세의무자가 관할 세무서를 위반하여 상속세를 신고한 경우에는 그 신고의 효력에는 영향이 없다(국세기본법 §43②).

보충설명

상속세 과세표준과 세액의 결정 또는 경정결정하는 때에 그 상속세의 납세지를 관할하는 세무서장 이외의 세무서장이 행한 결정 또는 경정결정처분은 그 효력이 없다(국세기본법 집행기준 44-0-3).

상속재산은 어떤 것이 있나요?

상속세가 과세되는 상속재산은 피상속인에게 귀속되는 모든 재산으로서 금전으로 환산할 수 있는 경제적 가치가 있는 물건과 재산적 가치가 있는 법률상·사실상의 권리를 말한다.

이러한 상속재산은 본래의 상속재산·간주상속재산·추정상속재산으로 구분된다.

1 본래의 상속재산이란?

상속세 과세대상이 되는 상속재산은 상속·유증·사인증여 또는 상속인이 없이 「민법」에 따라 특별연고자에게 상속재산의 분여로 인하여 상속인이 취득하는 재산으로서 금전으로 환산할 수 있는 경제적 가치가 있는 물건, 재산적 가치가 있는 법률상·사실상의 권리를 말한다. 이는 상속세 과세대상이 되는 본래의 상속재산이라 한다.

질의 **명의신탁 재산을 상속재산으로 볼 수 있나요?**

답변 상속인에게 증여한 것이 아니라 명의신탁으로 인정되어 증여의제 규정에 따라 증여세가 부과될 수 있어도 이는 실질적 증여가 아니므로 명의신탁재산에 대한 증여의제 규정에 불구하고 상속재산에 해당합니다(대법원 2003두14475, 2005.7.28.).

질의 **상속부동산의 매각대금을 상속인 간 분배하기로 약정하고 상속인 간 분배한 경우 상속재산으로 보나요?**

답변 상속부동산을 매각 시 그 대금을 상속인 간 분배하기로 약정하여 특정상속인에게 부동산 등기 후 그 부동산이 양도되어 그 가액을 상속인 간 분배한 경우에 그 가액은 상속재산에 포함되지 않습니다(서면상속증여-1290, 2015.8.10.).

질의 **매매계약 이행중에 사망한 경우 상속재산가액에 포함하나요?**

답변 매매계약 이행중에 사망한 경우 상속재산가액은 양도대금 전액에서 상속개시 전에 영수한 계약금과 중도금을 차감한 잔액을 상속재산의 가액으로 하는 것이며, 실제 양도를 목적으로 매매계약을 체결한 경우에 적용합니다(서면상속증여-2314, 2015.11.27.).

질의 **토지거래허가구역에 있는 토지를 허가받지 아니하고 계약금만을 수령하고 사망한 경우 상속재산가액에 포함하나요?**

답변 토지거래허가구역에 있는 토지를 허가받지 아니하고 제3자와 매매계약을 체결하여 계약금만을 수령하고 사망한 경우, 그 토지의 상속재산가액은 양도대금 전액에서 상속개시 전에 받은 계약금을 뺀 잔액으로 하는 것입니다(상속증여-153, 2013.5.28.).

질의 **종중재산이 피상속인의 명의수탁된 경우 상속재산에 포함하나요?**

답변 실제는 종중재산으로서 피상속인이 상속개시일 현재 명의수탁하고 있는 재산임이 명백히 확인되는 경우 당해 재산에 대하여 상속세가 과세되지 않습니다(재산-286, 2011.6.15.).

2 간주상속재산이란?

상속 또는 유증이나 사인증여를 원인으로 취득하는 본래적 의미의 상속재산은 아니라고 하더라도 이와 동일한 경제적 이익이 발생하는 경우에는 실질과세원칙에 따라 상속재산으로 보며 보험금, 신탁재산, 피상속인에게 지급될 퇴직금 등 중 피상속인의 사망에 따라 지급되는 금액은 상속세 과세대상이 되는 간주상속재산으로 본다(상속세 및 증여세법 집행 기준 8-0-1).

▪ 간주상속재산에 속하는 보험금의 유형

다음의 요건을 갖춘 보험금은 상속세 과세대상이 되는 간주 상속재산으로 한다(상속세 및 증여세법 §8).

① 피상속인의 사망으로 인하여 받는 생명보험 또는 손해보험의 보험금으로서 피상속인이 보험계약자인 보험계약에 의하여 받는 경우

② 보험계약자가 피상속인이어야 한다. 이 경우 피상속인이 보험계약자가 아니라도 실질적으로 보험료를 납부한 경우에는 피상속인을 보험계약자로 보는 경우

③ 새마을금고가 취급하는 생명공제금, 손해공제금 또는 농협공제의공제금도 상속재산으로 보는 보험금의 경우

질의 **피상속인이 상속포기한 보험금이 상속인에게 승계된 경우 납세의무도 승계 되나요?**

답변 피상속인이 상속포기한 경우에도 피상속인의 사망으로 인하여 취득한 보험금은 상속재산으로 간주되므로 상속으로 얻은 재산으로 피상속인의 납세의무가 승계된 것으로 보아야 합니다(조세심판원 2011중736, 2011.6.21.).

질의 **사실혼 배우자를 수익자로 하여 종신보험을 가입한 경우 상속여부?**

답변 사실혼 배우자를 수익자로 하여 종신보험을 가입하였고, 남편의 사망으로 사실혼 배우자가 수령한 경우에는 보험금을 지급받을 수 있는 권리를 수익자로 지정한 자가 상속받는 것으로 봅니다(서일 46014-11366, 2003.10.1.).

■ 간주상속재산에 속하는 신탁재산

① 피상속인이 신탁한 재산은 상속재산으로 본다. 다만, 타인이 신탁의 이익을 받을 권리를 소유하고 있는 경우에는 그 이익에 상당하는 가액은 상속재산으로 보지 아니한다.

② 피상속인이 신탁으로 인하여 타인으로부터 신탁의 이익을 받을 권리를 소유하고 있는 경우에는 그 이익에 상당하는 가액을 상속재산에 포함한다.

③ 신탁계약에 의해 위탁자의 사망 시 수익자가 수익권을 취득 또는 신탁재산에 기한 급부를 받는 유언대용신탁은 상속재산으로 본다.

④ 수익자가 사망한 경우 그 수익자가 갖는 수익권이 소멸하고 타인이 새로 수익권을 취득하는 수익자연속신탁은 상속재산으로 본다.

■ 간주상속재산에 속하는 퇴직금 등의 종류

다음의 요건을 갖춘 퇴직금 등은 상속세 과세대상이 되는 간주상속재산으로 본다(상속세 및 증여세법 집행기준 10-0-1).

① 피상속인에게 지급될 퇴직금·퇴직수당·공로금·연금이 피상속인의 사망으로 인하여 지급되는 경우

② 퇴직급여지급규정 등에 의하여 지급받는 금품

③ 피상속인의 지위·공로 등에 따라 지급되는 금품으로 피상속인이 근무하고 있는 사업과 유사한 사업에 있어 피상속인과 같은 지위에 있는 자가 받거나 받을 수 있다고 인정되는 금액

그러나 다음의 연금 및 보상금은 간주상속재산에 속하는 퇴직금 등으로 보지 않는다(상속세 및 증여세법 집행기준 10-6-1).

① 국민연금법, 공무원연금법, 사립학교교직원연금법, 군인연금법, 산업

재해 보상보험법, 전직대통령 예우에 관한 법률, 별정우체국법에 따라 지급되는 유족연금, 유족일시금 등

② 「근로기준법」 등을 준용하여 사업자가 그 근로자의 유족에게 지급하는 유족보상금 또는 재해보상금 등

③ 「국민연금법」에 따라 지급되는 유족연금 또는 사망으로 인하여 지급되는 반환일시금은 상속재산에서 제외하며 미지급급여가 노령연금인 경우에는 상속재산으로 본다(재산-252, 2012.7.6.).

질의 **피상속인의 퇴직금을 상속인이 포기할 경우 퇴직금 지급의무자에게 어떤 세금이 과세되나요?**

답변 피상속인에게 지급하기로 확정된 퇴직금을 상속인이 포기한 경우에는 상속인이 당해 퇴직금을 상속받아 퇴직금 지급의무자에게 증여한 것으로 봅니다(상속세 및 증여세법 집행기준 10-6-2).

질의 **유족위로금은 상속재산에 해당하나요?**

답변 근로자가 업무 외의 사유로 사망하여 그 근로자의 유족이 회사로부터 위로금 성격으로 지급받는 유족위로금은 상속재산에 해당합니다(재산-367, 2011.8.10.).

질의 **유족인 상속인들에게 지급된 위자료 성격의 보상금은 상속재산에 포함하나요?**

답변 피상속인의 재직 중 사망으로 인해 그 유족인 상속인들에게 지급된 위자료 성격의 보상금에 대해 퇴직수당 등으로 보아 상속세 과세하지 않습니다(국세심판원 1999서1481, 2000.4.28.).

3 추정상속재산이란?

추정상속재산은 상속개시일 전에 피상속인이 처분한 재산 중 사용처가 불분명 금액 또는 부담한 채무 중 사용처가 불분명 금액으로서 일정금액은 상속인이 상속받은 것으로 추정하여 상속세를 부과하는 상속재

산을 말한다.

보충설명

상속개시일 전 재산을 처분하고 받은 금전의 용도가 명백하지 않아 상속세 과세가액에 포함하여 신고하였으나, 타인에게 증여한 것으로 확인된 경우 신고한 과세표준에서 제외된다(서면4팀-144, 2005.1.19.).

※ 제2편 제1장 "10. 상속개시 전에 처분한 부동산의 사용처가 불분명한 재산은 상속세가 과세된다"(p.227 참조)

10

상속개시 전에 처분한 부동산의 사용처가 불분명한 재산은 상속세가 과세된다

상속개시 전에 처분한 자산의 사용처 및 예금을 인출하여 사용처가 불분명(채무를 부담한 경우 포함)하여 입증하지 못하는 일정금액은 상속인이 현금으로 상속받은 것으로 추정하여 상속세가 과세된다(상속세 및 증여세법 §15).

상속개시 전 처분재산의 용도가 불분명한 금액에 대하여는 상속인별 법정상속지분으로 상속받은 것으로 본다(서면4팀-658, 2005.4.29.).

이는 상속재산을 사전에 처분하여 현금 등 과세자료의 노출이 쉽지 않은 재산으로 상속함으로써 상속세를 회피하려는 의도를 방지하는데 그 목적이 있다.

1 상속개시 전 1년(또는 2년) 이내 처분재산 또는 인출금액의 사용처를 입증하지 못하면(추정상속재산) 상속세가 과세된다

상속개시일 전 피상속인의 재산을 처분하거나 피상속인의 재산에서 인출한 금액과 피상속인이 부담한 채무의 합계액이 사망하기 1년(또는 2년) 이내에 다음에 해당하는 경우에는 상속세가 과세된다.

이 경우 피상속인이 상속개시일 전 1년 이내에 부담한 채무가 2억원 이상인지 혹은 2년 이내에 5억원 이상인지 여부는 채무 건별이 아니라 부담한 채무의 합계액을 기준으로 한다

기간	상속개시 전 재산처분액 또는 채무부담액	추정상속재산
상속개시일 전 1년 이내	재산종류별 또는 채무합계액으로 계산하여 2억원 이상인 경우로서 용도불분명한 경우	미입증금액 - Min(처분 등 재산 × 20%, 2억원)
상속개시일 전 2년 이내	재산종류별 또는 채무합계액으로 계산하여 5억원 이상인 경우로서 용도불분명한 경우	

※ 국가, 지방자치단체 및 금융기관으로 차입하여 피상속인이 부담한 채무의 경우에는 위 표에 따른다.

재산종류별 일정기간 내 2억원(또는 5억원) 이상인 경우 사용처 규명

상속개시일 전 1년 이내 2억원 이상 또는 상속개시일 전 2년 이내 5억원 이상인 경우가 사용처 규명 대상이므로 해당 금액은 다음과 같이 재산종류별로 구분하여 판단한다.

① 현금예금 및 유가증권

② 부동산 및 부동산에 관한 권리

③ 위 "① 및 ②"외의 기타자산

예컨대 예금인출액이 1억원이면 사용처규명 대상이 아니지만, 예금인출액이 3억원이면 2억원 이상이므로 사용처 규명 대상이 된다.

질의 **생활비 사용금액을 입증하지 못한 경우 추정상속재산으로 보나요?**

답변 피상속인의 계좌에서 상속인의 계좌로 이체된 금액이 피상속인의 채무상환, 생활비 등에 사용하였다고 주장하나 그 사용내역을 구체적으로 입증하지 못하면 추정상속재산 상속세가 부과됩니다(국심사증여 2013-35, 2013.6.28.).

질의 **자식이 부모로부터 자금을 일시 차입하여 사용한 후 이를 반환한 사실이 있는 증빙은 소명되는 것으로 보나요?**

답변 자식이 부모로부터 자금을 일시 차입하여 사용한 후 이를 반환한 사실이 관련 증빙에 의해 확인되는 경우에는 소명으로 볼 수 있습니다(국심사상속 2009-16, 2009.9.23.).

상속개시 전에 처분재산의 사용처가 불분명한 추정상속재산가액은 어떻게 계산하나요?

세법에서는 처분재산의 용도가 불분명한 금액이 있는 경우 전액을 상속재산으로 보는 것이 아니라 사용처를 입증하지 못한 금액에서 처분재산가액의 20%와 2억원 중 적은 금액을 뺀 금액을 상속세 과세가액에 산입하여 상속세를 계산한다(상속세 및 증여세법시행령 §11④).

예컨대, 부동산 처분재산가액 12억원 중 사용처가 불분명한 금액이 3억원이라고 가정하면, 사용처가 불분명한 금액 중 1억원만이 상속세과세가액이 된다.

3억원 − Min(12억원 × 20%와 2억원 중) = 1억원

② 상속세가 과세되는 추정상속재산가액의 사례

상속세가 과세되는 용도가 객관적으로 명백하지 아니한 추정상속재산가액은 다음과 같다(상속세 및 증여세법 집행기준 15-11-4).

① 피상속인이 재산을 처분하여 받은 금액이나 피상속인의 재산에서 인출한 금전 등 또는 채무를 부담하고 받은 금액을 지출한 거래상대방이 거래증빙의 불비 등으로 확인되지 않는 경우

② 거래상대방이 금전 등의 수수사실을 부인하거나 거래상대방의 재산

상태 등으로 보아 금전 등의 수수사실이 인정되지 않는 경우

③ 거래상대방이 피상속인과 특수관계에 있는 자로서 사회통념상 지출사실이 인정되지 않는 경우

④ 피상속인이 재산을 처분하거나 채무를 부담하고 받은 금전 등으로 취득한 다른 재산이 확인되지 않는 경우

⑤ 피상속인의 연령·직업·경력·소득 및 재산상태 등으로 보아 지출사실이 인정되지 않는 경우

2 추정상속재산의 배제

피상속인의 재산처분금액 또는 부담채무액 중 사용처가 객관적으로 입증되지 아니한 금액으로서 다음과 같은 경우에는 해당 사용처 미입증금액을 추정상속재산으로 보지 아니한다.

이 경우 상속개시 전 처분재산에 대한 사용처 소명대상 여부 및 80% 이상 소명여부는 재산종류별 또는 채무별로 각각 판단한다.

① 피상속인의 재산처분 또는 인출금액의 상속추정 배제 요건

사용처가 미입증된 금액 < Min(일정기간 내 재산 종류별재산 처분·인출금액 × 20%, 2억원)

② 국가·지방자치단체·금융기관에게 부담한 채무의 상속추정 배제 요건

사용처가 미입증된 금액 < Min(일정기간 내 채무부담액 × 20%, 2억원)

상속세가 과세되는 사전증여재산가액은 어떤 재산을 말하나요?

피상속인이 생전(상속개시 전)에 증여한 재산 중 상속개시일 전 10년 이내에 상속인에게 증여한 재산의 가액과 5년 이내에 상속인 이외의 자에게 증여한 재산의 가액을 상속세 과세가액에 포함하여 상속세를 계산한다. 이를 사전증여재산가액이라 한다.

이와 같이 사전증여재산가액을 상속세 과세가액에 가산하는 이유는 상속세의 과세대상이 되는 재산을 상속개시 전에 상속인 등에게 증여하여 높은 상속세율의 적용을 회피하여 상속세의 부당한 경감을 도모하는 행위를 방지하는데 있다.

이 경우 증여시점에서 이미 납부한 증여세는 상속세 산출세액에서 차감하여 납부함으로써 상속세와 증여세의 이중과세를 방지하고 있다.

❶ 상속세가 과세되는 사전증여재산가액은 어떤 것이 있나요?

상속세가 과세대상에 합산하는 사전증여재산가액은 다음의 가액을 말한다(상속세 및 증여세법 §13①).

① 상속개시일 전 10년 이내에 피상속인이 상속인에게 증여한 재산가액

② 상속개시일 전 5년 이내에 피상속인이 상속인이 아닌 자에게 증여한 재산가액

비거주자인 경우에는 국내에 있는 재산을 증여하는 경우에만 위 "①과 ②"를 적용한다(상속세 및 증여세법 §13②).

보충설명

위에서 상속인이란, 「민법」에 따른 1순위 상속인을 말하는데, 1순위 상속인인 배우자와 그 직계비속에게 증여한 것인 경우에는 10년 이내의 것을 합산하고 그 이외의 다음 순위의 상속인은 상속인 이외의 자에 포함되어 있는 경우에는 5년 이내에 증여분 만을 합산한다.

그러나 1순위 상속인이 없어 민법상 2순위 이상의 상속인만 있을 경우에는 그 중 선 순위 상속인이 위에서 말하는 상속인이 된다.

질의 **상속개시 전 10년 이내에 재산을 증여받은 상속인이 상속포기를 하는 경우에도 상속재산에 합산하나요?**

답변 상속개시 전 10년 이내에 재산을 증여받은 상속인이 상속재산을 포기를 하는 경우에도 그 증여재산은 상속재산가액에 합산하여야 합니다(국세심판원 2001부3083, 2002.6.5.).

질의 **특수관계인으로부터 자산을 증여받은 자가 증여일로부터 5년 이내에 타인에게 이를 양도함으로써 증여자가 타인에게 직접 자산을 양도한 것으로 보는 경우?**

답변 특수관계인으로부터 자산을 증여받은 자가 증여일로부터 5년 이내에 타인에게 이를 양도함으로써 증여자가 타인에게 직접 자산을 양도한 것으로 보는 경우, 당초 수증자가 부담한 증여세는 환급되는 것이나, 당해 증여자산은 합산대상 증여재산으로 보아 상속세 과세가액에 가산하고 증여세 상당액은 상속세 산출세액에서 차감합니다(서면4팀-1976, 2004.12.3.).

증여재산의 합산 기간 계산방법

증여재산에 합산하는 기간 계산 시 기산일인 초일은 불산입하고 만료일은 포함한다(국세기본법 §4).

질의 특수관계자 간 저가양수로 인해 그 재산이 양수자에게 증여세가 과세된 경우에는 상속재산에 포함할 합산대상 증여재산으로 보나요?

답변 특수관계자 간 저가양수로 인해 그 재산이 양수자에게 증여세가 과세된 경우, 당해 증여재산가액은 상속개시 전 합산대상 증여재산에 해당됩니다(재재산 46014-18, 2000.1.20.).

상속세가 과세되지 않는 사전증여재산가액의 사례

다음의 사전증여재산가액은 상속세 과세가액에 합산하지 아니한다(상속세 및 증여세법 집행기준 13-0-6).

① 상속개시일 이전에 수증자(상속인 · 상속인 아닌 자)가 피상속인으로부터 재산을 증여받고 피상속인의 사망(상속개시일) 전에 사망한 경우에는 상속인 등에 해당하지 아니하므로 피상속인의 상속세 과세가액에 사전증여재산가액을 합산하지 아니한다.

② 피상속인이 상속인에게 증여한 재산을 증여세 신고기한을 경과해 반환받고 사망하여 증여세가 부과된 경우로서, 반환받은 재산이 상속재산에 포함되어 상속세가 과세되는 때에는 사전증여재산가액에 해당하지 않는다.

③ 명의신탁재산은 원칙적으로 사전증여재산으로 상속재산에 합산하나 명의신탁재산으로 증여세가 과세된 재산이 피상속인의 재산으로 환원되거나 피상속인의 상속재산에 포함되어 상속세가 과세되는 경우에는 사전증여재산가액으로 합산하지 아니한다.

② 상속세가 과세되는 사전증여재산가액은 어떻게 평가하나요?

상속세가 과세되는 사전증여재산가액의 평가는 다음에 따른 가액으로 한다(상속세 및 증여세법 집행기준 13-0-7).

① 상속재산가액에 합산하는 사전증여재산가액은 상속개시일이 아닌 증여일 현재의 시가에 따라 평가하며 시가가 불분명한 경우에는 보충적 평가방법에 따라 평가한 가액에 따른다.

※ 제2편 제7장 "상속세 및 증여세법상 부동산 평가"(p.357 참조)

② 상속개시일 전에 부담부증여한 재산을 상속재산가액에 합산하는 경우 사전증여재산가액에서 수증자가 인수한 채무를 뺀 증여세 과세가액을 합산한다.

③ 상속세가 과세되는 사전증여재산가액이 있는 경우 증여세와 상속세 계산은 원칙이 있다

상속세 과세가액에 합산하는 사전증여재산가액에 대하여 증여세가 부과되지 아니한 경우에는 해당 사전증여재산가액에 대하여 증여세를 먼저 과세하고 그 증여재산가액을 상속세 과세가액에 합산하여 상속세를 부과하며 증여세상당액을 기납부세액으로 공제한다(상속세 및 증여세법 집행기준 13-0-8).

보충설명

합산대상 사전증여재산가액에 대해 증여세를 신고·납부했으나 상속세 과세가액에는 합산신고 하지 않은 경우, 신고불성실가산세 적용대상이 아니다(재재산 46014-96, 1999.12.31.).

질의 **상속세 과세가액 산정 시 상속재산가액에서 채무 등을 차감하여 부(-)의 차감잔액이 발생하는 경우?**

답변 상속세 과세가액을 산정함에 있어 상속재산의 가액에서 채무 등을 차감한 가액이 부수(-)인 경우 그 부(-)의 차감 잔액을 기초로 합산대상 증여재산가액을 가산합니다(대법원 2006다9207, 2006.9.22.).

12

상속세가 비과세되는 상속재산은 어떤 것이 있나요?

비과세되는 상속재산이란, 상속재산 중 국가가 당초부터 조세에 대한 채권을 포기함으로써 상속세 과세를 원천적으로 배제하는 재산을 말한다.

다음의 상속재산에 대하여는 상속세를 부과하지 아니한다(상속세 및 증여세법 §11, §12).

① 전사나 사변·토벌·경비 등 작전업무를 수행하는 공무 중에 입은 부상이나 질병으로 인한 사망으로 상속이 개시되는 경우

② 피상속인이 국가·지방자치단체 또는 지방자치단체조합, 공공도서관·공공박물관 등에 유증·사인증여한 재산

③ 「문화재보호법」에 따른 국가지정문화재 및 시·도 지정문화재와 같은 보호구역안의 문화재 또는 문화재자료가 속하여 있는 보호구역안의 토지

④ 금양 임야

⑤ 족보 및 제구로서 그 재산가액의 합계액이 1천만원 이내의 것

⑥ 「정당법」에 따른 정당에 유증·사인증여를 한 재산

⑦ 「사내근로복지기금법」에 따른 사내근로복지기금과 「근로자복지기본법」에 따른 우리사주조합 및 근로복지진흥기금에 유증·사인증여한 재산

⑧ 사회통념상 인정되는 이재구호금품, 치료비, 불우한 자를 돕기 위하여 유증한 재산으로서 상속개시 전에 피상속인이 증여하였거나 유증·사인증여에 의하여 지급하여야 할 것으로 확정된 것
⑨ 상속재산 중 상속인이 상속세 신고기한 이내에 국가·지방자치단체 또는 지방자치단체조합, 공공도서관·공공박물관에 증여한 재산

비과세되는 금양임야란?

금양임야는 지목에 관계없이 피상속인의 선조의 분묘에 속하는 임야, 묘토인 농지는 분묘와 인접거리에 있는 것으로 상속개시일 현재 묘제용 재원으로 실제 사용하는 농지를 말한다.

상속세가 비과세되는 금양임야는 선조의 분묘에 속한 9,900㎡ 이내의 금양임야와 그 분묘에 속한 1,980㎡ 이내의 묘토인 농지로서 2억원 이내인 것 등을 말하며, 그 토지가 제사의 주재자인 상속인의 소유로 된 사실을 모두 증명해야 한다(서울고법 2013누47582, 2014.6.10.).

만일, 여러 명의 상속인이 공동으로 금양임야 등을 상속받은 경우에는 제사를 주재하는 상속인의 지분만 비과세하고, 그 이외의 상속인이 받은 금양임야 등의 지분가액은 상속세 재산가액에 산입한다(상속세 및 증여세법 집행기준 12-8-3).

질의 **단순히 선조의 위패만을 모시는 건물이 속한 토지가 금양임야로 보나요?**

답변 화장한 유골 등을 보관하지 않고 단순히 선조의 위패만을 모시는 건물이 속한 토지는 상속세가 비과세되는 금양임야에 해당하지 않습니다(사전법령재산-79, 2016.4.20.).

13

공익법인에 출연한 재산은 상속세를 면제받을 수 있다

상속재산 중 피상속인이나 상속인이 세법상의 요건을 갖춘 공익법인에 출연한 재산에 대하여는 상속세를 면제하도록 규정하고 있다.

여기서 공익법인이란, 공익사업을 경영하는 자를 말하며 문화·예술·환경·교육·장학 등 공익사업은 국가 또는 지방자치단체 등에서 육성할 사업이지만 예산이나 행정력 등의 한계로 공익법인 등이 이를 대신 수행하는 점을 고려하여 공익법인 등에 출연하는 재산에 대하여는 상속세의 과세가액에서 제외하는 조세지원제도를 운용하고 있다.

피상속인이나 상속인이 상속세 과세표준 신고기한 이내에 종교·자선·학술 또는 그 밖의 공익법인에게 출연한 상속재산의 가액에 대해서는 상속세 과세가액에 산입하지 아니하므로 상속세가 과세되지 않는다.

상속인이 상속받은 재산 중 공익법인에 출연한 경우 상속세 과세가액에서 제외되는 요건

상속인이 상속받은 재산을 다음의 요건을 갖추어 공익법인에게 출연하는 경우에는 상속세 과세가액에 불산입한다(상속세 및 증여세법 집행기준 16-0-2).

① 상속받은 재산을 상속인의 의사에 따라 상속세 과세표준 신고기한

이내에 출연해야 한다. 다만, 법령상 또는 행정상의 정당한 사유로 그 기한까지 출연할 수 없는 사유가 있는 경우에는 그 사유가 종료된 날이 속하는 달의 말일부터 6개월 이내에 출연하여야 한다.

② 상속인이 출연한 공익법인의 이사 현원에 5분의 1을 초과하여 이사가 되지 아니하여야 하며, 이사의 선임 등 공익법인의 사업운영에 관한 중요사항을 결정할 권한을 가지지 않아야 한다.

공익법인등이란?

공익법인등은 다음에 해당하는 사업을 영위하는 자("공익법인등"이라 한다)를 말한다(상속세 및 증여세법 시행령 §12).

① 종교의 보급 기타 교화에 현저히 기여하는 사업

② 「초·중등교육법」 및 「고등교육법」에 의한 학교, 「유아교법」에 따른 유치원을 설립·경영하는 사업

③ 「사회복지사업법」에 따른 사회복지법인이 운영하는 사업

④ 「법인세법」 제24조 제3항에 해당하는 기부금을 받는 자가 해당 기부금으로 운영한는 사업

⑤ 「법인세법 시행령」 제39조 제1항 제1호 각 목에 의한 지정기부금단체등 및 「소득세법 시행령」 제80조 제1항 제5호에 따른 기부금대상민간단체가 운영하는 고유목적사업. 다만, 회원의 친목 또는 이익을 증진시키거나 영리를 목적으로 대가를 수수하는 등 공익성이 있다고 보기 어려운 고유목적사업을 제외한다.

⑥ 「법인세법 시행령」 제36조 제1항 제2호 다목에 해당하는 기부금을 받는 자가 해당 기부금으로 운영하는 사업. 다만, 회원의 친목 또는 이익을 증진시키거나 영리를 목적으로 대가를 수수하는 등 공익성이 있다고 보기 어려운 고유목적사업은 제외한다.

⑦ 그 밖의 중소기업진흥공단이 운영하는 사업 등

공익법인에 출연기한은 언제까지 해야 하나요?

상속세 과세표준 신고기한 이내에 그 출연을 이행하여야 하며 다음과 같은 사유에 해당하는 경우에는 그 사유가 종료된 날이 속하는 달의 말일부터 6개월까지 그 출연을 이행하여야 한다(상속세 및 증여세법 집행기준 16-13-1).

① 재산의 출연에 있어서 법령상 또는 행정상의 사유로 출연재산의 소유권 이전이 늦어지는 경우

② 상속받은 재산을 출연하여 공익법인을 설립하는 경우로서 법령상 또는 행정상의 사유로 설립허가 등이 늦어지는 경우

질의 **상속재산의 매각대금을 신고기한 이내에 공익법인 등에 출연한 경우 상속세 과세가액에서 제외되나요?**

답변 상속재산의 매각대금을 신고기한 이내에 공익법인 등에 출연한 경우에는 해당 출연재산가액을 상속세 과세가액에 산입하지 않습니다(상속증여-32, 2015.1.22.).

그리고 상속인이 상속세 신고기한 이내에 상속재산 중 수익증권(펀드)의 매각대금, 보험·정기예금의 해지 자금을 상속세 신고기한 이내에 공익법인 등에 출연한 경우 그 출연재산가액을 상속세 과세가액에 산입하지 않습니다(상속증여-351, 2014.9.18.).

질의 **종교의 보급 기타 교화에 현저히 기여하는 사업을 운영하는 종교 단체는 공익법인에 해당하는지요?**

답변 종교의 보급 기타 교화에 현저히 기여하는 사업을 운영하는 종교 단체는 공익법인 등에 해당하는 것이며, 종교단체가 공익법인 등에 해당하는지 여부는 법인으로 등록했는지 관계없이 당해 종교단체가 수행하는 정관상 고유목적사업에 따라 판단합니다(재산-274, 2011.6.7.).

■ 상속인 등이 출연재산을 상속인 등이 사용·수익한 경우에는 상속세를 추징한다

공익법인 출연재산에 대하여 상속세 과세가액에 불산입한 후 출연재산 및 그 재산에서 생기는 이익의 전부 또는 일부가 상속인 및 그와 특수관계에 있는 자에게 귀속되는 경우에는 그 재산이나 이익에 대한 상속개시일 현재 평가가액을 상속세 과세가액에 산입하여 즉시 상속세를 부과한다(상속세 및 증여세법 집행기준 16-13-5).

14

상속재산가액에서 빼는 공과금 · 장례비용 및 채무는 어떤 것이 있으며, 어떻게 공제되나요?

거주자의 사망으로 인하여 상속이 개시되는 경우 상속개시일 현재 상속재산에 관련된 공과금 · 장례비용 · 채무(상속개시일 전 10년 이내에 피상속인이 상속인에게 진 증여채무와 상속개시일 전 5년 이내에 피상속인이 상속인이 아닌 자에게 진 증여채무는 제외)는 상속재산가액에서 뺀다(상속세 및 증여세법 §14). 다만, 비거주자의 사망으로 상속이 개시된 경우에는 해당 상속재산에 대한 공과금과 상속재산분 전세권 · 임차권 등만 상속재산가액에서 뺀다.

상속세과세가액 = 상속재산가액 − 비과세 - 공과금 · 장례비용 · 채무 + 사전증여재산

1 공과금이란?

상속재산가액에서 빼는 공과금은 상속개시일 현재 피상속인이 납부할 의무가 있는 것으로서 상속인에게 승계된 조세, 공공요금 그밖의 이와 유사한 것을 말한다.

또한 상속개시일 전에 발생한 피상속인의 소득세 및 부가가치세 등의 경정으로 인해 추가고지세액이 발생한 경우로써 상속개시일 현재 납세의무가 성립된 세금은 상속인에게 납세의무가 승계된 것이므로 공과금에 해당한다.

그러나 상속개시일 이후 상속인의 귀책사유로 납부 또는 납부할 가산세, 가산금, 체납처분비, 벌금, 과료, 과태료 등은 상속재산가액에서 빼는 공과금에 포함되지 않는다.

■ 상속재산가액에서 빼는 공과금은 어떤 것이 있나요?

상속개시일 현재 피상속인이 납부할 의무가 있는 것으로서 상속인에게 승계된 다음의 것은 공과금에 해당하므로 상속재산가액에서 뺀다(상속세 및 증여세법 집행기준 15-11-6).

① 국세, 관세, 임시수입부가세, 지방세

② 공공요금

③ 공과금 : 「국세징수법」의 체납처분의 예에 따라 징수할 수 있는 조세 및 공공요금 이외의 것

④ 피상속인이 당초 조세를 감면·비과세 받은 후 감면·비과세 요건을 충족하지 못해 조세가 경정·결정된 경우에 당해 경정·결정된 조세

⑤ 피상속인이 사망한 후에 피상속인이 대표이사로 재직하던 법인의 소득금액이 조사·결정됨에 따라 피상속인에게 상여로 처분된 소득에 대한 종합소득세·지방소득세 등

질의 **상속받은 후 거주지 요건 미충족으로 비과세 받은 양도소득세가 과세되는 경우 이를 공과금으로 보나요?**

답변 농지의 대토로 양도소득세 비과세 결정을 받은 피상속인이 사망하여 상속인이 이를 상속받은 후 거주지 요건 미충족으로 비과세 받은 양도소득세가 과세되는 경우 상속재산의 가액에서 빼는 공과금에 해당합니다(재산-169,

2009.9.9.).

질의 「부동산 실권리자 명의 등기에 관한 법률」에 따라 부과된 과징금은 공과금으로 보나요?

답변 피상속인이 명의신탁한 재산에 대하여 「부동산 실권리자 명의 등기에 관한 법률」에 따라 부과된 과징금을 상속개시 후 상속인이 납부한 경우 상속재산가액에서 빼는 공과금에 해당합니다.

질의 명의신탁 관련 부담약정한 증여세를 상속개시 후 상속인이 납부한 경우 이를 공과금으로 보나요?

답변 명의신탁 관련 부담약정한 증여세를 상속개시 후 상속인이 납부하였다면 이는 상속재산가액에서 빼는 공과금 등에 포함합니다(서면4팀-1474, 2004.9.20.).

질의 상속개시 후 발생한 폐기물처리비용은 공과금으로 보나요?

답변 상속받은 토지에 상속개시 후 발생한 폐기물처리비용은 상속재산가액에서 빼는 공과금이 아닙니다(서일 46014-10281, 2001.10.8.).

질의 상속세 신고시 공과금으로서 공제되었으나 추후 법원판결에 의해 감액판결된 경우 감액한 공과금은 어떻게 처리하나요?

답변 상속개시 당시 적법하게 납세의무 성립된 공과금으로서 공제되었으나 추후 법원판결에 의해 감액 판결된 경우, 공제금액을 부인하며, 동 환급금 및 환급가산금은 채권으로서 상속재산에 포함됩니다(국심사상속 98-210, 1998.10.9.).

피상속인이 비거주자인 경우 상속재산가액에서 빼는 공과금 및 채무는 어떤 것이 있나요?

비거주자의 사망으로 인하여 상속이 개시되는 경우에는 다음의 공과금 또는 채무를 상속재산가액에서 뺀다(상속세 및 증여세법 집행기준 14-10-2).

① 상속재산에 관한 공과금

② 상속재산에 설정된 유치권 · 질권 · 전세권 · 임차권 · 양도담보권 또

는 저당권 채무

③ 피상속인의 사망 당시 국내에 사업장이 있는 경우 그 사업장에 비치·기장한 장부에 의하여 확인되는 사업상의 공과금 및 채무

2 장례비용이란?

상속재산가액에서 빼는 장례비용은 피상속인의 사망일로부터 장례일까지 장례에 직접 소요된 금액으로서 상속개시에 필연적인 비용으로 사회통념상 허용되는 범위 내의 금액을 말한다. 이 경우 "사회통념상 허용되는 범위"에 대한 해석으로 대법원에서는 「가정의례에 관한 법률」에서 인정되는 장례비용을 의미하는 것으로 판시하고 있다.

상속재산가액에서 빼는 장례비용은 어떤 것이 있나요?

상속재산가액에서 빼는 장례비용은 시신의 발굴 및 안치에 직접 소요되는 비용과 묘지구입비, 공원묘지 사용료, 비석, 상석 등 장례에 직접 소요된 비용으로 한다(상속세 및 증여세법 집행기준 14-10-2).

상속재산가액에서 빼는 장례비 한도액은 얼마인가요?

상속재산가액에서 빼는 다음의 장례비(①+②)는 최고 한도액 1천 5백만원이다.

① 피상속인의 사망일부터 장례일까지 장례에 직접 소요된 금액(봉안시설 또는 자연장지 사용금액 제외한다)

㉮ 장례비가 5백만원 미만시 : 무조건 5백만원 공제

㉯ 장례비가 5백만원 초과시 : Min(장례비용증빙액과 1천만원 중)

② 봉안시설·자연장지 사용금액 : Min(봉안시설·자연장지 비용 증빙액과 5백만원 중)

질의 **장례 후 제대비는 장례비에 포함하나요?**

답변 상속개시 당시 피상속인이 종국적으로 부담하여 이행하여야 할 것이 확실히 인정되는 병원비는 상속세 과세가액에서 빼야 하지만 장례 후 제대비로서 납골에 관한 비용으로 보기 어려운 시주금은 장례비로 볼 수 없습니다(국세심판원 2005서4035, 2006.1.2.).

질의 **49제 사찰시주금은 장례비에 포함하나요?**

답변 피상속인의 장례일(3일장)로부터 7일이 경과한 후 '49제' 사찰시주금으로 지급한 금액은 장례일까지 직접 소요된 금액으로 볼 수 없어 공제대상이 되는 장례비용에 해당하지 않습니다(감사원심사 2003-25, 2003.3.25.).

질의 **묘지구입비 (공원묘지사용료 포함) 및 묘지치장, 비석, 상석 등 제반비는 장례비에 포함하나요?**

답변 묘지구입비 (공원묘지사용료 포함) 및 묘지치장, 비석, 상석 등 제반비용과 도로개설 분묘조성비는 공제대상이 되는 장례비에 해당하지 않습니다(국심사상속 98-230, 1999.2.5.).

3 상속재산가액에서 빼는 채무의 범위

상속인이 피상속인의 재산을 상속받게 되면, 피상속인의 그 재산에 관한 권리와 의무를 포괄적으로 승계하므로 채무도 함께 승계하게 된다.

이 경우 상속재산가액에서 빼는 채무는 명칭 여하에 불구하고 상속개시 당시 확정된 피상속인의 채무로서 공과금을 제외하고 상속인이 실제로 부담하는 사실이 입증되는 모든 부채를 말한다. 다만, 상속개시일 전 10년 이내에 피상속인이 상속인에게 진 증여채무와 상속개시일 전 5년 이내에 상속인 외의 자에게 진 증여채무는 제외한다.

상속재산에서 공제할 사실이 입증되는 다음의 채무가 존재하고 그 금액이 얼마인지에 대한 주장에 대한 입증책임은 납세의무자가 진다.

① 국가・지방자치단체 및 금융회사 등에 대한 채무는 해당기관에 대한

채무임을 확인할 수 있는 서류

② 그 밖의 채무는 채무부담계약서, 채권자확인서, 담보설정 및 이자지급에 관한 증빙 등에 의하여 그 사실을 확인할 수 있는 서류

질의 **상속재산을 환원하기 위하여 지출된 소송비용등은 채무로 보나요?**

답변 상속재산을 환원하기 위하여 지출된 소송비용 및 상속재산에 설정된 근저당 채무액을 상속재산을 양도한 자금으로 상환하였다 하여 근저당 채무상환액은 상속재산가액에서 뺄 수 없습니다.

질의 **차용증 등 증빙서류가 없어도 금전상당액을 상환한 것이 확인된 경우 채무상환금액으로 보나요?**

답변 금전소비대차약정서와 차용증 등 구체적인 증빙서류로 입증되지 않더라도 피상속인에게 금전을 대여하고 상속개시 전 피상속인이 대여받은 금전상당액을 상환한 것이 확인되는 경우에는 채무상환금액으로 볼 수 있습니다(국심사상속 2015-13, 2015.8.28.).

질의 **피상속인이 타인명의로 대출받았으나 사실상의 채무자가 피상속인인 경우 채무로 인정받을 수 있나요?**

답변 피상속인이 타인명의로 대출받았으나 사실상의 채무자가 피상속인임이 확인되는 경우 채무로 인정받을 수 있습니다(서면상속증여-2097, 2015.11.3.).

질의 **병원치료비는 채무로 보나요?**

답변 상속개시일 현재 미지급 병원치료비는 채무에 해당합니다(재삼 46014-274, 1994.1.29.).

■ 피상속인이 연대채무(보증채무)자인 경우에도 채무로 인정되나요?

피상속인이 연대채무자인 경우 상속재산가액에서 빼는 채무액은 원칙적으로 피상속인의 부담분에 상당하는 금액에 한하여 빼는 것이다.

또한 피상속인 외 연대채무자가 변제불능의 상태가 되어 피상속인이 변제불능자의 부담분까지 부담하게 된 경우로서 해당 부담분에 대하여

상속인이 구상권 행사에 의해 변제받을 수 없다고 인정되는 경우에는 채무로서 상속재산가액에서 뺄 수 있다(상속세 및 증여세법 집행기준 14-9-7).

■ 직계존비속 간 부담부증여 시 인수한 사실상의 채무도 상속재산가액에서 빼는 채무에 포함하나요?

직계존비속 간의 부담부증여 시 인수할 채무가 증여자가 아닌 수증자 명의로 되어 있는 경우 그 채무가 사실상 증여자의 채무임이 명백히 확인되고 수증자가 그 채무를 인수한 사실이 객관적으로 입증되는 경우에 한정하여 그 채무액을 증여재산가액에서 뺀다(재산세과-381, 2012.10.18.).

상속세의 단계별 계산과정은 어떻게 산정하나요?

상속세계산 구조상 상속재산에 어떤 것이 있는지, 공과금·장례비용이 빠짐이 없는지, 상속재산에 채무가 얼마나 포함하고 있는지, 상속공제는 어느 것이 있으며 적절히 공제하는지 등을 파악하기 위해 상속세의 납부할 세액의 계산과정을 살펴보면 다음과 같다.

상속재산 = 본래의 상속재산 + 간주상속재산 + 추정 및 합산대상상속재산
상속세 과세가액 = 비과세재산 − 상속세 과세가액 불산입재산 − ① 공과금 ② 장례비용 ③ 채무 + 사전증여재산가액
상속세 과세표준 = 상속세 과세가액 − 상속공제 − 감정평가수수료
상속세 산출세액 = 상속세 과세표준 × 세율
상속세 납부할 세액 = 상속세 산출세액 + 세대를 건너뛴 상속에 대한 할증과세 − 세액공제 등

16

상속세 기초공제는 얼마인가요?

상속공제는 상속인의 인적사항과 상속재산의 물적사항 등을 고려하여 상속세 과세가액에서 다음의 상속공제를 공제하는 것이며, 해당 상속공제액은 공제한도액 내에서만 인정한다.

① 기초공제와 가업상속공제 및 영농상속공제

② 배우자공제

③ 그 밖의 인적공제(자녀공제, 미성년자공제, 연로자공제, 장애인공제)

④ 일괄공제

⑤ 금융상속공제

⑥ 동거주택 상속공제 등

보충설명

선 순위 상속인의 상속재산 포기로 인하여 후 순위 상속인이 상속재산을 상속받은 경우 상속재산공제는 적용할 수 없다(조세심판원 2008서3760, 2009.6.30.).

상속세 기초공제란?

상속세 기초공제는 상속세 과세가액에서 피상속인별로 공제되는 일괄금액으로서 거주자 또는 비거주자의 사망으로 상속이 개시되는 경우에는 상속세 과세가액에서 2억원을 공제한다(상속세 및 증여세법 §18①).

보충설명

피상속인이 비거주자인 경우 기초공제는 2억원을 공제하지만 그 외의 상속공제는 적용받을 수 없다.

가업상속공제와 영농상속공제는 누구에게 적용하나요?

❶ 가업상속공제란?

가업상속공제란, 피상속인이 기업을 경영한 사업에 대하여 상속인의 요건 및 가업의 범위를 충족한 경우에는 그 가업을 상속받은 상속인이 상속세 과세가액에서 다음의 가업상속재산가액을 공제받도록 함으로써 원활한 가업승계를 지원하기 위해 마련된 제도이다. 다만, 동일한 상속재산에 대해서는 가업상속공제와 영농상속공제를 동시에 적용하지 아니한다(상속세 및 증여세법 §18②).

① 10년 이상 20년 미만인 경우에는 200억원
② 20년 이상 30년 미만인 경우에는 300억원
③ 30년 이상인 경우에는 500억원

가업상속공제 가업은 어떤 요건을 갖추어야 하나요?

가업상속공제 대상이 되는 가업[중소기업 또는 중견기업(상속이 개시되는 소득세 과세기간 또는 법인세 사업연도의 직전 3개 소득세 과세기간 또는 법인세 사업연도의 매출액의 평균금액이 3천억원 이상인 기업은 제외함)으로서 피상속인이 10년 이상 계속하여 경영한 기업을 말한다]은 다음의 기업을 말한다.

① 중소기업 : 상속개시일이 속하는 소득세 과세기간 또는 법인세 사업연도의 직전 소득세 과세기간 또는 법인세 사업연도 말 현재 다음의 요건을 모두 갖춘 기업을 말한다.

㉮ 「상속세 및 증여세법 시행령」 별표에 따른 업종을 주된 사업으로 영위할 것

㉯ 다음의 요건을 충족할 것

㉠ 매출액이 업종별로 「중소기업기본법 시행령」 별표 1에 따른 규모 기준 이내일 것

㉡ 실질적인 독립성이 「중소기업기본법 시행령」 제3조 제1항 제2호에 적합할 것

㉰ 자산총액이 5천억원 미만일 것

② 중견기업 : 상속개시일이 속하는 소득세 과세기간 또는 법인세 사업연도의 직전 소득세 과세기간 또는 법인세 사업연도 말 현재 다음의 요건을 모두 갖춘 기업을 말한다.

㉮ 「상속세 및 증여세법 시행령」 별표에 따른 업종을 주된 사업으로 영위할 것

㉯ 다음의 요건을 충족할 것

㉠ 중소기업이 아닐 것

㉡ 소유와 경영의 실질적인 독립성이 「중견기업 성장촉진 및 경쟁력 강화에 관한 특별법 시행령」 제2조 제2항 제1호에 적합할 것

㉰ 상속개시일의 직전 3개 소득세 과세기간 또는 법인세 사업연도의 매출액(기업회계기준에 따라 작성한 손익계산서상의 매출액을 말한다)

질의 **피상속인이 사업장을 이전하여 같은 업종의 사업을 계속하여 영위하는 경우 사업영위 기간에 포함하나요?**

답변 피상속인이 10년 이상 계속하여 영위한 사업의 판정시 피상속인이 사업장을 이전하여 같은 업종의 사업을 계속하여 영위하는 경우에는 종전 사업장에서의 사업영위 기간을 포함하여 계산합니다(상속세 및 증여세법 기본통칙 18-15-1②).

■ 피상속인은 어떤 요건을 갖추어야 하나요?

피상속인은 다음의 요건을 모두 갖춘 경우 가업상속공제를 적용한다.

① 피상속인이 상속개시일 현재 거주자일 것

② 법인 가업은 최대주주 등으로서 지분을 50%(상장법인은 30%) 이상을 10년 이상 계속하여 보유하는 경우에 한한다.

■ 상속인은 어떤 요건을 갖추어야 하나요?

상속인은 다음의 요건을 모두 갖춘 경우 가업상속공제를 적용한다.

① 상속개시일 현재 18세 이상일 것

② 상속개시일 전 2년 이상 직접 가업에 종사할 것. 다만, 피상속인이 65세 이전에 사망한 경우 등에는 2년 이상 직접 가업 요건을 갖추지 않아도 된다.

질의 **상속인이 중도에 퇴사한 후 재입사한 경우 종사기간은 어떻게 계산하나요?**

답변 상속인이 직접 가업에 종사한 기간의 판정 시 상속인이 가업에 종사하다가 중도에 퇴사한 후 다시 입사한 경우 재입사 전 가업에 종사한 기간은 포함하지 아니한다. 다만, 그 가업에 종사할 수 없는 부득이한 사유가 있는 경우에는 그러하지 아니합니다(상속세 및 증여세법 기본통칙 18-15-1①).

가업상속공제 받은 후 사후관리를 위반하면 공제받은 세금을 추징하게 되고 가산세가 부과된다

납세지 관할 세무서장은 가업상속공제의 적정 여부와 사후관리 사항의 해당 여부를 매년 관리하고 다음의 위반사항이 발생 시에는 당초 공제한 금액을 상속개시 당시의 상속세 과세가액에 산입하여 상속세를 부과하여야 한다.

① 가업상속공제를 받은 해당 가업용 자산의 20%(상속개시일부터 5년 이내는 10%) 이상을 처분한 경우
② 가업상속공제를 받은 해당 상속인이 대표이사 등으로 종사하지 아니한 경우
③ 가업상속공제를 받은 해당 가업의 주된 업종을 변경하는 경우
④ 가업상속공제를 받은 해당 가업을 1년 이상 휴업(실적이 없는 경우를 포함)하거나 폐업하는 경우

그러나 정당한 사유로 직접 가업 또는 영농에 종사하지 못하게 된 기간은 제외한다. 이 경우 사후관리 위반으로 상속세가 추징되는 경우에는 신고 및 납부불성실가산세는 적용하지 아니한다(징세과-1184, 2010. 10.29.).

질의 **법인전환의 경우 개인사업자로서 가업을 영위한 기간을 포함하나요?**

답변 개인사업자로서 영위하던 가업을 동일업종의 법인으로 전환하여 피상속인이 법인 설립일 이후 계속하여 그 법인의 최대주주 등에 해당하는 경우에는 개인사업자로서 가업을 영위한 기간을 포함합니다(상속세 및 증여세법 기본통칙 18-15-1①).

2 영농상속공제란?

영농상속공제는 피상속인 및 상속인(상속개시일 현재 18세 이상) 모두 상속개시 2년 전부터 직접 영농에 종사하면서 농지, 초지, 산림지, 농업·임업·축산업 또는 어업용으로 설치하는 창고 등, 영농법인 주식 등을 상속받는 경우 15억원을 한도로 공제한다(상속세 및 증여세법 §18②).

영농상속공제는 어떤 요건을 갖추어야 하나요?

영농상속공제는 피상속인이 다음의 요건을 갖춘 경우에만 적용한다.

① 상속개시일 2년 전부터 계속하여 직접 영농에 종사할 것. 다만, 상속개시일 2년 전부터 직접 영농에 종사한 경우로서 상속개시일부터 소급하여 2년에 해당하는 날부터 상속개시일까지의 기간 중 질병의 요양으로 직접 영농에 종사하지 못한 기간 등은 직접 영농에 종사한 기간으로 본다.

② 농지·초지·산림지(농지등을 말함)가 소재하는 시(제주행정시를 포함)·군·구(자치구를 말함), 그와 연접한 시·군·구 또는 해당 농지등으로부터 직선거리 30km 이내(산림지는 통상적 직영할 수 있는 지역을 포함) 거주하거나 어선의 선적지 또는 어장에 가장 가까운 연안의 시·군·구, 그와 연접한 시·군·구 또는 해당 선적지나 연안으로부터 직선거리 30km 이내에 거주할 것

사전 증여한 농지에 대하여 영농상속공제가 적용되나요?

상속개시일 전 상속인에게 증여한 농지 등으로서 상속재산가액에 포함되는 경우에는 당해 농지 등은 영농상속공제를 적용받을 수 없다(상속세 및 증여세법 집행기준 18-16-7).

■ 영농상속공제 후 상속받은 재산을 5년 이내에 처분하면 세금이 추징된다

영농상속공제를 받은 상속인이 상속개시일부터 5년(정당한 사유가 있는 기간은 제외) 이내에 정당한 사유없이 영농에 사용하는 상속재산을 처분하거나 영농에 종사하지 아니하게 된 경우에는 공제받은 금액을 상속개시 당시의 상속세 과세가액에 산입하여 상속세를 부과한다(상속세 및 증여세법 집행기준 18-16-10).

그러나 정당한 사유란, 다음의 경우를 말한다(상속세 및 증여세법 집행기준 18-16-19).

① 영농상속 받은 상속인이 사망한 경우
② 영농상속 받은 상속인이 「해외이주법」에 따라 해외이주하는 경우
③ 영농상속재산이 법률에 따라 수용되거나 협의매수된 경우
④ 영농상속재산을 국가 등에 양도하거나 증여하는 경우
⑤ 영농상 필요에 따라 농지를 교환·분합 또는 대토하는 경우
⑥ 상속인이 병역의무의 이행, 질병의 요양, 취학상 형편 등으로 농업·축산업·임업 및 어업에 직접 종사할 수 없는 사유가 있는 경우. 단, 영농상속 받은 재산을 처분하거나 그 부득이한 사유가 종료된 후 영농에 종사하지 아니하는 경우는 제외

18

배우자상속공제는 어떻게 적용하나요?

거주자의 사망으로 상속개시일 현재 배우자가 있는 경우에는 상속받은 재산에 대하여 배우자상속공제를 적용한다(상속세 및 증여세법 §19).

배우자가 상속포기 등으로 상속받지 아니한 경우에도 상속공제를 받을 수 있으나 상속공제 한도를 적용받는다.

배우자상속공제액

배우자상속공제액 = Max〔Min(①과 ② 중), 5억원 중〕

① 배우자상속공제액은 배우자가 실제 상속받은 금액

② 공제한도액 : Min(㉮와 ㉯ 중)

㉮ (상속재산가액×배우자상속분) - (합산대상증여재산 중 배우자가 증여받은 재산의 과세표준)

㉯ 30억원

그러나 상속세과세표준 의무신고이거나, 배우자가 상속재산이 없어 상속받은 금액이 5억원 미만인 경우(재산-181, 2011.4.7.)와 배우자가 실제 상속받은 금액이 없는 경우에도(재산-181, 2011.4.7.) 5억원을 공제한다.

또한 상속개시 당시 피상속인에게 배우자가 있으면 재산을 상속받지 못했어도 배우자상속공제가 가능하다(재삼 46014-141, 1994.1.14.).

보충설명

배우자가 단독상속을 한 경우 상속세를 무신고 하였다 하여 실제 상속받은 금액을 고려하지 않고 배우자상속공제 5억원을 적용하여 과세한 처분은 부당하다(조세심판원 2008광1865, 2008.12.17.).

질의 **배우자가 상속개시 전에 증여받은 재산이 있는 경우**

답변 배우자상속공제액을 계산할 때 배우자가 상속개시 전에 증여받은 재산은 배우자가 실제 상속받은 금액에 포함하지 아니합니다(상속증여-220, 2013.6.17.).

배우자가 실제 상속받은 금액에 대한 배우자상속공제액의 범위

배우자가 상속받은 재산을 분할하여 기한 내 신고한 경우 배우자상속공제액 한도액은 다음에 따른다.

배우자상속공제액 = Min(배우자가 실제 상속받은 금액, 배우자상속공제한도액)

배우자상속공제한도액 = Min(①, ②)

① (상속재산의 가액 × 배우자의 법정상속지분) − (상속재산에 가산한 증여재산 중 배우자에게 증여한 재산의 과세표준)

② 30억원

그리고 "배우자가 실제 상속받은 금액"은 배우자가 상속받은 상속재산가액(사전증여재산가액 및 추정상속재산가액 제외)에서 다음의 금액을 뺀 금액으로 한다(상속세 및 증여세법 집행기준 19-17-1).

- 배우자가 승계하기로 한 공과금 및 채무액
- 배우자 상속재산 중 비과세 재산가액
- 배우자 상속재산 중 과세가액불산입액

배우자가 실제 상속받은 금액

배우자 상속공제 적용대상 배우자의 범위

배우자 상속공제 적용대상 배우자는 「민법」상 혼인으로 인정되는 혼인 관계에 의한 배우자를 말하며, 「민법」상 혼인은 「가족관계등록법」에 따라 혼인신고를 함으로써 성립되므로 사실혼 관계에 있는 배우자는 상속공제의 대상이 아니다(상속세 및 증여세법 집행기준 19-17-3).

보충설명

피상속인의 사망 당시 민법상 혼인 관계가 유효하지 않으면 경제적 실질이 혼인 관계이더라도 배우자상속공제의 적용대상이 아니므로 배우자상속공제를 적용하지 않는다(서울행법 2011구합563, 2011.5.27.).

배우자의 상속재산 분할기한은 언제까지 하나요?

배우자상속공제를 적용받기 위한 경우 배우자상속재산 분할기한은 상속세 과세표준 신고기한의 다음 날부터 9개월이 되는 날(배우자상속재산 분할기한)까지 배우자의 상속재산을 분할(등기·등록·명의개서 등을 요하는 재산의 경우에는 그 등기·등록·명의개서 등이 된 것에 한정함)한 경우에 적용한다(상속세 및 증여세법 집행기준 19-17-4).

만일 부득이한 사유로 배우자상속재산 분할기한까지 배우자의 상속재산을 분할할 수 없는 경우로서 배우자상속재산 분할기한[부득이한 사유가 소의 제기나 심판청구로 인한 경우에는 소송(상속인등이 상속재산에 대하여 상속회복청구의 소를 제기하거나 상속재산 분할의 심판을 청구한 경우를 말함) 또는 심판청구가 종료된 날]의 다음날부터 9개월이 되는 날(배우자상속재산 분할기한의 다음날부터 9개월이 지나 과세표준과 세액의 결정이 있는 경우에는 그 결정일을 말함)까지 상속재산을 분할하여 신고하는 경우에는 배우자상속재산 분할기한까지 분할한 것으로 본다.

이 경우 상속인이 그 부득이한 사유에 따라 배우자상속재산 분할기한까지 납세지 관할 세무서장에게 신고하는 경우에 한정한다.

19

인적공제, 일괄공제, 금융재산상속공제는 어떻게 적용하나요?

거주자의 사망으로 인하여 상속이 개시되는 경우 상속세 과세가액에서 상속인 및 동거가족에 대하여 공제한다. 만일, 그 밖의 인적공제 대상인 상속인이 상속포기 등으로 상속을 받지 아니하는 경우에도 상속공제를 적용한다.

공제대상인 동거가족은 상속개시일 현재 피상속인이 사실상 부양하고 있는 직계존비속(배우자의 직계존속 포함) 및 형제자매를 말한다(상속세 및 증여세법 §20).

동거가족이란, 상속개시일 현재 피상속인의 재산으로 생계를 유지하는 직계존비속(배우자의 직계존속 포함) 및 형제자매를 말한다(상속세 및 증여세법 집행기준 20-18-1).

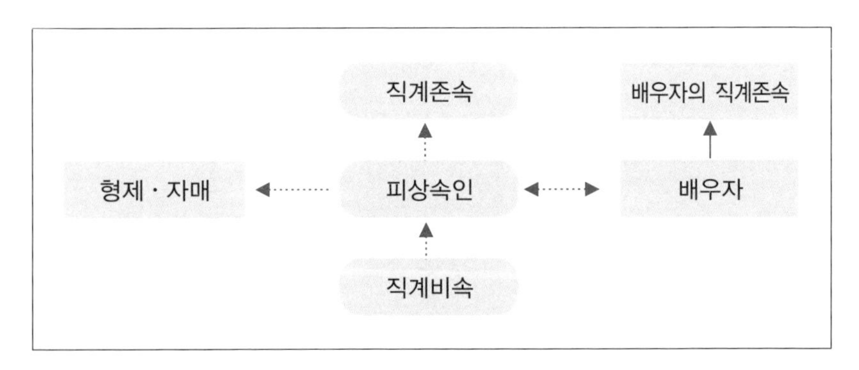

1 인적공제

인적공제는 피상속인이 거주자인 경우에만 적용하며, 인적공제 대상자가 상속의 포기 등으로 상속을 받지 아니한 경우에도 적용한다.

자녀공제

자녀공제는 자녀 1인당 5천만원을 공제한다. 이 경우 나이나 동거여부와는 무관하며, 인원의 제한도 없다.

자녀는 친생자뿐만 아니라 법률상 자녀 양친자도 자녀공제를 받을 수 있다. 그러나 계모자관계, 적모서자관계는 자녀공제를 받을 수 없다.

자녀공제 = 자녀수 × 1인당 5천만원

미성년자공제

미성년자공제는 배우자를 제외한 상속인과 상속개시 당시 피상속인과 동거하던 가족 중 19세 미만인 사람에 대해서는 1천만원에 20세에 달하기까지의 연수를 곱하여 계산한 금액을 공제한다.

미성년자공제 = 미성년자수 × 1천만원 × 19세까지 잔여수(자녀공제와 중복가능)

보충설명

만 20세 미만인 사람은 혼인을 했더라도 미성년자로 본다(국세심판원 2001전 2217, 2001.10.19.).

질의 태아의 인적공제 여부?

답변 태아는 상속인의 지위에는 있으나 자연인에 해당하지 아니하므로 자녀공제 및 미성년자 공제를 받을 수 없습니다(상속세 및 증여세법 집행기준 20-18-2).

보충설명

그러나 태아는 민법상 상속에 있어서는 이미 출산한 것으로 보므로 자연인과 같이 상속세 납세의무가 될 수 있다. 다만, 사체로 출산되면 상속 능력이 없다(민법 §1000③).

질의 손자의 인적공제 여부?

답변 손자가 피상속인의 재산으로 생계를 유지하는 경우에는 인적공제 대상이나, 그의 부모가 부양능력이 있는 경우에는 인적공제를 받을 수 없습니다(상속세 및 증여세법 집행기준 20-18-3).

질의 대습상속인의 인적공제 여부?

답변 상속인이 될 자가 상속개시 전 사망 또는 결격 등의 사유로 대습상속 되는 경우 피상속인이 대습상속인(상속인의 직계비속)을 사실상 부양하고 있었다면 그 대습상속인에 대하여 미성년자공제는 받을 수 있으나 자녀공제는 받을 수 없습니다(상속세 및 증여세법 집행기준 20-18-7).

연로자공제

연로자공제는 배우자를 제외한 상속인과 상속개시 당시 피상속인과 동거하던 가족 중 65세 이상인 사람에 대해서는 1인당 5천만원을 공제한다.

주민등록상 동거하지 않더라도 피상속인이 사실상 동거부양한 어머니는 연로자공제를 받을 수 있다.

연로자공제 = 연로자수 × 1인당 5천만원

장애자공제

장애자공제는 배우자를 포함한 상속인과 상속개시 당시 피상속인과 동거하던 가족 중 장애자에 대해서는 1천만원에 통계청의 기대여명의 연수(소수점 이하는 버린다)를 곱하여 계산한 금액을 공제한다.

장애자공제 = 장애인수 × 1인당 5천만원

그 밖의 인적공제의 중복공제는 어떻게 적용하나요?

그 밖의 인적공제의 중복공제는 다음에 따른다.

① 자녀공제와 미성년자공제는 중복공제 가능하다.

② 장애자공제와 다른 인적공제(자녀공제, 미성년자공제, 연로자공제)는 중복공제 가능하다. 즉, 자녀공제에 해당하는 자가 미성년자공제에 해당하는 경우 각자 그 공제금액을 합산하여 공제하며, 장애인공제에 해당하는 자가 자녀공제, 미성년자공제, 연로자공제 및 배우자공제에 해당하는 경우 각각 그 공제금액을 합산하여 공제한다.

③ 자녀공제와 연로자공제는 중복공제가 불가하다(서면4팀-2934, 2007.10.12.).

④ 가업상속공제와 배우자상속공제는 중복공제가 불가하다(법규재산 2013-65, 2013.3.29.).

위 인적공제 중복공제 여부 내용을 요약하면 다음의 표와 같다(상속세 및 증여세법 집행기준 20-18-8).

인적공제	배우자	자녀	미성년자	연로자	장애인
배우자					○
자			○	선택	○
미성년자		○			○
연로자		선택			○
장애인	○	○	○	○	

질의 **상속재산 전부를 상속인 1인에게 유증하거나 상속인 이외의 자에게 유증하는 경우 인적공제는 어떻게 적용하나요?**

답변 피상속인이 상속재산 전부를 상속인 1인에게 유증한 경우에는 인적공제를 받을 수 있으나, 상속재산 전부를 상속인 이외의 자에게 유증한 경우, 그 상속재산가액에 대하여는 인적공제를 받을 수 없습니다(재삼 46014-2589, 1993.8.23.).

2 일괄공제란?

거주자의 사망으로 인하여 상속이 개시되는 경우에는 상속인이나 수유자는 다음의 "① 과 ②" 중 큰 금액을 일괄공제받을 수 있다.

다만, 상속세 법정신고기한 내 신고하지 않은 경우에는 일괄공제 5억원을 공제하고, 기초공제와 그 밖의 인적공제는 적용하지 아니한다(상속세 및 증여세법 §21).

① 기초공제(2억원) + 그 밖의 인적공제(자녀공제 + 미성년자공제 + 연로자공제 + 장애인공제)

② 일괄공제액(5억원)

배우자가 단독 상속받는 경우 배우자상속공제 여부

피상속인의 배우자가 단독(피상속인의 상속인이 그 배우자 단독인 경우를 말함)으로 상속받은 경우에는 상속세 신고여부와 관계없이 일괄공제(5억원)를 적용할 수 없다.

보충설명

피상속인의 직계존속이 결격 상속인에 해당되어 피상속인의 형제자매가 상속인이 되는 경우에는 일괄공제를 적용받을 수 있다(재산-131, 2012.3.28.).

질의 **계모(피상속인)의 재산 전부를 본인과 본인의 자식이 유증으로 상속받은 경우 일괄공제가 가능하나요?**

답변 피상속인인 계모가 상속재산 전부를 남편 전처의 자녀 등 상속인이 아닌 자에게 유증한 경우 해당 재산에 대하여는 상속공제한도 규정에 따라 상속공제가 적용되지 않습니다(재산-313, 2012.9.6.).

3 금융재산상속공제란?

상속재산 중에 금융기관이 취급하는 예금 · 적금 · 금전신탁 · 보험금 · 출자금 등 금융자산이 포함되어 있는 경우에는 다음의 순금융재산가액에 따라 금융재산상속공제를 적용한다(상속세 및 증여세법 §22).

순금융재산가액	금융재산상속공제
2천만원 이하	당해 순금융재산가액
2천만원 초과 1억원 이하	2천만원
1억원 초과	순금융재산가액 × 20%(2억원 한도)

순금융재산가액이란, 금융재산가액에서 금융부채를 뺀 금액을 말하며, 금융채무는 금융기관에 대한 채무를 말한다(상속세 및 증여세법 집행기준 22-19-5).

질의 「근로자퇴직급여 보장법」에 따른 퇴직연금은 금융상속공제가 적용되나요?

답변 상속개시 후 지급받은 「근로자퇴직급여 보장법」에 따른 퇴직연금은 금융상속공제를 적용하지 않습니다(상속증여-615, 2013.12.10.).

질의 증여한 양도성예금증서인 경우에는 금융재산상속공제 되나요?

답변 증여한 재산이 금융재산인 양도성예금증서인 경우에는 금융재산상속공제를 적용하지 않습니다(서면4팀-542, 2008.3.4.).

4 동거주택상속공제란?

거주자의 사망으로 상속이 개시되는 경우로서 다음의 요건을 모두 갖춘 경우에는 상속주택가액(1세대 1주택 부수토지의 가액을 포함하되, 상속개시일 현재 해당 주택 및 주택에 부수되는 토지에 담보된 피상속인의 채무액을 뺀 가액을 말한다)의 100%에 상당하는 금액(6억원 한도)을 상속세 과세가액에서 공제한다(상속세 및 증여세법 §23의2).

① 피상속인과 상속인(직계비속인 경우로 한정함)이 상속개시일부터 소급하여 10년 이상(상속인이 미성년자인 기간은 제외함) 계속하여 하나의 주택에서 동거할 것. 이 경우 무허가주택도 가능하다(재산-163, 2012.4.27.).

② 피상속인과 상속인이 동거주택 판정기간에 계속하여 1세대를 구성하면서 1세대 1주택에 해당할 것

③ 상속개시일 현재 무주택자이거나 피상속인과 공동으로 1세대 1주택을 보유한 자로서 피상속인과 동거한 상속인이 상속받은 주택일 것

■ 부득이한 사유로 동거하지 못한 경우에도 동거기간에 포함하는 경우

다음의 부득이한 사유로 동거하지 못한 경우에는 계속하여 동거한 것

으로 보되 동거기간에는 산입하지 아니한다.

① 징집
② 학교에 취학(유치원, 초등학교, 중학교는 제외)
③ 직장변경, 전근 등 근무상의 형편
④ 1년 이상 치료나 요양을 필요로 하는 질병치료 또는 요양

■ 오피스텔을 10년 이상 사실상 주거용으로 사용한 경우 동거주택상속공제가 적용되나요?

공부상 오피스텔이라고 하더라도 10년 이상 사실상 주거용으로 사용하던 주택임이 확인되는 경우에는 동거주택상속공제 대상이 된다(법규재산 2013-411, 2013.10.31.).

질의 **피상속인이 상속개시일 현재 일시적 2주택인 경우 동거주택상속공제가 적용되나요?**

답변 상속개시일 현재 일시적으로 2주택인 경우 동거주택상속공제는 상속개시일 현재 피상속인과 직계비속인 상속인이 동거하는 주택에 대해서 적용합니다(재재산-306, 2016.5.2.).

질의 **상속개시 당시 피상속인이 보유한 재개발조합원 입주권이 상속 후 준공된 경우 동거주택상속공제가 가능하나요?**

답변 피상속인이 1세대 1주택 요건을 충족한 주택의 멸실로 인해 취득한 조합원입주권 이외에 상속개시일 현재 다른 주택이 없는 경우에는 1세대 1주택 비과세 요건을 충족한 것으로 보아 동거주택상속공제를 적용합니다(재산-237, 2012.6.25.).

질의 **동거주택상속공제 적용 시 주택 보유기간은 어떻게 하나요?**

답변 동거주택상속공제 적용 시 상속에 의하여 취득한 주택의 보유기간 산정은 그 상속이 개시된 날부터 기산합니다(재재산-488, 2012.6.1.).

질의 **주택은 배우자가 상속받고, 주택에 부수되는 토지는 피상속인과 동거한 직계비속이 상속받는 경우 동거주택상속공제가 적용되나요?**

답변 피상속인은 주택과 주택의 부수토지 일부를 소유하고, 주택은 배우자가 상속받고, 주택에 딸린 토지는 피상속인과 동거한 직계비속 상속인이 상속받은 경우 동거주택상속공제를 적용하지 아니합니다(서면상속증여-2072, 2015.11.3.).

질의 **부의 사망으로 모가 상속받은 주택을 모가 사망함에 따라 자가 재차 상속받는 경우 동거주택상속공제가 적용되나요?**

답변 부의 사망으로 모가 상속받은 주택을 모가 사망함에 따라 자가 재차 상속받는 경우로서 모가 주택을 보유한 기간이 10년에 미달하는 경우 자는 동거주택상속공제 적용받을 수 없습니다(서면법규-287, 2013.3.14.).

질의 **상속인이 피상속인과 공동상속주택의 지분을 보유하고 있는 경우 동거주택상속공제가 적용되나요?**

답변 상속인이 피상속인과 공동상속주택의 지분을 보유하고 있는 경우 동거주택상속공제를 적용하지 않습니다(서면상속증여-3649, 2019.2.25.).

5 상속공제액의 한도액

거주자의 사망으로 인해 상속이 개시되는 경우 기초공제·배우자공제·그 밖의 인적공제, 일괄공제, 금융재산상속공제 및 동거주택상속공제 등은 상속세 과세가액에서 다음의 가액을 뺀 금액을 한도로 한다(상속세 및 증여세법 §24).

① 선 순위인 상속인이 아닌 자에게 유증 등을 한 재산의 가액

② 선 순위인 상속인의 상속포기로 그 다음 순위의 상속인이 상속받은 재산의 가액

③ 상속세 과세가액에 가산한 증여재산가액(상속세 과세가액이 5억원 초과하는 경우에만 적용)

20

상속세를 납부하지 않아도 되는 과세최저한은 얼마인가요?

상속세는 사망인(피상속인)이 남긴 재산이 가족이나 친족 등에게 상속·유증·사인증여 등으로 무상 이전되는 경우 그 재산을 유산으로 물려받는 상속인에게 부과하는 조세이다.

이 경우 상속세를 계산하기 위한 상속세 과세표준은 상속인 각자가 상속받은 지분을 기준으로 계산하는 것이 아니라 피상속인의 유산 전체에 대하여 상속세 세율을 적용하여 과세하는 유산세 체계를 따르고 있다.

따라서 피상속인의 유산에 대한 상속인 각자의 상속지분이 지정지분, 법정지분, 협의분할에 관계없이 상속세 과세표준은 변함이 없으며, 해당 상속세 과세표준은 상속세 과세가액에서 다음의 금액을 뺀 금액으로 한다(상속세 및 증여세법 §25①).

① 상속공제액
② 상속재산의 감정평가 수수료(부동산의 경우 5백만원 한도)

상속세 과세최저한은 상속세 과세표준이 50만원 미만이면 상속세를 부과하지 아니한다(상속세 및 증여세법 §25①).

21

상속세 세율과 세대를 건너 뛴 경우 할증과세는 어떤 경우에 적용하나요?

상속세 산출세액은 상속세 과세표준(=상속세 과세가액-상속공제-감정평가수수료)에 세율을 적용하여 계산한 금액(할증과세 포함)을 말한다.

상속세 산출세액 = (상속세 과세표준 × 세율) + 할증과세

1 상속세 세율은 어떤 구조로 되어 있나요?

상속세 세율은 초과누진세율의 구조로 되어 있어서, 과세표준이 크면 클수록 높은 세율로 중과되는 다음과 같은 세율체계로 되어 있다.

상속세 과세표준	세율
과세표준이 1억원 이하	10%
과세표준이 1억원 초과 5억원 이하	1천만원 + (1억원 초과하는 금액의 20%)
과세표준이 5억원 초과 10억원 이하	9천만원 + (5억원 초과하는 금액의 30%)

상속세 과세표준	세율
과세표준이 10억원 초과 30억원 이하	2억4천만원 + (10억원 초과하는 금액의 40%)
과세표준이 30억원 초과	10억4천만원 + (30억원 초과하는 금액의 50%)

2 어떤 경우에 세대를 건너 뛴 할증과세(30% 또는 40%)를 적용하나요?

재산을 상속할 때 부득이 하여 세대를 건너 뛰어 유언상속을 하는 경우가 있다. 예컨대 할아버지(조부)의 자인 아버지가 아닌 손(본인)의 세대로 상속하게 된다면 상속세가 그 만큼 회피할 수 있으므로 이를 방지하기 위해 할증과세를 마련한 것이다.

상속인이나 수유자가 피상속인의 자녀를 제외한 직계비속인 경우에는 상속세 산출세액에 상속재산 중 그 상속인 또는 수유자가 받았거나 받을 재산이 차지하는 비율을 곱하여 계산한 금액에 30%(피상속인의 자녀를 제외한 직계비속이면서 미성년자가 받을 상속재산가액이 20억원을 초과하는 경우 : 40%)에 상당하는 금액을 가산한다.

세법에서는 상속인이나 수유자가 피상속인의 자녀를 제외한 직계비속인 경우에는 다음의 산식에서 계산한 할증과세금액을 가산한다(상속세 및 증여세법 집행기준 27-0-1).

그러나 아버지가 사망하여 손자가 할아버지로부터 상속받는 대습상속의 경우는 할증과세를 적용하지 아니한다(상속세 및 증여세법 집행기준 27-0-1①).

$$\text{할증과세금액} = \text{상속세 산출세액} \times \frac{\text{피상속인의 자녀를 제외한 직계비속이 상속받은 재산가액}}{\text{총상속 재산가액(상속인 또는 수유자가 받은 사전증여 재산가액)}} \times (30\% \text{ 또는 } 40\%)$$

보충설명

위 산식에서 세대를 건너 뛴 상속에 대한 할증과세 적용 시 상속재산은 상속세 과세가액 상당액을 말하며, 상속재산에 가산한 증여재산 중 상속인 또는 수유자가 아닌 자가 받은 증여재산은 상속세 과세가액에서 차감한다(서면상속증여-4779, 2016.9.20.).

상속포기의 경우 할증과세가 적용되나요?

상속포기에 따라 후 순위 상속인이 상속받게 되는 경우에는 대습상속이 아니므로 상속인이 피상속인의 자녀가 아닌 경우 할증과세 적용 대상이다(상속세 및 증여세법 집행기준 27-0-1②).

보충설명

세대를 건너 뛴 상속에 대한 할증과세 적용 시 직계존·비속의 범위에 외조부와 외손자의 관계가 포함된다(재재산 46014-177, 1996.4.18.).

질의 **조부의 상속재산에 대하여 등기를 하지 않은 상태에서 부가 사망하여 손자가 상속을 받는 경우 세금은 어떻게 과세하나요?**

답변 조부의 상속재산을 부가 등기하지 않은 상태에서 사망하여 손자가 상속하는 경우 세대를 건너 뛴 상속의 할증과세는 적용하지 아니하고 신고·납부지연가산세를 과세합니다(서면4팀-1048, 2004.7.8.).

상속세에 대한 신고세액공제 · 단기재상속세액공제는 어떻게 적용하나요?

1 신고세액공제

상속세 과세표준 신고기한 내에 상속세 신고서를 제출한 경우에는 산출세액에서 다음의 신고세액공제액을 공제하여 상속세를 납부한다(상속세 및 증여세법 §69①).

신고세액공제액
=(상속세 산출세액 + 세대생략 할증과세액 − 단기 재상속세액공제 등)×3%

보충설명

비거주의 경우에는 신고세액공제만 적용한다.

2 단기재상속세액공제

단기재상속에 대한 세액공제란, 상속개시 후 10년 이내에 재상속이 개시된 경우로서 재상속 전에 상속개시한 때 부과된 상속재산(상속재산에 가산하는 증여재산 중 상속인이나 수유자가 받은 증여재산 포함)이

재상속 개시로 인한 상속세 과세가액에 포함된 경우에는 그 중 상속 전의 상속세 중 일정금액을 공제하는 것을 말한다(상속세 및 증여세법 §30).

예컨대, 할아버지(조부)의 사망으로 아버지(부)가 상속받은 재산에 대하여 이미 상속세가 과세되었던 아버지 소유재산이 10년 이내에 사망으로 아들(자)에게 상속개시된 재산에 포함되어 있는 경우 다음에 따라 계산한 단기재상속공제액을 산출세액에서 공제한다.

$$\text{단기 재상속 공제액} = \text{재상속 전의 상속세 산출세액} \times \frac{\text{재상속분 재산가액} \times \dfrac{\text{재상속 전의 상속세 과세가액}}{\text{재상속 전의 상속재산가액}}}{\text{재상속 전의 상속세 과세가액}} \times \text{다음의 재상속액 기간별 공제액}$$

재상속 기간별	1년 이내	2년 이내	3년 이내	4년 이내	5년 이내	6년 이내	7년 이내	8년 이내	9년 이내	10년 이내
공제율	100%	90%	80%	70%	60%	50%	40%	30%	20%	10%

보충설명

단기재상속에 대한 세액공제액의 합계가 상속세 산출세액을 초과하는 경우 그 초과하는 부분은 이를 없는 것으로 한다(서일 46014-10996, 2002.7.31.).

23

상속세 신고 · 납부(분납 · 연부연납)와 제출할 서류는 어떤 것이 있나요?

상속세는 양도소득세와 같이 납세의무자가 관할 세무서에 신고하고 그 신고에 의하여 과세가액과 세액을 확정 짓는다.

1 상속세 신고기한

상속세 납부의무가 있는 상속인 또는 수유자는 상속개시일이 속하는 달의 말일부터 6개월 이내에 상속세 과세가액 및 과세표준신고와 관련 서류를 첨부하여 납세지 관할 세무서장에게 신고하여야 한다(상속세 및 증여세법 §67).

만일 상속세 신고기한 이내에 상속인이 확정되지 아니한 경우에도 위의 신고기한 이내에 상속세 신고를 하는 것이며, 이와 별도로 상속인이 확정된 날부터 30일 이내에 확정된 상속인의 상속관계를 기재하여 관할 세무서에 제출하여야 한다.

피상속인 또는 상속인이 외국에 주소를 둔 경우에는 상속개시일이 속하는 달의 말일부터 9개월 이내에 상속세의 과세가액 및 과세표준을 납세지 관할 세무서장에게 신고하여야 한다. 이때 상속인이 외국에 주소를 둔 경우란 상속인 전원이 외국에 주소를 둔 경우를 말한다(상속세 및 증여세법 기본통칙 67-0…1).

2 상속세 신고는 피상속인의 사망당시 주소지로 한다

상속세 신고서는 상속개시지(납세지)를 관할하는 세무서장에게 제출하여야 한다. 이 경우 상속개시지란, 피상속인의 사망당시의 주소지를 말한다.

만일, 소관 세무서장 외의 세무서장에게 제출된 경우에도 신고의 효력에는 영향이 없다(국세기본법 §43②).

보충설명

양도소득세의 납세의무자의 경우 신고는 원칙적으로 양도시점의 주소지 또는 거소지가 아니라 신고당시의 주소지이므로 상속세 신고와 다르다.

3 상속세를 신용카드로 납부할 수 있다

상속세 납세의무자가 신고하거나 과세관청이 결정 또는 경정하여 고지하는 세액 중 1천만원 이하는 국세납부대행기관(금융결제원)의 홈페이지 및 전국 세무관서에 설치된 신용카드 단말기로 납부할 수 있다.

4 분납 및 연부연납은 어떻게 납부하나요?

상속세 신고납부세액이 1천만원을 초과하는 경우 2개월 이내에 분납할 수 있으나 연부연납을 신청하는 경우에는 분납할 수 없다(상속세 및 증여세법 집행기준 70-66-2).

납부할 세액	분납세액
1천만원 초과 2천만원 이하	1천만원을 초과하는 금액
2천만원 초과	납부할 세액의 50% 이하 금액

■ 연부연납은 어떻게 하나요?

상속세는 일시납부가 원칙이나 납부할 세금이 부족한 경우에는 납부의 기한을 연장하여 납세자의 납세 부담을 이연시키는 제도이다. 납세지 관할 세무서장은 다음의 요건을 모두 충족하는 경우 납세자의 신청을 받아 연부연납을 허가할 수 있다.

① 상속세 납부세액이 2천만원을 초과할 것
② 상속세 과세표준 신고기한이나 결정통지에 의한 납세고지서 상의 납부기한까지 연부연납신청서를 제출할 것
③ 연부연납 신청세액에 상당하는 납세담보를 제공할 것

이 경우 상속세 또는 증여세의 연부연납의 허가를 받은 자는 연부연납가산금을 분납세액에 가산하여 납부(일반재산 : 허가받은 날부터 10년, 3년이 되는 날부터 7년, 가업상속재산 : 10년 또는 20년 등 이내)하여야 한다.

질의 **공동상속인 중 1인이 유류분반환 청구소송을 제기하여 유류분을 받게 되어 상속세를 납부하는 경우 공동상속인 전원의 동의 없이 단독으로 연부연납을 신청할 수 있나요?**

답변 공동상속인 중 1인이 유류분을 반환받아 상속세를 납부하는 경우에도 연부연납은 상속인 전부가 연부연납을 신청하는 경우에 한하여 적용받을 수 있습니다(재산-179, 2012.5.15.).

■ 물납은 어떻게 하나요?

세금은 현금납부를 원칙으로 하나 상속세의 경우 현금 납부가 어려운 경우에는 일정 요건을 갖추어 세무서장의 승인을 얻으면 상속받은 재산으로 납부할 수 있다.

5 상속세 신고 시 제출할 서류는 어떤 것이 있나요?

상속세 신고시 제출할 서류는 다음과 같다.

① 상속세 과세표준신고 및 자진납부계산서
② 상속재산명세서 및 그 평가명세서
③ 피상속인의 제적등본 및 상속인의 가족관계증명서 등
④ 공과금 · 장례비용 · 채무사실을 입증하는 서류
⑤ 상속재산을 감정평가 의뢰한 경우에 감정평가수수료 지급서류
⑥ 상속재산을 분할한 경우에 상속재산분할명세서, 그 평가명세서
⑦ 그 밖에 상속에 의하여 제출하는 서류

제 2 장

증여세

증여세와 관련한 용어를 알면 증여세가 쉽게 보인다

1 증여란?

「민법」에서 증여란, 당사자의 일방(증여자)이 자기의 재산을 무상으로 상대방에게 수여하는 의사를 표시하고 상대방(수증자)이 이를 승낙함으로써 효력이 발생한다고 규정되어 있다(민법 §554).

세법에서 증여란, 그 행위 또는 거래의 명칭·형식·목적 등에 불구하고 경제적 가치를 계산할 수 있는 유형·무형의 재산을 타인에게 직접 또는 간접적인 방법으로 무상으로 이전(현저히 낮은 대가를 받고 이전하는 경우 포함)하거나 타인의 재산가치를 증가시키는 것을 말한다. 다만, 유증과 사인증여는 제외한다.

사인증여란?

사인증여란, 증여자의 사망으로 인하여 효력이 생길 증여(상속개시일 전 10년 이내에 피상속인이 상속인에게 진 증여채무 및 상속개시일 전 5년 이내에 피상속인이 상속인이 아닌 자에게 진 증여채무의 이행 중에 증여자가 사망한 경우의 그 증여를 포함)를 말한다.

수유자란?

수유자(受遺者)란, 유증을 받은 자 또는 사인증여에 의하여 재산을 취득한 자를 말한다.

수증자란?

수증자(受贈者)란, 증여재산을 받은 거주자(본점이나 주된 사무소의 소재지가 국내에 있는 비영리법인을 포함) 또는 비거주자(본점이나 주된 사무소의 소재지가 외국에 있는 비영리법인을 포함)를 말한다.

2 증여세란?

증여세란, 증여를 과세원인으로 하여 무상으로 얻은 증여재산에 대하여 부과하는 세금을 말한다.

증여세를 부과처분하기 위해서는

첫째, 경제적 가치가 있는 유형・무형재산의 무상증여 행위가 있어야 하며

둘째, 그 무상증여에 의하여 수증자의 재산 가치의 증가가 있어야 하며

셋째, 재산가치 증가를 금액적으로 특정할 수 있어야 하며

넷째, 법정 세율이 규정되어 있어 구체적인 세액이 산출될 수 있어야 한다.

3 양도소득세와 증여세의 관계

부동산 등을 증여에 의하여 취득한 후 이를 양도하는 경우 해당 부동산 등의 양도차익 계산 시 취득가액은 증여일 현재 세법상 평가한 가액으로 한다. 이 경우 증여세 과세가액이 크면 양도차익이 적어지므로 양

도소득세가 줄어들게 되며, 이와 반대의 경우에는 양도소득세가 늘어나는 밀접한 관계가 있다.

예컨대, 양도자가 특수관계인에게 시가보다 낮은 가액으로 부동산을 양도한 때에는 양도가액을 시가로 하여 시가 미달액 만큼이 양도소득의 부당행위계산 부인이 적용되어 양도자에게 양도소득세가 과세된다(소득세법 §101①)는 규정이 있다.

이 경우 저가로 양수한 양수자는 시가 미달액 만큼이 상속세 및 증여세법 상 증여세가 부과되고 동 부동산을 양도시 증여세 과세가액이 취득가액이 되므로 양도자의 양도가액이 양수자의 취득가액과 같은 논리가 된다(국세심판원 97서2427, 1999.6.1.).

또한, 세법상 배우자 또는 직계존비속에게 양도한 부동산은 양도자가 그 부동산을 양도한 때에 증여한 것으로 추정한다(상속세 및 증여세법 §44①)는 규정이 있다.

이 규정에 따르면 배우자 또는 직계존비속간에게 부동산을 양도하고 그 대가를 실제로 지급받는 경우로서 유상이전 사실을 입증하는 경우에는 양도소득세가 과세되지만, 만일 그 대가를 수반하는 유상이전 사실을 입증하지 못하면 양수자는 증여받은 것으로 보아 증여세를 납부하는 상관관계가 있다.

4 상속세와 증여세의 비교

상속세는 피상속인이 거주자 또는 비거주자인지에 따라 과세범위가 다르지만 증여세는 수증자가 거주자인지 비거주자인지에 따라 과세범위가 달라진다.

상속세는 피상속인이 물려준 유산 총액을 기준으로 과세하지만 증여세는 증여받은 재산에 대해 10년 간 합산하여 과세한다.

증여세 납세의무자는 누구인가요?

증여세는 수증자(증여받은 사람)가 무상 취득한 재산을 과세대상으로 하고 있다.

이 경우 거주자는 국내・외에 소재한 모든 증여재산에 대하여 무제한 납세의무가 있으며, 비거주자의 경우에는 국내에 있는 증여재산에 대하여만 제한 납세의무가 있다.

1 거주자는 무제한 납세의무가 있다

증여세는 수증자가 무상 취득한 재산을 과세대상으로 하고 있는데, 수증자가 거주자인 경우에는 무제한 납세의무가 있으므로 증여로 취득한 재산의 소재가 국내・외인지를 불문하고 취득재산 전부에 대하여 납세의무가 있다(상속세 및 증여세법 §4의2①).

※ 거주자와 비거주자의 개념에 대해서는 제1편 "5. 양도소득세 납세의무자는 누구인가요?"(p.23 참조)

2 비거주자는 제한적 납세의무가 있다

비거주자가 재산을 증여받은 때에는 증여받은 재산 중 국내에 있는 모든 재산에 대하여 제한적 납세의무가 있다.

따라서 수증자가 증여일 현재 비거주자인 경우에는 국내에 있는 증여받은 재산에 대하여만 증여세를 납부할 의무가 있다(상속세 및 증여세법 §4의2①).

그러나 국외에 주소를 둔 자가 자기 소유재산을 국내로 반입하거나 동 재산으로 국내재산을 취득하는 경우 동 재산에 대하여는 증여세를 부과하지 아니한다(상속세 및 증여세법 기본통칙 31-0).

③ 증여자는 수증자의 증여세에 대하여 연대납부의무가 있다

증여자가 재산을 증여할 경우 수증자는 증여세를 납부하여야 한다.

그러나 수증자가 증여세를 납부하지 못하는 경우로서 다음의 사유가 발생한 경우에는 증여자도 증여세의 연대납부의무자가 된다(상속세 및 증여세법 §4의4⑤).

① 주소나 거소가 분명하지 아니한 경우로서 조세채권을 확보하기 곤란한 경우

② 증여세를 납부할 능력이 없다고 인정되는 경우로서 체납으로 인하여 체납처분을 하여도 조세채권을 확보하기 곤란한 경우

③ 증여받는 사람이 비거주자일 경우

연대납세의무자가 증여세를 대납하면 증여세가 부과되나요?

증여자가 증여세를 대납하면 추가 증여로 보기 때문에 증여세를 또 부담하게 되지만, 연대납세의무자로서 납부하는 증여세액은 수증자에 대한 증여로 보지 아니하므로(상속세 및 증여세법 기본통칙 36-0…1) 증여세가 부과되지 않는다.

질의 각자가 받았거나 받을 상속재산을 초과하여 대신 납부한 상속세액에 대하여는 어떤 세금이 과세되나요?

답변 상속인 또는 수유자는 상속재산 중 각자가 받았거나 받을 재산을 한도로 하여 상속세를 연대하여 납부할 의무가 있는 것이며, 각자가 받았거나 받을 상속재산을 초과하여 대신 납부한 상속세액에 대하여는 다른 상속인에게 증여한 것으로 보아 증여세가 과세됩니다(재산-2387, 2008.8.22.).

증여세 연대납세의무는 반드시 통지가 있어야 효력이 있다

증여자는 수증자의 증여세에 대하여 연대하여 납부할 의무가 있는 경우 세무서장은 그 사유를 증여자에게 통지하여야 하며, 증여자에게 증여세 납부통지를 하지 않거나 납부통지가 취소된 경우에는 증여세 연대납부의무가 성립되지 않아 결과적으로 납세고지의 효력이 발생되지 않는다(상속세 및 증여세법 집행기준 4-2의3-2).

4 특정의 수증자가 증여세를 납부할 능력이 없다고 인정되는 경우에는 증여세 납부의무가 면제된다

다음의 경우 증여세는 과세하지만 증여세를 납부할 능력이 없다고 인정되는 경우까지 증여세를 과세하는 것은 너무 가혹한 점이 있어 수증자가 증여세를 납부할 능력이 없다고 인정되면 그에 상당하는 증여세의 전부 또는 일부를 면제한다(상속세 및 증여세법 집행기준 4-0-3). 또한 증여자에게 연대납부의무도 없다.

① 저가·고가양도에 따른 이익의 증여

② 채무면제 등에 따른 증여

③ 부동산 무상사용에 따른 이익의 증여 등

증여세 신고는 어느 곳(관할 세무서)으로 하나요?

증여세 신고는 신고서 제출일 현재 수증자의 주소지를 관할하는 세무서장에게 제출하여야 한다. 만일, 증여세 신고를 관할 세무서가 아닌 다른 세무서장에게 신고한 경우에도 그 신고의 효력에는 영향이 없다(국세기본법 §43).

보충설명

증여세의 결정은 결정 당시의 증여세 과세 관할 세무서장 등이 결정한다. 증여세 과세표준과 세액을 결정 등을 하는 때에 그 납세지를 관할하는 세무서장 이외의 세무서장이 행한 결정 등의 처분은 그 효력이 없다.

다만, 수증자가 비거주자이거나 수증자의 주소가 분명하지 아니한 경우 등 다음에 해당하는 경우에는 증여자의 주소지를 관할하는 세무서장 등이 과세한다(상속세 및 증여세법 §6②).

① 수증자가 비거주자인 경우

② 수증자의 주소 및 거소가 분명하지 아니한 경우

③ 명의신탁 증여의제에 따라 재산을 증여한 것으로 보는 경우

증여재산은 어떤 것이 있나요?

일반적으로 증여세가 과세되는 증여재산은 타인의 증여(증여자의 사망으로 인하여 효력이 발생하는 사인증여는 제외)로 인하여 취득한 재산을 말한다.

이 경우 증여재산은 수증자에게 귀속되는 다음의 재산을 말한다.

① 금전으로 환산할 수 있는 경제적 가치가 있는 모든 물건과 재산적 가치가 있는 법률상 또는 사실상의 모든 권리

② 금전으로 환산할 수 있는 모든 경제적 이익

1 증여세 과세대상 증여재산은 어떤 것이 있나요?

일반적으로 다음에 해당하는 증여재산에 대해서는 증여세를 부과한다(상속세 및 증여세법 §4).

① 무상으로 이전받은 재산 또는 이익

② 현저히 낮은 대가를 주고 재산 또는 이익을 이전받음으로써 발생하는 이익이나 현저히 높은 대가를 받고 재산 또는 이익을 이전함으로써 발생하는 이익. 다만, 특수관계인이 아닌 자 간의 거래인 경우에

는 거래의 관행상 정당한 사유가 없는 경우로 한정한다.

③ 재산 취득 후 해당 재산의 가치가 증가한 경우의 그 이익. 다만, 특수관계인이 아닌 자 간의 거래인 경우에는 거래의 관행상 정당한 사유가 없는 경우로 한정한다.

④ 저가양수 또는 고가양도에 따른 이익의 증여

⑤ 부동산 무상사용에 따른 이익의 증여

⑥ 재산 취득 후 재산가치 증가에 따른 이익의 증여

⑦ 배우자 등에게 양도한 재산의 증여 추정

⑧ 재산 취득자금 등의 증여 추정

⑨ 명의신탁재산의 증여 의제

질의 **증여세 신고기한 이내에 당초 증여받은 재산 중 일부를 증여자에게 반환하는 경우 증여로 보나요?**

답변 증여세 신고기한 이내에 당초 증여받은 재산 중 일부를 증여자에게 반환하는 경우 그 반환받은 부분에 대하여는 처음부터 증여가 없었던 것으로 봅니다(서면상속증여-4514, 2016.7.25.).

질의 **상속지분이 확정되어 등기 등이 된 후 특정 상속인이 당해 상속재산을 매각하여 그 매각대금을 다른 상속인에게 분배하는 경우 증여세가 과세 되나요?**

답변 상속개시 후 공동상속인 간에 상속재산을 분할하여 상속지분이 확정되어 등기 등이 된 후 특정상속인이 당해 상속재산을 매각하여 매각대금을 다른 상속인에게 분배하는 경우에는 증여세가 과세됩니다(서면상속증여-1798, 2015.10.2.).

질의 **상속인이 상속지분을 포기하고 다른 상속인으로부터 현금을 수령한 경우 증여세가 과세되나요?**

답변 상속재산의 협의분할 시 특정 상속인이 자신의 상속지분을 포기하고 그 대가로 다른 상속인으로부터 현금 등을 수령한 경우에 그 상속인의 지분에 해당하는 재산은 다른 상속인에게 유상으로 이전된 것으로 보아 증여세가 과세됩니다(상속세 및 증여세법 집행기준 31-0-3). 이 경우 상속포기한 지분은 양도소득세가 과세됩니다.

질의 **증여세 과세대상이 되는 재산이 취득원인 무효로 소유권 환원 시 기납부한 증여세는 환급되나요?**

답변 증여세 과세대상이 되는 재산이 취득원인 무효의 판결에 따라 그 재산상의 권리가 말소되는 때에는 증여세를 과세하지 아니하며 과세된 증여세는 취소합니다. 단, 형식적인 재판절차만 경유한 사실이 확인되는 경우에는 그러하지 아니합니다.

보충설명

취득원인 무효의 판결에 따라 증여재산이 환원된 경우에는 당초 및 환원 모두에 대하여 증여세를 과세하지 않습니다(재산-37, 2013.1.29.).

질의 **증여재산의 취득부대비용을 증여자가 부담하는 경우 증여재산으로 보나요?**

답변 증여재산을 취득하는 데 소요된 부대비용을 증여자가 부담하는 경우 그 부대비용은 증여재산에 포함합니다.

2 증여세가 과세되는 증여재산가액은 어떻게 산정하나요?

증여세가 과세되는 증여재산가액은 다음에 따라 산정한다.

① 재산 또는 이익을 무상으로 이전받은 경우 : 증여재산의 시가

※ 제2편 제7장에 따라 평가한 가액상당액을 말한다.(p.357 참조)

② 재산 또는 이익을 현저히 낮은 대가를 주고 이전받거나 현저히 높은 대가를 받고 이전한 경우 : 시가와 대가의 차액. 다만, 시가와 대가의 차액이 3억원 이상이거나 시가의 100분의 30 이상인 경우로 한정한다.

③ 재산 취득 후 해당 재산의 가치가 증가하는 경우 : 증가사유가 발생하기 전과 후의 재산의 시가의 차액으로서 재산가치상승금액. 다만, 그 재산가치 상승금액이 3억원 이상이거나 해당 재산의 취득가액 등을 감안하여 일정금액의 30% 이상인 경우로 한정한다.

※ 제2편 제2장 "12. 저가매입 또는 고가양도에 따른 이익(증여)에 대한 증여세와 양도소득세 계산은 어떻게 하나요?"(p.314 참조)

상속재산의 상속분이 확정된 후 재 협의분할에 따라 상속분이 변경된 경우에는 증여세가 과세된다

상속재산을 분할하는 방법은 공동상속인 간의 협의에 의한 방법, 법원의 확정판결조정에 의한 방법 등이 있다.

상속재산의 분할은 상속개시 시점에 소급하여 효력이 있기 때문에 분할 후 재산은 상속개시 시점에 피상속인으로부터 직접 승계받는 것으로 된다(민법 §1015).

이 경우 세법상으로는 상속재산의 상속지분이 확정된 후 재 협의분할에 따라 상속지분이 변경된 경우 증여세가 과세되는 유형별 증여재산을 요약하면 다음의 표와 같다(상속세 및 증여세법 집행기준 31-0-2).

구분	증여세 과세대상 여부
원칙	재 협의분할 결과 특정상속인의 지분이 증가함에 따라 취득하는 재산은 지분이 감소한 상속인으로부터 증여받은 재산으로 본다.
상속세 신고기한 내에 재 협의분할	상속세 신고기한 내에 재 협의분할에 의하여 지분이 초과되는 경우에 취득하는 재산은 증여재산으로 보지 아니한다.

구분		증여세 과세대상 여부
재분할 사유가 정당한 경우	법원판결	상속회복청구의 소에 의한 법원의 확정판결에 의하여 상속인 및 상속재산에 변동이 있는 경우 증여재산으로 보지 아니한다.
	채권자대위권 행사	피상속인의 채권자가 대위권을 행사하여 공동상속인들의 법정상속분대로 등기 등이 된 상속재산을 상속인 사이에 협의분할에 의하여 재 분할하는 경우 당초 지분보다 초과하는 자가 취득하는 재산은 증여재산으로 보지 아니한다.
	물납관련	상속세 신고기한 이내에 상속세를 물납하기 위하여 법정상속분으로 등기 등을 하여 물납을 신청하였다가 물납허가를 받지 못하거나 물납재산의 변경명령을 받아 당초의 물납재산을 상속인 간의 협의분할에 의하여 재분할하는 경우 당초 지분보다 초과하는 자가 취득하는 재산은 증여재산으로 보지 아니한다.

보충설명

상속재산의 협의분할 시 특정 상속인이 자신의 상속지분을 포기하고 그 대가로 다른 상속인으로부터 현금 등을 수령한 경우에는 그 상속인의 지분에 해당하는 재산은 다른 상속인에게 유상으로 이전된 것으로 보아 증여세가 과세된다(상속세 및 증여세법 집행기준 31-0-3). 이 경우 해당 포기한 상속지분은 양도소득세 과세대상이다.

상속분이 확정된 후 당초 상속분을 초과하여 취득하는 재산은 증여세가 과세되나요?

상속개시 후 상속재산에 대하여 등기·등록 등으로 각 상속인의 상속분이 확정된 후, 그 상속재산에 대하여 공동상속인이 협의하여 분할한 결과 특정 상속인이 당초 상속분을 초과하여 취득하게 되는 재산은 그 분할에 의하여 상속분이 감소한 상속인으로부터 증여받은 것으로 보아 증여세를 부과한다(상속세 및 증여세법 §4③).

상속개시 후 당초 최초로 상속분을 초과하여 취득하는 재산은 증여세가 과세되나요?

상속개시 후 최초로 협의분할에 의한 상속 등기 등을 함에 있어 정상속인이 법정상속분을 초과하여 재산을 취득하는 경우 증여세가 과세되지 아니한다(서면4팀-815, 2007.3.8.).

증여받은 재산을 증여자에게 반환(증여재산의 반환)하거나 재증여하는 경우

증여를 받은 자가 증여계약의 해제 등에 따라 증여받은 재산(금전을 제외한다)을 증여자에게 반환하거나 다시 증여하는 경우 증여세 과세 판단은 다음에 따른다(상속세 및 증여세법 기본통칙 31-0-1).

반환이란, 등기원인에 관계없이 당초 증여자에게 등기부상 소유권을 사실상 무상 이전하는 것을 말한다.

① 증여세 신고기한 내에 반환하는 경우에는 처음부터 증여가 없었던 것으로 본다(다만, 반환하기 전 과세표준과 세액을 결정받은 경우제외). 또한, 증여를 받은 후 그 증여받은 재산(금전은 제외한다)을 당사자 간의 합의에 따라 신고기한 이내에 반환하는 경우에는 처음부터 증여가 없었던 것으로 본다.

② 증여세 신고기한 다음날로부터 당초 증여 후 6개월 이내에 반환하거나 다시 증여하는 경우에는 당초 증여에 대하여는 과세하되, 반환 또는 재증여에 대하여는 과세하지 아니한다.

③ 증여를 받은 날부터 6개월 후에 반환하거나 재증여하는 경우에는 당초 증여와 반환·재증여 모두에 대하여 과세한다.

위 내용을 요약하면 다음의 표와 같다(상속세 및 증여세법 집행기준 31-0-4).

반환 또는 재증여시기		당초증여분	반환 또는 재증여
금전	금전(시기에 관계없음)	과세	과세
금전 외	증여세 신고기한 이내(증여받은 날이 속하는 달의 말일부터 3개월 이내)	과세 제외	과세 제외
	신고기한 경과 후 3개월 이내(증여받은 날이 속하는 달의 말일부터 6개월 이내)	과세	과세 제외
	신고기한 경과 후 3개월 후(증여받은 날이 속하는 달의 말일부터 6개월 후)	과세	과세
	증여재산 반환 전 증여세가 결정된 경우	과세	과세

증여받은 재산을 유류분권리자에게 반환하면 상속세 등은 어떻게 과세하나요?

피상속인의 유언에 의하여 재산을 상속하는 경우로서 여러 사람의 상속인 중 어느 한 사람에게 지나치게 유증(유언에 의한 재산증여를 말함)하는 경우에는 사회적으로 바람직하지 못하므로, 「민법」에서는 각 상속인이 최소한도로 받을 수 있는 상속분을 정하고 있는데 이를 유류분 제도라 한다.

피상속인이 생전에 과다한 증여에 의하여 재산을 증여받은 자가 「민법」에 따라 증여받은 재산을 유류분 권리자에게 반환한 경우와 유류분 반환소송에 관계없이 당사자 간 합의에 의하여 「민법」상 유류분을 반환한 재산가액은 당초부터 증여가 없었던 것으로 본다.

이 경우 반환한 재산가액에 대해서는 증여세가 취소되는 것이며, 유류분을 반환받은 상속인은 그 반환받은 재산을 상속받은 것으로 보아 상속세 납세의무를 지게 된다(재산-196, 2011.4.19.).

만일, 유류분 권리자가 유류분을 포기하는 대가로 다른 재산을 취득하거나 해당 유증받은 부동산 대신에 현금으로 반환받은 경우에는 그 상속재산에 대하여 상속세와 양도소득세의 납세의무가 있다(재산-181, 2011.4.7.).

이혼위자료로 부동산을 받으면 증여세가 과세되나요?

이혼 등에 의하여 정신적 또는 재산상 손해배상의 대가로 받은 위자료에 대하여는 조세포탈의 목적이 있다고 인정할 경우를 제외하고는 이를 증여로 보지 아니하므로 증여세가 과세되지 않는다(상속세 및 증여세법 기본통칙 31-24-6).

이 경우 위자료를 부동산으로 지급하는 때에는 당해 자산을 양도한 것으로 보아 양도소득세가 과세된다(서면4팀-2011, 2005.10.31.).

질의 **남편을 대신하여 시어머니가 며느리에게 이혼위자료로 부동산을 증여한 경우 남편에게 증여세가 과세되나요?**

답변 남편을 대신하여 시어머니가 며느리에게 이혼위자료로 부동산을 증여한 경우에는 남편이 그의 어머니로부터 그 부동산의 가액에 상당하는 위자료채무를 인수 또는 변제받은 것이므로 남편에게 증여세가 과세된다(재산-453, 2012.12.20.).

증여재산의 취득시기는 어느 때로 하나요?

증여재산의 취득시기는 증여세와 직접 관련되는 증여재산의 평가 기준일, 신고기한, 부과제척기간 등의 적용기준이 되기 때문에 증여세 계산에 있어서 매우 중요하다.

특히 취득시기를 언제로 볼 것인가에 따라 증여재산가액이 달라지고 그로 인하여 증여세에 직접 영향을 미치기 때문이다.

증여재산의 취득시기

일반적으로 증여재산의 취득시기는 등기·등록 등을 요하는 재산의 경우 등기·등록일을 취득시기로 한다. 다만, 법원의 판결이나 경매 등 계약이 아니라 법률에 따라 소유권이 이전됨으로써 「민법」 제187조에 따라 부동산 물권의 취득에 등기를 필요로 하지 않는 경우에는 실제 취득일을 증여재산의 취득시기로 하여 증여세를 과세한다.

실제취득일이란, 법원의 최종 판결일 및 경락대금 완납일 등을 의미한다.

보충설명

증여목적으로 타인 명의의 예금계좌를 개설하여 현금을 입금한 경우 그 입금시기에 증여한 것으로 보는 것이나, 입금시점에 타인이 증여받은 사실이 확인되지 않는 경우 혹은 단순히 예금계좌로 예치되는 경우에는 타인이 당해 금전을 인출하여 사용한 날에 증여한 것으로 본다(상속세 및 증여세법 집행기준 31-23-2).

부모명의 계좌에서 자녀명의의 자산관리계좌(랩어카운트)로 예금을 대체하는 경우 대체할 때마다 대체된 금액을 증여받은 것으로 본다(서면법규-1049, 2014.10.2.).

신축한 건축물 또는 신축 중인 건축물을 증여받은 경우 증여 취득시기는 어느 때로 하나요?

일반적으로 부동산의 증여 취득시기는 소유권이전 등기접수일이다. 건물을 신축하여 증여할 목적으로 수증자의 명의로 건축허가를 받거나 건물을 완성한 경우에는 그 건물의 사용승인서 교부일을 증여재산 취득시기로 본다(재산-358, 2011.7.25.).

그리고 소유권 보존등기가 되지 않은 상태인 건물을 증여받은 경우에는 수증자가 당해 건물을 사실상 인도받은 날을 그 건물의 취득시기로 보는 것이며, 사실상 인도받은 날에 대하여는 증여계약서 작성내용, 당해 건물에 부수되는 토지에 대한 증여등기일 등 구체적인 사실을 확인하여 증여세를 과세한다(서면4팀-831, 2006.4.5.).

공동상속인이 협의하여 분할한 이후 특정 상속인이 당초 상속분을 초과하여 취득하는 경우 증여시기는 어느 때로 하나요?

상속세 과세표준 신고기한 이후의 상속재산에 대하여 공동상속인이 협의하여 분할한 결과 특정 상속인이 당초 상속분을 초과하여 취득하게 되는 재산가액은 증여재산에 포함하여 상속개시일이 아니라 증여등기 접수일을 취득시기로 한다(조세심판원 2011서1791, 2011.6.17.).

토지거래허가구역 내의 토지를 증여한 경우 증여시기는 어느 때로 하나요?

토지거래허가구역 내의 토지를 증여한 경우 증여시기는 소유권이전 등기접수일이다(조세심판원 2009서163, 2009.3.18.).

09

증여세가 비과세되는 재산은 어떤 것이 있나요?

증여세가 비과세되는 재산은 어느 특정 증여재산가액에 대하여 과세권자인 정부가 그 과세권을 포기하여 납세의무가 발생하지 아니하는 것을 말한다.

이 경우 증여세가 면제되거나 증여세 과세가액에 불산입하는 증여재산은 사후관리가 있으나 비과세되는 증여재산은 일반적으로 사후관리가 없다.

증여세가 비과세되는 증여재산

증여세가 부과되지 않는 증여재산가액은 다음과 같은 것이 있다.

① 국가나 지방자치단체로부터 증여받은 재산의 가액

② 소액주주에 해당하는 우리사주조합원이 우리사주조합을 통하여 취득한 주식의 취득가액과 시가와의 차액

③ 정당이 증여받은 재산의 가액

④ 우리사주조합, 공동근로복지기금 및 근로복지진흥기금이 증여받은 재산의 가액

⑤ 이재구호금품, 치료비, 피부양자의 생활비, 교육비 그 밖에 이와 유사한 증여재산의 가액

⑥ 장애인전용보험으로 연간 4천만원 이하의 보험금

보충설명

증여재산 중 통상 필요하다고 인정되는 증여세가 비과세되는 혼수용품은 일상생활에 필요한 가사용품에 한정하며, 호화·사치용품이나 주택·차량 등을 포함하지 않지만 결혼축의금이 누구에게 귀속되는지 등에 대하여는 사회통념 등을 고려하여 구체적인 사실에 따라 판단한다(서면4팀-1642, 2005.9.12.).

혼수비용 등이 다음에 해당하는 경우에는 증여세 비과세대상에서 제외된다.

① 「정치자금법」에 의하지 않은 불법정치자금

② 생활비 또는 교육비의 명목으로 받은 후 당해 재산을 예·적금하거나 주식, 토지, 주택 등의 매입자금 등으로 사용하는 경우

③ 혼수용품은 일상생활에 필요한 가사용품에 한정하며, 호화·사치용품이나 주택·차량 등은 포함되지 않는다. 만일, 구체적인 소명 요구에 응하지 아니하였고, 객관적인 증빙이 없는 경우 증여받은 2억원을 혼수비용에 사용하였다고 주장만 하고 있을 뿐 과세관청의 구체적인 소명 요구에 응하지 아니하였고, 객관적인 증빙이 없는 경우에는 증여세가 과세된다(조세심판원 2008서3157, 2008.12.31.).

증여세 과세가액은 어떻게 계산하나요?

증여세 과세가액이란, 증여로 인하여 취득한 재산으로 증여세가 과세되는 증여세 과세표준을 계산하기 위한 기초금액으로서 증여재산가액을 합친 금액에서 비과세되는 증여재산가액 등, 채무부담액을 차감하고 증여일 전 동일인으로부터 10년 이내에 사전증여받은 재산가액(1천만원 이상)을 가산한 금액을 말한다(상속세 및 증여세법 §47①).

이를 산식으로 표시하면 다음과 같다.

증여세 과세가액	=	사전증여 재산 가액*	−	채무 부담액	−	비과세되는 증여재산가액 등	+	10년 내 증여재산가액 (1천만원 이상)

* 타인의 기여에 의하여 재산가치가 증가하는 금액(합산배제 증여자산가액)은 제외한다.

1 증여세가 과세되는 사전증여재산가액(증여일 전 10년 내 동일인 증여분 합산)의 내용

증여일 전 10년 이내에 동일인(증여자가 직계존속인 경우 배우자 포함하지만, 이혼 또는 사별은 동일인으로 보지 않는다)으로부터 받은 증여재산가액의 합계액이 1천만원 이상인 경우에는 그 가액을 증여세 과세가액에 가산한다.

만일, 수증자는 동일인이나 증여자가 동일인이 아닌 경우에는 증여가 있을 때마다 증여자별·수증자별로 과세가액을 각각 계산하여 과세한다.

여기서 동일인이 증여자가 직계존속인 경우에는 그 직계존속의 배우자를 포함한다. 다만, 증여자가 부·모일 경우 계모·계부는 동일인에 포함되지 아니하며, 부와 조부는 직계존속이라 할지라도 동일인에 해당하지 아니한다(상속세 및 증여세법 집행기준 47-36-6).

그리고 장인과 장모는 동일인에 해당하지 아니한다(서면상속증여-3372, 2016.4.26.).

보충설명

10년 이내 계산은 「민법」 규정에 따라 초일은 불산입하여 기간의 만료일을 계산한다.

증여재산을 증여세 신고기한 후에 반환하고 그 이후 10년 이내에 동일인으로부터 다른 재산을 증여받은 경우

증여받은 재산을 증여세 신고기한으로부터 3개월이 경과한 후에 증여자에게 반환하고 해당 증여일로부터 10년 이내에 동일인으로부터 다른 재산을 증여받은 경우 당초 증여받은 재산가액을 합산하여 과세한다(서면상속증여-2213, 2015.12.1.).

상속세 과세가액에 합산하지 않는 사전증여재산가액은 어떤 내용이 있나요?

상속세 과세가액에 합산하지 않는 사전증여재산가액은 다음과 같다(상속세 및 증여세법 집행기준 13-0-6).

① 상속개시일 이전에 수증자(상속인·상속인 아닌 자)가 피상속인으로부터 재산을 증여받고 피상속인의 사망(상속개시일) 전에 사망한 경우에는 상속인 등에 해당하지 아니하므로 피상속인의 상속세 과세가액에 사전증여재산가액을 합산하지 아니한다.

② 피상속인이 상속인에게 증여한 재산을 증여세 신고기한을 경과해 반환받고 사망하여 증여세가 부과된 경우로서, 반환받은 재산이 상속재산에 포함되어 상속세가 과세되는 때에는 사전증여재산에 해당하지 않는다.

③ 명의신탁재산은 원칙적으로 사전증여재산으로 상속재산에 합산하나 명의신탁재산으로 증여세가 과세된 재산이 피상속인의 재산으로 환원되거나 피상속인의 상속재산에 포함되어 상속세가 과세되는 경우에는 사전증여재산으로 합산하지 아니한다.

상속세 과세가액에 합산하는 증여재산에 대한 상속세 및 증여세의 계산은 어떻게 하나요?

상속세 과세가액에 합산하는 증여재산에 대하여 증여세가 부과되지 아니한 경우에는 해당 증여재산에 대하여 증여세를 먼저 과세하고 그 증여재산가액을 상속세 과세가액에 합산하여 상속세를 부과한다. 그리고 증여세 상당액을 기납부세액으로 공제한다(상속세 및 증여세법 집행기준 13-0-8).

2 증여재산가액에서 공제할 수 있는 채무의 범위

증여재산가액에서 공제할 수 있는 채무란, 해당 증여재산에 담보된 증여자의 채무로서 수증자가 인수한 채무를 말한다.

증여자가 부담하고 있는 채무를 수증자가 인수한 것이 확인되는 경우에는 그 채무액을 빼고, 증여세 과세가액을 계산한다.

그리고 그 채무액은 유상양도에 해당하므로 증여자에게 양도소득세의 납세의무가 있다.

■ 부담부증여의 사전증여재산가액의 계산

상속개시일 전에 부담부증여한 재산을 상속재산가액에 합산하는 경우 증여재산가액에서 수증자가 인수한 채무를 차감한 증여세 과세가액을 합산한다.

이 경우 직계존비속 간의 부담부증여 시 인수할 채무가 증여자가 아닌 수증자 명의로 되어있는 경우 그 채무가 사실상 증여자의 채무임이 명백히 확인되고 수증자가 그 채무를 인수한 사실이 객관적으로 입증되는 경우에 한정하여 그 채무액을 증여재산가액에서 공제한다(서면상속증여-2313, 2015.12.1.).

보충설명

배우자 및 직계존비속 등에게 양도한 재산을 증여로 추정하는 경우 당해 재산에 담보된 증여자의 채무가 있고 동 채무를 수증자가 인수한 경우 그 채무액은 수증자에게 인수되지 아니한 것으로 추정한다.

그러나 직계존비속 간의 부담부증여 시 인수할 채무가 증여자가 아닌 타인명의로 되어 있는 경우 그 채무가 사실상 증여자의 채무임이 명백히 확인되고 수증자가 그 채무를 인수한 사실이 객관적으로 입증되는 경우에 한하여 그 채무액을 증여재산가액에서 뺀다(상속증여-31, 2015.1.22.).

■ 수증자가 인수한 채무액이 증여재산가액을 초과하는 경우 증여자에게 증여세가 과세되나요?

수증자가 인수한 채무액이 증여재산가액을 초과하는 경우에는 당해 초과하는 금액은 수증자가 증여자에게 증여한 것으로 본다(재산-614,

2009.2.23.).

질의 **소비대차계약에 의하여 부모가 자녀로부터 자금을 일시 차입하여 사용하고 이를 실지 변제한 경우 어떤 증명서류를 준비해야 하나요?**

답변 소비대차계약에 의하여 부모가 자녀로부터 자금을 일시 차입하여 사용하고 이를 변제한 경우, 그 사실이 채무부담계약서, 이자지급사실, 담보제공 및 금융거래내용 등에 의하여 확인되는 경우에는 당해 차입금에 대하여 증여세가 과세되지 않습니다(재산-204, 2011.4.25.).

질의 **미국법령에 따라 증여세를 납부한 미국소재 부동산(콘도)은 합산과세되나요?**

답변 거주자가 비거주자에게 국외에 있는 재산을 증여함에 따라 해당 재산에 대하여 외국의 법령에 따라 증여세가 부과되는 경우에는 해당 거주자가 국내에 있는 재산을 다시 해당 비거주자에게 증여하더라도 합산과세하지 아니합니다(사전법령재산-20870, 2015.1.14.).

11

증여재산공제는 어떻게 적용하나요?

증여세 과세표준은 증여세 과세가액에서 증여재산공제액을 뺀 금액으로 한다.

증여세 과세표준 = 증여세 과세가액 − 증여재산공제

증여세 과세가액에서 공제하는 증여재산공제는 친족으로부터 증여받은 재산에 대해서만 공제하는 것이며, 친족이 아닌 자로부터 증여받은 재산에 대해서는 증여재산공제를 적용하지 아니한다.

증여재산공제는 증여자를 배우자, 직계존비속, 배우자 또는 직계존비속 외의 친족으로 구분하여 다음과 같이 공제금액을 다르게 적용하고 있다.

이 경우 수증자를 기준으로 그 증여받기 전 10년 이내에 공제받은 금액과 해당 증여가액에서 공제받을 금액을 합친 금액이 다음의 금액을 초과하는 경우에는 그 초과액은 공제하지 아니한다(상속세 및 증여세법 §53).

① 배우자로부터 증여받은 경우 : 6억원

② 직계존속[수증자의 직계존속과 혼인(사실혼 제외) 중인 배우자를

포함]으로부터 증여받은 경우 : 5천만원. 다만, 미성년자가 직계존속으로부터 증여받은 경우에는 2천만원

③ 직계비속(수증자와 혼인 중인 배우자의 직계비속을 포함)으로부터 증여받은 경우 : 5천만원

④ 직계존속 외에 6촌 이내의 혈족, 4촌 이내의 인척으로부터 증여받은 경우 : 1천만원

보충설명

계모와 며느리의 관계는 4촌 이내의 인척에 해당하여 증여재산공제액은 1천만원을 적용한다(상속증여-563, 2013.9.27.).

증여세 과세가액에서 공제되는 증여재산공제 중 배우자의 범위

증여세 과세가액에서 공제하는 증여재산공제 중 배우자는 「민법」상 혼인으로 인정되는 혼인관계에 있는 자를 말하며, 민법상 혼인은 「가족관계등록법」에 따라 혼인신고를 함으로써 성립되므로 사실혼 관계에 있는 배우자는 상속공제의 대상이 아니다(상속세 및 증여세법 기본통칙 53-0-2).

증여세 과세가액에서 공제되는 증여재산공제 중 직계존비속의 범위

증여세 과세가액에서 공제하는 증여재산공제 중 직계존비속은 다음과 같다(상속세 및 증여세법 기본통칙 53-0-3).

① 직계존비속은 「민법」에 의한 수증자의 직계존속과 직계비속인 혈족을 말한다.

② 직계존속은 수증자의 직계존속과 혼인(사실혼 제외) 중인 배우자를 포함하며, 직계비속에는 수증자와 혼인 중인 배우자의 직계비속을 포함한다.

③ 출양한 자가 수증자인 경우에는 양가 및 생가의 직계존비속에 모두 해당한다.

④ 출가녀는 친가에서는 직계존속과의 관계, 시가에서는 직계비속과의 관계에만 해당한다.

⑤ 외조부모와 외손자는 직계존비속에 해당한다.

보충설명

혈족이란, 자기의 직계존속과 직계비속을 직계혈족이라 하고 자기의 형제자매와 형제자매의 직계비속, 직계존속의 형제자매 및 그 형제자매의 직계비속 방계혈족을 말한다(민법 §768).

또한 혈족이란, 배우자, 혈족 및 인척의 친족을 말한다(민법 §767).

증여세 과세가액에서 공제되는 증여재산공제 중 친족의 범위

증여세 과세가액에서 공제되는 증여재산공제 중 친족의 범위는 배우자와 직계존비속을 제외하고 수증자를 기준으로 다음에 규정된 관계를 말한다(상속세 및 증여세법 기본통칙 53-0-4).

① 6촌 이내의 부계혈족과 4촌 이내의 부계혈족의 아내

② 3촌 이내의 부계혈족의 남편 및 자녀

③ 3촌 이내의 모계혈족과 그 배우자 및 자녀

④ 아내의 2촌 이내의 부계혈족 및 그 배우자

⑤ 입양자의 생가(生家)의 직계존속

⑥ 출양자 및 그 배우자와 출양자의 양가의 직계비속

⑦ 혼인 외의 출생자의 생모

보충설명

친족의 범위는 친족관계로 인한 법률상 효력은 「민법」 또는 다른 법률에 특별한 규정이 없는 한 다음에 해당하는 자에 미친다(민법 §777).

① 8촌 이내의 혈족
② 4촌 이내의 인척
③ 배우자

인척이란, 혈족의 배우자, 배우자의 혈족, 배우자의 혈족의 배우자를 말한다(민법 §769).

수증자와 증여시기에 따라 증여재산공제 방법은 어떻게 적용하나요?

수증자기준 및 증여시기에 따라 증여재산공제 방법은 다음에 따른다(상속세 및 증여세법 기본통칙 53-46-1).

① 수증자를 기준으로 그 증여를 받기 전 10년 이내에 공제받은 금액과 해당 증여가액에서 공제받을 금액을 합친 금액이 증여자 및 수증자별 공제한도액을 초과하는 경우 초과하는 부분은 공제하지 않는다.
② 2 이상의 증여가 그 증여시기를 달리하는 경우에는 2 이상의 증여 중 최초의 증여세 과세가액에서부터 순차로 공제한다.
③ 2 이상의 증여가 동시에 있는 경우에는 각각의 증여세 과세가액에 대하여 안분하여 공제한다.

12

저가매입 또는 고가양도에 따른 이익(증여)에 대한 증여세와 양도소득세 계산은 어떻게 하나요?

특수관계인으로부터 시가보다 높은 가격으로 자산을 매입(고가매입)하거나 시가보다 낮은 가격으로 자산을 양도(저가양도)하여 조세의 부담을 부당하게 감소시킨 것으로 인정되는 경우("부당행위계산 부인"이라 한다)에는 고가매입 시 취득가액 또는 저가양도 시 양도가액을 시가로 하여 양도소득세를 계산한다[제1편 양도소득세 "14. 양도소득을 부당하게 감소시키기 위해 특수관계인 간 고가매입 · 저가양도를 하면 어떤 세금이 과세되나요?"(p.54 참조)].

그러나 특수관계 여부에 불구하고 재산을 시가보다 낮은 가액으로 양수(저가매입)하거나 시가보다 높은 가액으로 양도(고가양도)한 경우로서 그 대가와 시가의 차액에 상당하는 이익이 실질적으로 무상으로 이전시키는 경우에는 증여세가 과세된다(상속세 및 증여세법 §35).

❶ 특수관계인으로부터 자산을 저가 매입하면 증여세가 과세된다.

특수관계인으로부터 재산을 시가보다 낮은 가액으로 양수(저가매입)하는 경우에는 시가에서 대가의 차액에 해당하는 이익상당금액을 저가매입자에게 증여한 것으로 본다.

이 경우 증여세를 부과하기 위해서는 시가에서 그 대가를 차감한 금액(거래차액)이 다음의 "① 또는 ②"에 해당하는 증여세 과세요건을 충족하여야 한다.

① 시가의 30% 이상 : 거래차액 ÷ 시가 ≥ 30%

② 3억원 이상 : 거래차액 ≥ 3억원

위 증여세 과세요건을 충족한 거래차액에서 다음의 "①과 ②" 중 적은 금액을 뺀 금액(증여재산가액)을 그 이익을 얻는 자에게 증여세를 부과한다.

① 시가의 30% 상당하는 금액

② 3억원

구분	수증자	증여세 과세기준	증여재산가액기준
저가양수	양수자 (저가매입자)	(시가-대가)의 차액이 시가의 30% 이상 또는 그 차액이 3억원 이상	(시가-대가)-Min(시가의 30%와 3억원 중)

보충설명

특수관계인 간 개인이 다른 개인에게 조세의 부담을 부당하게 감소시키는 거래로 인하여 자산을 시가보다 낮은 가격으로 양도한 경우에는 시가와 대가의 차액(거래차액)에 대하여 해당 개인에게 양도소득의 부당행위계산이 적용되는 것이며, 이때 양도가액은 시가에 의하여 양도소득세를 계산한다(소득세법 시행령 §167④).

양도소득의 부당행위계산 부인은 시가와 대가의 차액(거래차액)이 다음의 "① 또는 ②"에 해당하는 경우에 적용한다(소득세법 시행령 §167③).

① 3억원 이상 : 거래차액 ≥ 3억원

② 시가의 5% 이상 : 거래차액 ≥ 시가 × 5%

사례 1 특수관계인 간 저가양도 및 저가매입

김성남씨와 배우자와의 거래내용(저가매매)은 다음과 같다.

① 김성남씨는 배우자에게 자산을 4억원에 양도하였다.

② 배우자에게 매각한 자산의 시가는 12억원이다.

[풀이]

1. 양도자에게 적용할 양도소득세(부당행위계산부인)

김성남씨가 배우자에게 자산을 저가 양도함으로써 시가와 대가의 차액(거래차액)이 다음의 "① 또는 ②"에 해당하는 경우에는 양도소득의 부당행위계산 부인이 적용되는 것이며, 양도가액은 12억원(시가)으로 한다.

① 3억원 이상 : 8억원(12억원 - 4억원) ≥ 3억원

② 시가의 5% 이상 : 8억원(12억원 - 4억원) ≥ 60,000,000원(시가 × 5%)

2. 양수자에게 적용할 증여세

특수관계인 간의 거래로써 시가보다 낮은 가액으로 양수한 재산에 대해 시가에서 대가를 차감한 금액(거래차액)이 다음의 "① 또는 ②"를 충족(증여세 과세요건)하는 경우에는 증여세 과세대상이 된다.

① 시가의 30% 이상 : 66.66%[(12억원 - 4억원) ÷ 12억원] 〉 30%

② 3억원 이상 : 8억원(12억원 - 4억원) 〉 3억원

위 증여세 과세요건을 충족한 이익상당액에서 다음의 "①과 ②" 중 적은 금액을 뺀 금액(증여재산가액)을 양수자에게 증여세를 부과한다.

① 시가의 30% 상당하는 금액 : 3.6억원(12억원 × 30%)

② 3억원 : 3억원

따라서 배우자의 증여재산가액은 5억원(12억원 - 4억원 - 3억원)이 된다.

3. 양수자의 취득가액

배우자의 취득가액은 9억원(=4억원 + 5억원)으로 한다.

② 비특수관계인으로부터 자산을 저가 매입하면 증여세가 과세된다

비특수관계인 간의 거래에 대해서도 개인이 다른 개인으로부터 재산을 거래의 관행상 시가보다 현저히 낮은 가액으로 양수한 경우에는 증여세가 부과된다.

시가보다 현저히 낮은 가액이란 양수한 재산의 시가에서 그 대가를 차감한 금액(거래차액)이 시가의 30% 이상 차이가 있는 경우 그 대가를 말하며, 그 거래차액에서 3억원을 뺀 금액(증여재산가액)을 그 이익을 얻는 자에게 증여세가 부과된다(상증법 §35②).

사례 2 비특수관계인 간 저가 양도 및 저가 매입

비특수관계인 간 김성남씨와 이성철씨의 거래내용(저가매매)은 다음과 같다.

① 김성남씨는 이성철씨에게 자산을 정당한 사유없이 4억원에 양도하였다.

② 이성철씨에게 매각한 자산의 시가는 12억원이다.

[풀이]

1. 양수자에게 적용할 증여세

비특수관계인 간 거래의 관행상 정당한 사유 없이 현저히 낮은 가액으로 양수한 재산에 대해서 시가에서 대가를 차감한 금액이 시가의 30% 이상이면 증여세가 부과된다.

66.66%[(12억원 - 4억원) ÷ 12억원] > 30%

이 경우 증여재산가액은 시가에서 대가를 차감한 거래차액에서 3억원을 뺀 금액으로 한다.

이성철씨의 증여재산가액은 5억원(12억원 - 4억원 - 3억원)이 된다.

2. 양수자에게 적용할 양도소득세(취득가액)

양수자의 취득가액은 9억원(= 4억원 + 5억원)으로 한다.

❸ 특수관계인에게 자산을 고가양도하면 증여세가 과세된다

특수관계인에게 자산을 시가보다 높은 가액으로 양도함으로써 시가에서 대가를 차감(거래차액)한 이익상당금액이 다음의 "① 또는 ②"에 해당하는 증여세 과세요건을 충족(증여세 과세요건)하는 경우에는 증여세가 과세된다.

① 시가의 30% 이상 : 거래차액 ÷ 시가 ≥ 30%

② 3억원 이상 : 거래차액 ≥ 3억원

증여세 과세요건을 충족한 거래차액에서 다음의 "①과 ②" 중 적은 금액을 뺀 금액(증여재산가액)을 그 이익을 얻는 자에게 증여세를 부과한다.

① 시가의 30% 상당하는 금액

② 3억원

구분	수증자	증여세 과세기준	증여재산가액기준
고가양도	양도자 (고가양도자)	(대가 - 시가)의 차액이 시가의 30% 이상 또는 그 차액이 3억원 이상	(대가 - 시가) - Min(시가의 30%와 3억원 중)

보충설명

특수관계인 간 개인이 다른 개인에게 조세의 부담을 부당하게 감소시키는 거래로 인하여 자산을 시가보다 높은 가격으로 매입한 경우에는 시가와 대가의 차액(거래차액)에 대하여 해당 개인에게 양도소득의 부당행위계산이 적용되는 것이며, 이때 양도가액은 시가에 의하여 양도소득세를 계산한다(소득세법 시행령 §167④).

양도소득의 부당행위계산 부인은 시가와 대가의 차액(거래차액)이 다음의 "① 또는 ②"에 해당하는 경우에 적용한다(소득세법 시행령 §167③).

① 3억원 이상 : 거래차액 ≥ 3억원

② 시가의 5% 이상 : 거래차액 ≥ 시가 × 5%

사례 3 특수관계인 간 고가 양도 및 고가 매입

김일남씨와 배우자의 거래내용(고가매매)은 다음과 같다.

① 김일남씨는 배우자에게 자산을 12억원에 매각하였다.

② 배우자에게 매각한 자산의 시가는 4억원이다.

[풀이]

1. 양도자에게 적용할 증여세

특수관계인 간 거래로서 개인이 다른 개인에게 재산을 고가양도하여 시가에서 그 대가를 차감한 금액(거래차액)이 다음의 "① 또는 ②"에 충족(증여세 과세요건)하는 경우에는 증여세가 부과된다.

① 시가의 30% 이상 : 66.67%[(12억원 − 4억원) ÷ 12억원] 〉 30%

② 3억원 이상 : 8억원(12억원 − 4억원) 〉 3억원

위 증여세 과세요건을 충족한 경우 거래차액에서 다음의 "①과 ②" 중 적은 금액을 뺀 금액(증여재산가액)을 그 이익을 얻는 자에게 증여세를 부과한다.

① 시가의 30% 상당하는 금액 : 3.6억원(12억원 × 30%)

② 3억원 : 3억원

따라서 양도자의 증여재산가액은 5억원(12억원 − 4억원 − 3억원)이 된다.

2. 양도자에게 적용할 양도소득세(양도가액)

양도자의 양도가액은 대가 12억원에서 증여재산가액 5억원을 뺀 금액으로 한다.

3. 양수자에게 적용할 양도소득세(취득가액)

양수자의 취득가액은 시가인 4억원으로 한다.

4 비특수관계인에게 자산을 고가 양도하면 증여세가 과세된다

비특수관계인과 거래의 관행상 정당한 사유없이 현저히 높은 가액으로 자산을 양도하는 경우에는 그 대가와 시가의 차액 상당액을 증여받은 것으로 추정하여 그 이익을 얻은 자에게 증여세 과세 문제가 발생된다.

따라서 비특수관계인 개인이 다른 개인으로부터 자산을 고가 양도한 금액이 "(시가 - 대가)의 차액이 시가의 30% 이상"인 경우에는 고가 양수인에게 "(시가 - 대가) - 3억" 상당액을 증여세로 과세한다(상속세 및 증여세법 §35②).

보충설명

현저히 낮은 가액이란 "시가 - 대가 ≥ 시가×30%"인 경우를 말한다.

정당한 사유란 거래의 자유스런 경제행위 또는 경제적인 합리성이 있는 거래를 말한다.

사례 4 비특수관계인 간 고가양도 및 고가매입

비특수관계인 간 김일남씨와 박성철씨의 거래내용(고가매매)은 다음과 같다.

① 김일남씨는 박성철씨에게 자산을 정당한 사유 없이 12억원에 매각하였다.

② 박성철씨에게 매각한 자산의 시가는 4억원이다.

[풀이]

1. 양도자에게 적용할 증여세

비특수관계인 간 개인이 다른 개인에게 거래의 관행상 정당한 사유 없이 현저히 높은 가액으로 양도한 재산에 대해서는 시가에서 대가를 차감한 거래차액이 시가의 30% 이상(증여세 과세요건)이면 증여세가 과세된다.

66.66%[(12억원 - 4억원)÷12억원] 〉 30%

증여재산가액은 개인이 비특수관계인 다른 개인에게 재산을 양도하여 증여세 과세요건을 충족한 경우 대가에서 시가를 차감한 금액에서 3억원을 뺀 5억원(12억원-4억원-3억원)이 된다.

2. 양수자에게 적용할 양도소득세(취득가액)

양수자의 취득가액은 대가인 12억원으로 한다.

13

부동산의 무상사용 또는 담보제공으로 얻는 이익(증여)은 증여세가 과세된다

1 특수관계인 소유 부동산을 무상사용하여 얻는 이익은 증여세가 과세된다.

특수관계인이 소유한 부동산을 무상(타인의 토지·건물을 무상사용하는 경우 포함)으로 사용하는 경우로서 그 부동산의 무상사용이익이 1억원 이상인 경우에는 무상사용을 개시한 날에 당해 이익에 상당하는 가액을 부동산 무상사용자에게 증여한 것으로 보아 증여세가 과세된다(상속세 및 증여세법 §37).

질의 **주택을 무상사용하는 경우 증여로 보나요?**

답변 주택 소유자와 특수관계인이 당해 주택을 무상으로 사용하는 경우에는 원칙적으로 무상사용이익에 대하여 증여세를 과세하나 주택 소유자와 함께 거주하는 경우에는 과세하지 않습니다.

■ 부동산 무상사용이익의 계산기간 및 증여시기

부동산 무상사용에 따른 이익의 증여시기는 사실상 부동산의 무상사용을 개시한 날로 하며, 증여이익은 부동산 무상사용개시일 현재 부동산 무상사용기간을 5년으로 가정하여 부동산 무상사용이익을 현재가치로 계산한다. 부동산에 대한 무상사용기간이 5년을 초과하는 경우에는 그 무상사용을 개시한 날부터 5년이 되는 날의 다음날에 해당 부동산의 무상사용을 새로이 개시한 것으로 본다.

■ 수인이 부동산을 무상사용하는 경우로서 각 부동산사용자의 실제 사용면적이 분명하지 않은 경우

수인이 부동산을 무상사용하는 경우로서 각 부동산사용자의 실제 사용면적이 분명하지 않은 경우에는 해당 부동산사용자들이 각각 동일한 면적을 사용한 것으로 본다.

이 경우 부동산소유자와 친족·직계비속 및 혈족관계에 있는 부동산사용자가 2명 이상인 경우 그 부동산사용자들에 대해서는 근친 관계 등을 고려하여 대표사용자(해당 부동산 사용자들 중 부동산 소유자와 최근친 사람을 말하며 최근친 사람이 2명 이상인 경우에는 그 최연장자를 말한다)를 무상사용자로 보고, 그 외의 경우에는 해당 부동산사용자들을 각각 무상사용자로 본다.

2 특수관계인의 부동산을 무상담보로 이용하여 얻는 이익은 증여세가 과세된다

특수관계인의 부동산을 무상으로 담보로 이용하여 금전 등을 차입함에 따라 이익을 얻는 경우에는 그 부동산 담보 이용을 개시한 날을 증여일로 하여 그 이익에 상당하는 금액(1천만원 이하는 제외)을 증여로 본다.

이 경우 차입기간은 1년 단위로 한다.

증여이익 = 차입금 × 적정이자 − 실제지급하였거나 지급할 이자

보충설명

금융기관으로부터 대출을 받은 때에 타인의 부동산을 담보로 제공하였다는 사유만으로는 증여에 해당되지 아니하며, 아들의 대출금을 부모가 대신 변제하는 경우는 증여세 과세대상이 된다(서일 46014-11144, 2002.9.3.).

14

배우자 등에게 양도한 재산의 이익(증여)은 증여세 또는 양도소득세가 과세된다

배우자 또는 직계존비속("배우자 등"이라 한다)에게 양도한 경우와 특수관계인에게 양도한 자산을 그 특수관계인이 3년 이내에 당초 양도자의 배우자 등에게 양도한 재산은 양도자가 그 재산을 양도한 때에 그 재산의 가액을 배우자 등이 증여받은 것으로 추정하여 배우자 등에게 증여세가 과세된다(상속세 및 증여세법 §44①).

보충설명

증여의제란, 「민법」 상의 증여계약에 따른 증여는 아니나 부동산 등의 무상이전이라는 점에서 증여와 동일하게 보아 세법에 규정된 요건을 충족하면 당연히 증여세가 과세된다.

반면에 증여추정이란, 증여가 아니라는 객관적으로 입증이 되지 않으면 증여로 보겠다는 것이므로 증여가 아니라는 입증이 증명되면 증여세 과세적용을 면할 수 있다.

따라서 증여추정의 경우에는 증여의제보다 납세자에게 과세요건이 유리하다고 할 수 있다.

❶ 배우자 등에게 양도한 재산은 무조건 세금이 과세되나요?

배우자 등에게 양도한 재산은 양도자가 그 재산을 양도한 때에 그 재산의 가액을 배우자 등이 증여받은 것으로 추정하여 배우자 등에게 증여세가 과세된다.

다만, 양도한 사실이 분명한 경우에는 증여추정으로 보지 아니하므로 증여세가 과세되지 않는다.

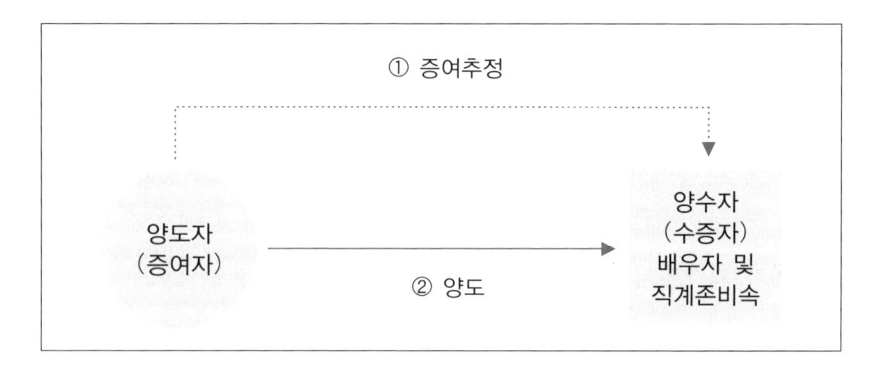

❷ 특수관계있는 자에게 우회양도(간접양도)한 재산을 당초 양도자의 배우자 등에게 양도하면 증여세가 과세된다

특수관계인에게 양도한 재산을 그 특수관계인(양수자)이 양수일부터 3년 이내에 당초 양도자의 배우자 등에게 다시 양도한 경우에는 배우자 등에게 양도한 당시의 재산가액을 그 배우자 등이 증여받은 것으로 추정하여 배우자 등에게 증여세가 과세된다(간접양도).

다만, 당초 양도자 및 특수관계인이 부담한 결정세액을 합친 금액(아래 그림의 "①과 ②"의 세금을 말한다)이 그 배우자 등이 증여받은 것으로 추정할 경우의 증여세액(아래 그림의 "③"을 말한다)보다 큰 경우

(양도자와 양수인의 소득세결정세액 합계액 〉 증여세액)에는 증여세가 과세되지 않는다(상속세 및 증여세법 §44②).

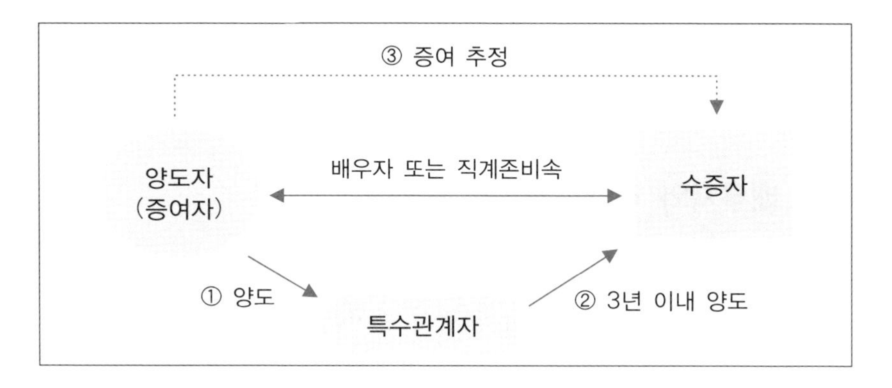

③ 배우자 등에게 양도한 재산의 이익(증여추정)이 아닌 경우에는 증여세가 아닌 양도소득세가 과세된다

배우자 등에게 다음과 같이 양도한 사실이 명백한 경우에는 증여추정을 적용하지 아니하고 양도소득세가 적용된다.

① 권리의 이전이나 행사에 등기 또는 등록을 요하는 재산을 서로 교환한 경우

① 법원의 결정으로 경매절차에 따라 처분된 경우

② 파산선고로 인하여 처분된 경우

③ 「국세징수법」에 따라 공매된 경우

④ 배우자 등에게 대가를 받고 양도한 사실이 명백히 인정되는 경우. 단, 양도일 현재 대가를 추후 지급하기로 한 경우에는 명백히 양도한 것으로 보지 아니한다.

⑤ 특수관계자를 통한 간접양도에 따른 증여추정의 경우 「소득세법」에 따라 당초 양도자 및 양수자가 부담한 결정세액의 합계액이 그 배우

자 등이 증여받은 것으로 추정할 경우의 증여세액보다 큰 경우

⑥ 이미 과세(비과세 또는 감면 포함)되었거나 신고한 소득금액 또는 상속 및 수증재산의 가액으로 그 대가를 지급한 사실이 입증되는 경우

⑦ 소유재산 처분금액으로 그 대가를 지급한 사실이 입증되는 경우

4 배우자와 직계존비속의 범위

배우자 또는 직계존비속에게 양도한 재산은 양도자가 그 재산을 양도한 때에 그 재산의 가액을 배우자 등이 증여받은 것으로 추정함에 있어서 배우자 또는 직계존비속의 범위는 다음과 같다(상속세 및 증여세법 집행기준 44-0-2).

① 배우자는 「민법」상 혼인관계에 의한 배우자를 말한다. 따라서 사실혼에 의한 배우자는 포함되지 아니한다.

② 직계비속에는 친양자 및 출양자도 포함된다.

③ 계모자 관계, 적모서자 관계는 직계존비속 관계에 해당되지 아니한다.

④ 며느리와 시아버지·시어머니 관계 그리고 사위와 장인·장모의 관계는 직계존비속 관계가 아니라 친족관계이다.

5 배우자 등 및 특수관계인에게 재산을 양도한 경우 증여시기는 어느 때로 보나요?

배우자 또는 직계존비속에게 재산을 양도한 경우 증여시기는 그 재산을 배우자 등에게 양도하는 때를 말하며, 특수관계인에게 양도 후 다시 배우자 등에게 양도하는 경우 증여시기는 특수관계인이 배우자 등에게 양도하는 때이다.

질의 **직계존비속 간 재산 매매거래 시 어떤 경우에 양도 또는 증여로 보나요?**

답변 직계존비속 간 재산 매매거래의 실질이 양도 또는 증여에 해당하는지 여부는 계약내용과 금융자료 등에 의한 실제지급사실 및 자금출처관련 증빙, 차입한 금전에 대한 원리금의 실제부담자 등을 종합하여 사실 판단할 사항입니다(법규재산 2012-373, 2012.11.2.).

15

부동산의 취득자금(채무상환 포함)을 입증하지 못하면 증여세가 과세된다

증여는 일반적으로 특수관계인 간에 이루어지기 때문에 과세관청에서는 증여세의 회피를 방지하기 위하여 재산취득자금, 채무상환자금 또는 차명금융재산의 원천을 조사하여 자금출처를 밝히지 못하는 부분에 대해서는 그 재산을 취득한 때 또는 그 채무를 상환한 때에 다른 자로부터 증여받은 것으로 추정하고 이를 그 재산취득자 또는 그 채무자에게 증여세가 과세된다(상속세 및 증여세법 §45).

그러나 일정금액 이하에 해당하는 경우와 자금출처를 소명한 경우에는 증여세를 과세하지 아니한다.

1 부동산의 취득자금 중 입증하지 못한 일정 금액에 대하여 증여세가 과세된다

재산을 자력으로 취득하였다고 입증하지 못한 금액은 증여추정으로 증여세가 과세된다

직업, 연령, 소득 및 재산 상태 등으로 볼 때 재산을 자력으로 취득하였다고 인정하기 어려운 경우에는 그 재산을 취득한 때에 그 재산의 취득자금 중 입증하지 못한 금액을 그 재산의 취득자가 증여받은 것으로 추정하고 이를 그 재산취득자에게 증여세가 과세된다(상속세 및 증여세법 집행기준 45-0-1).

이 경우 취득자가 재산을 스스로 취득하였다는 입증된 금액의 합계액이 취득에 실제로 소요된 금액(취득재산의 가액 - 입증된 금액)에 미달하는 금액을 증여추정금액으로 본다.

그러나 다음과 같이 입증하지 못한 금액이 해당 재산취득가액의 20%에 상당하는 금액과 2억원 중 적은 금액에 미달하는 경우에는 증여추정으로 보지 아니한다(상속세 및 증여세법 집행기준 45-34-1).

증여추정배제	입증하지 못한 금액 ≤ Min[재산취득가액 × 20%, 2억원]
증여추정과세	입증하지 못한 금액 ≥ Min[재산취득가액 × 20%, 2억원]

보충설명

실명이 확인된 계좌 또는 외국의 관계 법령에 따라 이와 유사한 방법으로 실명이 확인된 계좌에 보유하고 있는 재산은 명의자가 그 재산을 취득한 것으로 추정하여 증여세가 과세된다(상속세 및 증여세법 §45④). 다만, 명의자가 차명재산임을 입증하는 경우에는 증여 추정으로 보지 아니한다.

예컨대 부동산취득금액이 11억원으로써 자금출처 입증금액이 10억원인 경우로서 입증하지 못한 금액이 1억원이라고 가정할 때, 해당 1억원은 증여추정배제금액(11억원 × 20%와 2억원 중 적은 금액) 2억원에 미달하므로 해당 입증하지 못한 금액 1억원은 증여추정이 발생하지 아니한다.

그러나 부동산취득금액이 11억원으로써 자금출처 입증금액이 8억원인 경우로서 입증하지 못한 금액이 3억원이라고 가정할 때 해당 3억원은 증여추정배제금액(11억원 × 20%와 2억원 중 적은 금액) 2억원을 초과하므로 입증하지 못한 금액 3억원에 대해서 증여추정(증여세 과세)이 발생한다.

이 경우 재산취득(채무상환)의 자금출처를 입증하지 못한 증여추정에 대한 증여세 과세 여부 사례는 다음과 같다.

재산취득(채무상환)	입증금액	입증하지 못한 금액	증여추정 증여세과세
8억원	7억원	1억원	제외
9억원	6.5억원	2.5억원≥Min[9억 × 20%, 2억원] = 1.8억원	2.5억원
15억원	13.5억원	1.5억원	제외
19억원	16.5억원	2.5억원≥Min[19억 × 20%, 2억원] = 2억원	2.5억원

부동산 취득자금에 대해 예외적으로 입증이 없어도 증여추정으로 보지 않는다

재산 취득자의 직업, 연령, 소득 및 재산상태 등으로 볼 때 재산의 취득자금 또는 채무상환자금이 직업, 연령, 소득, 재산상태 등을 고려하여 재산취득일 전 합계액이 5천만원 이상으로서 연령·세대주·직업·재산상태·사회경제적 지위 등을 고려하여 국세청장이 정하는 금액 이하인 경우와 취득자금에 관한 충분한 소명이 있는 경우에는 증여추정을 적용하지 아니한다.

다만, 기준금액 이하일지라도 취득자금 또는 채무상환자금이 타인으로부터 증여받은 사실이 객관적으로 확인되는 경우에는 증여세가 과세된다. 상속세 및 증여세법 사무처리규정에 정하고 있는 취득재산 및 채무상환의 증여추정 배제기준은 다음과 같다.

<table>
<tr><th colspan="2" rowspan="2">구분</th><th colspan="2">취득재산</th><th rowspan="2">채무상환</th><th rowspan="2">총액한도</th></tr>
<tr><th>주택</th><th>기타자산</th></tr>
<tr><td rowspan="2">세대주인 경우</td><td>30세 이상인 자</td><td>2억원</td><td>5천만원</td><td rowspan="2">5천만원</td><td>2억5천만원</td></tr>
<tr><td>40세 이상인 자</td><td>4억원</td><td>1억원</td><td>5억원</td></tr>
<tr><td rowspan="2">세대주가 아닌 경우</td><td>30세 이상인 자</td><td>1억원</td><td>5천만원</td><td rowspan="2">5천만원</td><td>1억5천만원</td></tr>
<tr><td>40세 이상인 자</td><td>2억원</td><td>1억원</td><td>3억원</td></tr>
<tr><td colspan="2">30세 미만인 자인 경우</td><td>5천만원</td><td>3천만원</td><td>3천만원</td><td>8천만원</td></tr>
</table>

❷ 채무를 자력으로 상환하지 못한 금액 중 입증하지 못한 일정금액에 대하여 증여세가 과세된다

직업・연령・소득 및 재산상태 등으로 보아 자력으로 상환하였다고 인정하기 어려운 상환금액에 대해서는 다음의 금액을 채무자가 증여받은 것으로 추정한다.

(채무상환금액 − 입증된 금액) ≥ Min(채무상환금액×20%, 2억원)

증여세 과세표준은 어떻게 산출하나요?

증여세 과세표준은 증여세를 계산하기 위한 기준금액으로서 증여세 과세가액에서 다음의 금액을 뺀 금액으로 한다(상속세 및 증여세법 §25①).

① 증여공제액

② 증여재산의 감정평가 수수료(5백만원 한도)

증여세 과세표준 = 증여세과세가액 − 증여공제 − 감정평가수수료

증여세 세율과 세대를 건너 뛴 경우 할증과세는 어떻게 적용하나요?

증여세 세율은 상속세의 세율을 준용하여 적용하는 것이며, 상속세 세율은 초과누진세율의 구조로 되어 있어 과세표준이 크면 클수록 높은 세율로 중과되는 체계를 갖추고 있다(상속세 및 증여세법 §56).

증여세 산출세액은 증여세 과세표준에 상속세 세율을 적용하여 계산한 금액에 세대를 건너 뛴 경우에 적용하는 할증과세를 더한 금액을 말한다.

증여세 산출세액 = (증여세 과세표준 × 세율) + 할증과세

1 증여세 세율

증여세 세율은 다음과 같다.

증여세 과세표준	세율
과세표준이 1억원 이하	10%
과세표준이 1억원 초과 5억원 이하	1천만원 + (1억원 초과하는 금액의 20%)
과세표준이 5억원 초과	9천만원 + (5억원 초과하는 금액의 30%)

증여세 과세표준	세율
10억원 이하	
과세표준이 10억원 초과 30억원 이하	2억 4천만원 + (10억원 초과하는 금액의 40%)
과세표준이 30억원 초과	10억 4천만원 + (30억원 초과하는 금액의 50%)

2 어떤 경우에 세대를 건너 뛴 할증세율(30% 또는 40%)을 적용하나요?

재산을 증여할 때 부득이 하게 세대를 건너 뛴 증여를 하는 경우가 있다.

수증자가 증여자의 자녀가 아닌 직계비속인 경우에는 증여세 산출세액의 30%(수증자가 증여자의 자녀가 아닌 직계비속이면서 미성년자인 경우로서 증여재산가액이 20억원을 초과하는 경우에는 40%)에 상당하는 금액을 가산한다. 다만, 증여자의 최근친(最近親)인 직계비속이 사망하여 그 사망자의 최근친인 직계비속이 증여받은 경우에는 그러하지 아니하다(상속세 및 증여세법 §57).

관련예규

수증자가 증여자의 자녀가 아닌 직계비속인 경우에는 할증과세하고 수증자가 증여일 현재 비거주자인 경우에는 증여자가 수증자와 연대납부 의무가 있다(재산-534, 2011.11.11.).

증여세에 대한 신고세액공제는 어떻게 적용하나요?

증여세 납세의무가 있는 자는 증여받은 날이 속하는 달의 말일부터 3개월 이내에 납세지 관할 세무서장에게 증여세를 신고 한 경우에는 증여세 산출세액의 3% 상당액(신고세액공제액)을 산출세액에서 공제받을 수 있다.

19

증여세 신고 · 납부(분납 · 연부연납)와 제출할 서류는 어떤 것이 있나요?

증여세는 상속세 및 양도소득세와 같이 납세의무자가 관할 세무서에 신고하고 그 신고에 의하여 정부는 그 신고내용을 기초로 조사하여 증여세 과세가액과 세액을 확정 짓는다. 이러한 증여세 신고는 수증자가 증여세 신고기한 내에 증여세 신고 당시 증여세를 관할하는 관할 세무서장에게 증여세 과세표준신고와 관련서류를 제출하는 것을 말한다.

증여세 납세의무가 있는 자는 증여받은 날이 속하는 달의 말일부터 3개월 이내에 증여세 과세표준신고서를 납세지 관할 세무서장에게 신고하여야 한다.

1 증여세를 신용카드로 납부할 수 있나요?

증여세 납세의무자가 신고하거나 과세관청이 결정 또는 경정하여 고지하는 세액 중 1천만원 이하는 국세납부대행기관(금융결제원)의 홈페이지 및 전국 세무관서에 설치된 신용카드 단말기로 납부할 수 있다.

❷ 분납은 어떻게 하나요?

증여세 신고납부세액이 1천만원을 초과하는 경우 2개월 이내에 분납할 수 있으나 연부연납을 신청하는 경우에는 분납할 수 없다(상속세 및 증여세법 집행기준 70-66-2).

납부할 세액	분납세액
1천만원 초과 2천만원 이하	1천만원을 초과하는 금액
2천만원 초과	납부할 세액의 50% 이하 금액

❸ 연부연납은 어떻게 하나요?

증여세는 일시납부가 원칙이나 특정의 경우 납부의 기한을 연장하여 납세자의 납세부담을 이연시키는 제도이다. 납세지 관할 세무서장은 다음의 요건을 모두 충족하는 경우 납세자의 신청을 받아 연부연납을 허가할 수 있다.

① 증여세 납부세액이 2천만원을 초과할 것

② 증여세 과세표준 신고기한이나 결정통지에 의한 납세고지서 상의 납부기한까지 연부연납신청서를 제출할 것

③ 납세담보를 제공할 것

❹ 물납은 어떻게 하나요?

세금은 현금납부를 원칙으로 하나 상속세의 경우 현금 납부가 어려운 경우에는 일정 요건을 갖추어 세무서장의 승인을 얻으면 증여받은 재산으로 납부할 수 있다.

5 증여세 신고 시 제출할 서류는 어떤 것이 있나요?

① 증여세 과세표준신고 및 자진납부계산서

② 증여재산 및 그 평가명세서

③ 채무사실 및 기타 입증서류

④ 수증자와 증여자의 관계를 알 수 있는 가족관계증명서 등

제3장

상속세 및 증여세의 기한 후 신고

상속세 또는 증여세 과세표준신고서를 법정신고기한 내에 제출한 자는 해당 상속세 또는 증여세 과세표준과 세액(가산세 포함)을 결정하여 통지하기 전까지는 기한 후 과세표준수정신고서를 제출할 수 있다(국세기본법 §45의3).

이 경우 기한 후 신고는 무신고의 일종으로 추가적으로 신고기회를 준 것에 불과하기 때문에 그 신고에 따른 납세의무의 확정력은 없다. 다만, 법정신고기한 내에 과세표준신고서를 제출하지 아니한 자로서 납부할 세액이 있는 납세자는 법정신고기한 경과 후 1개월 이내에 기한 후 과세표준신고서의 제출과 동시에 해당 세액을 납부한 경우 다음의 가산세액의 감면을 적용받을 수 있다.

① 법정신고기한이 지난 후 1개월 이내에 기한 후 신고를 하는 경우 무신고 가산세액의 50%

② 법정신고기한이 지난 후 1개월 초과 3개월 이내에 기한 후 신고를 하는 경우 무신고 가산세액의 30%

③ 법정신고기한이 지난 후 3개월 초과 6개월 이내에 기한 후 신고를 하는 경우 무신고 가산세액의 20%

MEMO

제 4 장

상속세 및 증여세의
수정신고 및 경정 등 청구

① 수정신고는 어떤 경우에 하나요?

상속세 또는 증여세 과세표준신고서를 법정신고기한 내에 제출한 자가 기신고한 과세표준신고서에 오류가 있은 경우로서 세법상 납부할 세액보다 미달하게 납부한 세액이 있는 경우에는 관할 세무서장에게 그 미달한 세액을 결정 또는 경정하여 통지하기 전으로서 부과제척기간이 끝나기 전까지 과세표준수정신고서를 제출할 수 있다.

이 경우 법정신고기한 경과 후 다음에 따라 수정신고·납부하는 경우에는 가산세액의 일정 금액을 감면한다. 다만, 과세표준 수정신고서를 제출한 과세표준과 세액에 관하여 경정이 있을 것을 미리 알고 제출한 경우에는 가산세감면이 적용되지 아니한다(국세기본법 §46, §48).

① 법정신고기한 경과 후 1개월 이내에 수정신고 납부한 경우에는 가산세액의 90%

② 법정신고기한 경과 후 1개월 초과 3개월 이내에 수정신고 납부한 경우에는 가산세액의 75%

③ 법정신고기한 경과 후 3개월 초과 6개월 이내에 수정신고 납부한 경우에는 가산세액의 50%

④ 법정신고기한 경과 후 6개월 초과 1년 이내에 수정신고 납부한 경우에는 가산세액의 30%

⑤ 법정신고기한 경과 후 1년 초과 1년 6개월 이내에 수정신고 납부한 경우에는 가산세액의 20%

⑥ 법정신고기한 경과 후 1년 6개월 초과 2년 이내에 수정신고 납부한 경우에는 가산세액의 10%

수정신고를 하더라도 그 수정신고분에 대한 상속세 또는 증여세의 신고세액공제는 적용되지 아니한다.

※ 제1편 “48. 양도소득세를 과소납부한 경우 추가납부(수정신고)는 어떻게 신고 · 납부하나요?”(p.178 참조)

2 경정 등의 청구는 어떤 경우에 하나요?

상속세 또는 증여세 과세표준신고서(기한후 과세표준신고서 포함)를 법정신고기한 내에 제출한 자는 과세표준신고서에 기재된 과세표준 및 세액이 세법에 따라 신고하여야 할 과세표준 및 세액을 초과하는 때에는 최초신고 및 수정신고한 상속세 또는 증여세의 과세표준 및 세액의 결정을 법정신고기한이 지난 후 5년 이내에 관할 세무서장에게 청구할 수 있다.

다만, 결정 또는 경정으로 인하여 증가된 상속세 또는 증여세 과세표준 및 세액에 대하여는 해당 처분이 있음을 안 날(처분의 통지를 받은 때에는 그 받은 날)부터 90일 이내(법정신고기한이 지난 후 5년 이내에 한함)에 경정청구할 수 있다.

※ 제1편 “49. 양도소득세를 과다하게 신고 · 납부한 경우에는 어떻게 환급(경정청구)받나요?”(p.182 참조)

제5장

상속세 및 증여세를 부과할 수 있는 기간

국세부과권은 세금을 구체적으로 확정하기 위해 결정하는 권리이며, 국세징수권은 세액이 구체적으로 확정되고 난 후 확정된 세금을 징수하기 위해 납세자에게 그 이행을 청구하는 권리이다.

이에 대하여는 제1편 양도소득세 "10. 양도소득세의 부과제척기간과 징수권의 소멸시효 기간 적용은 어떻게 다른가요?"(p.44)를 참조하기 바란다.

보충설명

상속세 및 증여세에 적용되는 특례 제척기간

납세자가 부정행위로 상속세·증여세를 포탈하는 경우로서 다음의 어느 하나에 해당하는 경우에는 상속 또는 증여가 있음을 안 날부터 1년 이내에 상속세 및 증여세를 부과할 수 있다(50억원 초과된 경우에 한정함).

① 제3자의 명의로 되어 있는 피상속인 또는 증여자의 재산을 상속인이나 수증자가 보유하고 있거나 그 자의 명의로 실명전환을 한 경우
② 계약에 따라 피상속인이 취득할 재산이 계약이행기간에 상속이 개시됨으로써 등기·등록 또는 명의개서가 이루어지지 아니하고 상속인이 취득한 경우
③ 국외에 있는 상속재산이나 증여재산을 상속인이나 수증자가 취득한 경우
④ 등기·등록 또는 명의개서가 필요하지 아니한 유가증권, 서화(書畫), 골동품 등 상속재산 또는 증여재산을 상속인이나 수증자가 취득한 경우
⑤ 수증자의 명의로 되어 있는 증여자의 「금융실명거래 및 비밀보장에 관한 법률」 제2조 제2호에 따른 금융자산을 수증자가 보유하고 있거나 사용·수익한 경우
⑥ 「상속세 및 증여세법」 제3조 제2호에 따른 비거주자인 피상속인의 국내재산을 상속인이 취득한 경우

MEMO

제6장

상속세 및 증여세의 가산세

상속세 및 증여세의 가산세는 세법에서 규정하는 납세의무 등의 성실한 이행을 확보하기 위하여 그 의무를 위반한 자로부터 해당 세법에 의하여 산출한 세액을 본세에 가산하여 부과하는 금액을 말한다.

세법상 가산세는 과세권의 행사 및 조세채권의 실현을 용이하게 하기 위하여 납세자가 세법에 규정된 신고, 납세 등 각종 의무를 위반한 경우에 부과되는 행정상의 제재로서 납세자의 고의, 과실은 고려되지 않는다.

※ 제1편 "47. 양도소득세의 신고 · 납부의무를 게을리하면 어떤 가산세가 부과되나요?"(p.173 참조)

❶ 무신고가산세

상속세 및 증여세의 납세의무자가 법정신고기한까지 상속세 또는 증여세 과세표준 신고를 하지 않은 경우에는 상속세법 및 증여세법에 따른 산출세액(세대를 건너뛴 상속에 대한 할증과세 등)의 20%(사기나 기타의 부정한 행위인 경우에는 40%)에 상당하는 금액을 가산세로 한다.

여기서 부정한 행위란, 다음의 경우를 말한다.

① 부정한 방법으로 재산을 평가하거나 상속 또는 증여계약서를 거짓으로 작성하는 경우

② 조세탈루를 위해 상속재산을 은닉하거나 등기원인 등을 사실과 다르게 하여 증여행위를 은폐한 경우

③ 부동산을 명의신탁의 방법으로 재산을 은닉하여 상속세 또는 증여세를 탈루한 경우 등

2 과소신고가산세

납세의무자가 법정신고기한까지 상속세 및 증여세의 과세표준 신고를 한 경우로서 상속세 및 증여세의 납부할 세액을 미달하게 신고한 상속세 및 증여세의 과세표준이 신고하여야 할 상속세 및 증여세의 과세표준에 미달한 경우에는 과소신고한 상속세 및 증여세의 과세표준에 상당액이 상속세 및 증여세의 과세표준에서 차지하는 비율을 상속세 및 증여세의 과세표준 산출세액에 곱하여 계산한 금액의 10%(사기나 기타의 부정한 행위인 경우에는 40%)에 상당하는 금액을 가산세로 한다.

그러나 다음에 해당하는 사유로 상속세 및 증여세의 과세표준을 과소신고한 경우에는 해당 가산세를 적용하지 않는다.

① 신고 당시 소유권에 대한 소송 등의 사유로 상속재산 또는 증여재산으로 확정되지 아니하였던 경우
② 「상속세 및 증여세법」에 따른 공제의 적용에 착오가 있었던 경우 등

3 납부지연가산세

납세자가 「상속세 및 증여세법」에 따른 법정납부기한까지 상속세 또는 증여세를 납부하지 아니하거나 납부할 세액보다 적게납부(과소납부)한 경우에는 다음의 산식을 적용하여 계산한 금액을 납부할 세액에 가산한다.

> 납부하지 아니한 세액 또는 과소납부세액 × 납부기한 다음 날부터 자진 납부일 또는 납세 고지일까지의 기간 × 25/100,000 (연 9.125%)

제 7 장

상속세 및 증여세법상 부동산 평가

상속세 및 증여세가 부과되는 상속재산 또는 증여재산의 가액은 상속개시일 또는 증여일("평가기준일"이라 한다) 현재의 시가를 원칙으로 하고 있다. 시가는 불특정 다수인 사이에 자유롭게 거래가 이루어지는 경우에 통상적으로 성립된다고 인정되는 가액을 의미하며, 수용가격·공매가격·감정가격 및 매매사실이 있었던 재산의 거래가격 등은 시가로 인정될 수 있다.

그러나 사실상의 시가를 재산가액으로 과세하기 어려운 경우에는 보충적 평가방법에 의한다.

❶ 시가

시가란, 불특정다수인 사이에 자유롭게 거래가 이루어지는 경우 일정한 요건을 갖춘 통상적으로 성립되는 가액을 말한다.

일정한 요건이란, 재산평가가액으로 대체하기에 충분한 객관적인 거래사실 또는 공신력있는 감정기관의 감정 등에 의하여 검증된 가액을 의미하는 것으로서 평가기준일 전후 6개월(증여재산의 경우에는 평가기준일 전 6개월부터 평가기준일 후 3개월까지)내에 매매 및 감정 등이 사실이 확인되는 경우에는 이를 시가로 한다.

❷ 보충적 평가방법

재산가액은 시가로 평가하는 것이 원칙이나 사실상 시가를 재산가액으로 하여 과세하기가 어려우므로 다음의 보충적 평가방법에 의하여 평가한 금액을 재산가액으로 하여 과세하는 것이 일반적이다.

① 토지 : 개별공시지가에 의하여 평가

② 주택 : 개별주택가격 및 공동주택가격으로 평가

③ 일반건물 : 건물의 신축가격 및 구조 등을 고려하여 국세청이 고시하는 가액으로 평가한 금액

④ 오피스텔 및 상업용 건물 : 국세청장이 토지와 건물에 대하여 일괄하여 고시한 가액으로 평가한 금액

토지에 대한 평가

토지의 보충적 평가방법 적용은 국세청장이 지정하는 지역("지정지역"이라 한다)토지와 지정지역 외("일반지역"이라 한다)의 토지로 구분하고, 일반지역은 개별공시지가가 있는 경우와 개별공시지가가 없는 경우로 구분된다.

일반지역의 경우 개별공시지가가 없는 토지의 경우 평가의 공정성 등으로 납세지 관할 세무서장이 2 이상의 공신력이 있는 감정기관에 의뢰하여 평가할 수 있다. 다만, 부동산의 기준시가가 10억원 이하인 것은 하나의 감정기관에 의뢰하여 평가할 수 있다.

그러나 일반지역 토지로서 상속개시일 또는 증여일 당시 개별공시지가가 있는 경우에는 그 개별공시지가에 의하여 평가한다. 다만, 토지의 형질변경으로 개별공시지가를 적용하는 것이 불합리하다고 인정되는 경우에는 토지의 가액은 납세지 관할 세무서장이 인근 유사 토지의 개별공시지가를 고려하여 평가한다(상속세 및 증여세법 기본통칙 61-50…1).

건물에 대한 평가

일반건물의 경우에는 신축가격, 구조, 용도, 위치, 신축연도, 개별건물의 특성 등을 고려하여 매년 1회 이상 국세청장이 산정·고시하는 가액으로 평가한다.

오피스텔 및 상업용 건물은 건물에 딸린 토지를 공유(共有)로 하고 건물을 구분소유하는 것으로서 건물의 용도·면적 및 구분소유하는 건

물의 수(數) 등과 건물의 종류, 규모, 거래 상황, 위치 등을 고려하여 매년 1회 이상 국세청장이 토지와 건물에 대하여 일괄하여 산정·고시한 가액으로 한다.

주택은 개별주택가격 및 공동주택가격은 국세청장이 결정·고시한 공동주택가격이 있는 때에는 그 가격인 고시주택가격으로 한다.

시설물 및 구축물

시설물 및 구축물의 가액은 원칙적으로 1개의 구축물별로 평가한다. 다만, 2개 이상의 구축물로 분리하는 경우 이용가치를 현저히 저하시킨다고 인정되는 경우에는 일괄하여 평가할 수 있다. 그리고 토지, 건물과 일괄하여 평가한 그 밖의 시설물 및 구축물에 대하여는 별도의 평가를 하지 아니한다.

이 경우 시설물 및 구축물(토지 또는 건물과 일괄하여 평가하는 것 제외)은 평가기준일에 다시 건축하거나 다시 취득할 때 소요되는 가액에서 동 자산의 설치일부터 평가기준일까지의 감가상각비상당액을 빼서 평가한다.

질의 상속받은 주택을 상속인이 임의 평가한 가액으로 상속세를 신고한 후 그 주택을 양도하면서 임의평가액을 취득가액으로 양도소득세를 신고할 경우 타당한지요?

답변 상속받은 주택을 상속인이 임의평가한 가액으로 상속세를 신고한 후 그 주택을 양도하면서 그 임의평가액을 취득가액으로 양도소득세를 신고한 경우에는 주택의 가액을 상속당시 기준시가로 하여 상속세는 경정청구로 환급세액이 발생하며, 양도소득세는 취득가액을 기준시가로 하여 수정신고하여 추가납부세액을 계산한다(조세심판원 2011중828, 2011.6.30.).

MEMO

제3편 지방세 (취득세 및 재산세)

본 편에서는 개인의 부동산(토지 및 건축물) 취득에 관련한 취득세와 보유로 인한 재산세에 대해서 알기쉽게 설명하고자 한다.

제 1 장

취득세

취득세의 개념을 알면 취득세가 쉽게 보인다

취득세는 부동산(토지 및 건축물)의 취득행위에 따라 이전하는 사실에 대하여 담세력이 있다고 보아 과세하는 조세이다.

취득세는 부동산의 취득행위를 과세객체로 하여 부과하는 행위세 이므로 부동산의 취득자가 실질적인 소유권을 취득하였는지 여부에 관계없이 소유권 이전의 형식에 따른 취득의 모든 경우를 포함하며(조세심판원 2015지294, 2015.3.24), 「민법」 등 기타 관계법령에 따라 등기 등을 하지 아니한 경우라도 부동산을 매수하고 잔금을 청산한 경우에는 사실상 취득한 것으로 본다(지방세운영-3493, 2010.8.10.).

여기서 "사실상의 취득"이라 함은 일반적으로 등기와 같은 소유권 취득의 형식적 요건을 갖추지는 못하였으나 대금의 지급과 같은 소유권 취득의 실질적 요건을 갖춘 경우를 말하므로 부동산 취득세는 그 취득행위라는 과세요건 사실이 존재하면 당연히 과세한다(대법원 2005두13360, 2007.5.11.)는 의미이다.

따라서 부동산에 대한 소유권 이전등기를 이행한 경우에는 실질적인 매매여부에 상관없이 새로운 취득으로 보아 취득세가 과세된다(지방세심사 2000-325, 2000.4.26.).

세법에서 취득세 과세대상 취득이란, 매매·교환·상속·증여·기부・법인에 대한 현물출자, 건축・개수(改修)・공유수면의 매립・간척에 의한 토지의 조성 등과 그 밖에 이와 유사한 취득을 말한다(지방세법 §6〈1〉).

보충설명

취득이란, 취득자가 소유권 이전등기・등록 등 완전한 내용의 소유권을 취득하는가의 여부에 관계없이 사실상의 취득행위(잔금지급, 연부금 완납 등) 그 자체를 말한다(지방세법 기본통칙 6-8).

① 매매, 교환 등의 취득(유상승계)과 상속, 증여 등의 취득(무상승계)은 취득세가 된다

취득세가 과세되는 매매, 교환 등의 유상승계 취득과 상속, 증여 등의 무상승계 취득으로 구분하며, 매매에 의한 승계취득이 일반적이다.

매매란, 당사자 일방이 재산권을 상대방에게 이전할 것을 약정하고 상대방이 그 대금을 지급할 것을 약정함으로써 그 효력이 생기며(민법 §563), 물권변동을 생기는 법률행위인 등기라는 요건을 경료하면 「민법」상 완전한 의미의 소유권을 취득하는 것으로 본다.

질의 **토지거래허가구역 내 토지를 매매계약하고 대금 모두를 지급한 경우 취득으로 보나요?**

답변 토지거래허가구역 내에 있는 토지에 관한 매매계약을 체결하고 매도인에게 그 매매대금을 모두 지급한 경우라도, 관할 관청으로부터 토지거래허가를 받지 못하였다면 그 토지는 취득한 것으로 볼 수 없기 때문에 취득세를 부과 할 수 없습니다(감사원심사 2011-174, 2011.10.6.).

질의 **부동산을 적법하게 취득한 이후 합의에 따라 계약을 해제한 경우 취득세가 과세되나요?**

답변 취득세는 부동산의 취득행위를 과세객체로 하여 부과하는 행위세이므로, 일단 적법하게 취득한 이후 합의에 따라 계약을 해제하고 그 부동산을 반환하는 경우에도 이미 성립한 조세채권의 행사에 영향이 없습니다(조세심판원 2013지25, 2013.4.4.).

질의 **농지취득자격증명을 발급받지 아니한 경우 매매계약이 무효이므로 취득세 과세대상에서 제외되나요?**

답변 「농지법」 제8조 제1항에서 말하는 "농지취득자격증명"은 농지를 취득하는 자가 그 소유권에 관한 등기를 신청할 때에 첨부하여야 할 서류로서 농지를 취득하는 자에게 농지취득의 자격이 있다는 것을 증명하는 것일 뿐이므로 농지취득자격증명이 없다고 하더라도 농지를 적법하게 취득한 이상 농지취득이 이루어진 것으로 보아야 하고, 그 후 농지취득자격증명을 발급받지 아니하였다 하더라도 매매계약이 무효가 아니므로 취득세가 과세됩니다(조세심판원 2016지35, 2016.3.15.).

질의 **사해행위취소 확정판결로 해당 부동산의 소유권 이전등기가 말소되어 소유권이 전소유자에게 환원된 경우 취득세가 과세되나요?**

답변 사해행위취소 확정판결로 인하여 해당 부동산에 대하여 소유권 이전등기가 말소되어 소유권이 전소유자에게 환원되었다 하더라도, 청구인들 명의로 등기된 이상 청구인들이 해당 부동산을 취득하였다고 볼 수 밖에 없고, 당초 체결된 해당 부동산의 매매계약이 무효가 된 것이 아니라 취소된 것이므로 일단 적법하게 성립한 취득행위가 사후에 취소·변경된다 하여도 이미 성립된 조세채권에는 영향을 미치지 아니합니다(조세심판원 2015지220, 2015.5.28.).

질의 **종중원 명의로 등기되어 있던 토지를 명의신탁해지를 원인으로 청구인 명의로 소유권 이전등기한 경우 취득세 과세대상이 되나요?**

답변 종중원 명의로 등기되어 있던 해당 토지를 명의신탁해지를 원인으로 하여 청구인 명의로 소유권 이전등기한 경우 이는 취득세 과세대상이 되는 소유권이전에 따른 부동산의 취득에 해당합니다(조세심판원 2014지879, 2014.7.21.).

■ 상속으로 취득한 경우 취득세가 과세되나요?

상속(피상속인이 상속인에게 한 유증 및 포괄유증과 신탁재산의 상속을 포함)으로 인하여 취득하는 경우에는 상속인 각자가 상속받는 취득물건(지분을 취득하는 경우에는 그 지분에 해당하는 취득물건을 말한다)을 취득한 것으로 본다(지방세법 §7⑦).

보충설명

상속인이 상속을 원인으로 소유권 이전등기한 사실이 처음부터 법률효과가 발생하지 아니하는 무효의 경우가 아니라면 소유권 이전의 형식에 의한 부동산 취득으로 취득세 납세의무가 있다(서울세제-15052, 2012.11.21.).

질의 **상속재산을 협의 재분할한 경우 각자의 상속물건 별로 당초 상속분을 초과하는 경우 취득세가 과세되나요?**

답변 상속재산에 대하여 등기에 의하여 각 상속인의 상속분이 확정되어 등기가 된 후, 그 상속재산에 대하여 공동상속인이 협의하여 재분할한 결과 특정 상속인이 당초 상속분을 초과하여 취득하게 되는 재산가액은 그 재분할에 의하여 상속분이 감소한 상속인으로부터 증여받아 취득한 것으로 봅니다(조세심판원 2016지856, 2016.10.6.).

■ 증여 시 당사자 간에 증여의사의 합치가 없는 경우 취득세가 과세되나요?

사실상 취득에 있어서 증여와 같은 무상취득의 경우에는 당사자 간에 증여의사의 합치를 그 조건으로 하나, 승계계약서의 주요 내용에 증여의사의 합치에 관한 사항이 없는 경우에는 취득세의 납세의무가 성립하지 아니한다(조세심판원 2015지1091, 2016.6.21.).

대물변제로 소유권 이전된 경우 취득세가 과세되나요?

대물변제는 본래의 채무에 갈음하여 다른 급부를 현실적으로 하는 때에 성립하는 요물계약으로서 부동산의 경우 소유권 이전등기를 완료하여야만 대물변제가 성립되어 기존 채무가 소멸하는 것이므로 채권자로서는 소유권이전등기를 경료한 때에 납세의무가 성립한다(대법원 98두17067, 1999.11.12.).

② 신축, 증축, 개축 등(원시취득)은 취득세가 과세된다

취득세가 과세되는 원시취득(수용재결로 취득한 경우 등 과세대상이 이미 존재하는 상태에서 취득하는 경우 제외)은 공유수면의 매립이나 간척에 의한 토지의 조성으로 매립지의 소유권을 취득하는 것과 건축물의 신축, 증축, 개축, 재축 등으로 소유권을 취득하는 것을 말한다.

보충설명

지번착오를 이유로 주택을 서로 교환하여 소유권 이전등기를 한 경우에는 이를 새로운 취득으로 보아 취득세를 부과한다(조세심판원 2011지953, 2012.3.13.).

질의 **공유수면매립 토지를 승계 취득하고 해당 토지의 준공 전에 제3자에게 임대한 후 임대료를 징수하였다면 취득으로 보나요?**

답변 공유수면매립 토지를 승계 취득하기로 약정하고 당해 토지의 준공 전에 제3자에게 임대한 후 임대료를 징수하더라도 원시취득자에게 잔금을 지급하지 않은 경우에는 해당 토지의 사용 여부에 관계없이 취득한 것으로 볼 수 없습니다(세정-6329, 2006.12.18.).

질의 **경매를 통한 부동산의 취득은 원시취득이 아닌 승계취득으로 보나요?**

답변 다음과 같은 사정들을 고려하면, 경매절차로 의하여 부동산의 소유권을 취득하는 것은 원시취득이 아닌 승계취득으로 봅니다(원시취득과 승계취득 시 세율 적용이 다름)(수원지법 2019구합63103, 2019.7.25.).

① 경매는 채무자 재산에 대한 환가절차를 국가가 대행해 주는 것으로서 본질적으로 매매의 일종에 해당한다(대법원 1993.5.25. 선고, 92다15574 판결등 참조). 민법 제578조는 경매가 사법상 매매인 것을 전제로 매도인의 담보책임에 관한 규정을 두고 있다.

② 부동산 경매 시 당해 부동산에 설정된 선순위 저당권 등에 대항할 수 있는 지상권이나 전세권 등은 매각으로 소멸되지 않은 채 매수인에게 인수되고, 매수인은 유치권자에게 그 유치권의 피담보채무를 변제할 책임이 있는 등(민사집행법 제91조 제3항 내지 제5항, 제268조) 경매 이전에 설정되어 있는 당해 부동산에 대한 제한은 당연히 소멸되는 것이 아니라 채무자에게 승계될 수 있다.

③ 공익사업을 위한 토지 등의 취득 및 보상에 관한 법률('토지보상법'이라고 한다)상 수용은 일정한 요건 하에 그 소유권을 사업시행자에게 귀속시키는 행정처분으로서 이로 인한 효과는 소유자가 누구인지와 무관하게 사업시행자가 그 소유권을 취득하게 하는 원시취득이다. 반면, 토지보상법상 협의취득의 성격은 사법상 매매계약이므로 그 이행으로 인한 사업시행자의 소유권 취득도 승계취득이다(대법원 2018.12.13. 선고, 2016두51719 판결 참조). 이와 같이 경매는 그 성격이 사법상 매매에 해당하므로, 그로 인한 소유권 취득은 승계취득으로 보아야 한다.

3 토지 지목으로 가액이 증가(간주취득)된 경우 취득세가 과세된다

취득세가 과세되는 간주취득은 토지의 지목이 사실상 변경함으로써 그 가액이 증가된 경우 그 증가분에 대해서 취득이 있는 것으로 본다.

예컨대, 임차인이 임차한 건물에 건물과 일체가 되어 효용가치를 이루는 부대설비를 장치한 경우에는 이를 건물주가 취득한 것으로 보게 되나 건물과 일체가 되지 아니하고 독자적으로 가치를 지니는 부대설비인 경우에는 임차인이 납세의무자가 된다.

질의 **토지의 사실상 지목이 변경된 경우 취득세가 과세되나요?**

답변 공업용 건물의 주차장으로 사용되다가 건물의 신축으로 인하여 상업용 건물의 부지로 사용되게 되는 경우에는 건물의 신축 당시 사실상 지목변경이 이루어졌다고 보아 그 전후의 개별공시지가의 차액을 과세표준으로 하여 취득세가 부과됩니다(대법원 2016두45912, 2016.9.28.).

토지의 지목변경에 따른 취득세는 그 지목이 사실상 변경된 날을 기준으로 그 취득자에게 부과하는 점 등에 비추어 지목변경에 따른 취득세 납세의무는 토지소유자에게 있습니다(조세심판원 2015지849, 2015.11.23.).

취득세 과세권자는 누구인가요?

취득세는 부동산 등을 취득한 자에게 부과한다(지방세법 §7①).

취득자가 실질적으로 완전한 내용의 소유권을 취득하는지의 여부에 관계 없이 소유권 이전의 형식에 따른 부동산 취득의 모든 경우를 포함하여 매 거래단계마다 과세한다.

부동산 등의 취득에 있어서는 「민법」 등 관계 법령의 규정에 의한 등기·등록 등을 이행하지 아니한 경우라도 사실상으로 취득한 때에는 각각 취득한 것으로 보고 당해 취득물건의 소유자 또는 양수인을 각각 취득자로 한다.

이와 같은 취득세는 도세이므로 과세권자는 시·도지사가 되지만, 실제 도세의 부과징수권을 시장·군수·구청장에게 위임하였기 때문에 해당 취득물건 소재지의 시장·군수·구청장이 과세권자가 된다.

취득세의 납세의무는 누구인가요?

취득세는 취득세 과세물건을 사실상 취득하는 때에 성립하며(지방세기본법 §34), 취득세 과세물건을 취득하는 자(납세의무자)가 지방자치단체에 신고·납부하는 취득세는 신고하는 때에 확정한다(지방세기본법 §35).

취득세는 등기 여부와 관계없이 사실상 부동산 등을 취득한 자에게 부과한다.

부동산 등의 취득은 「민법」등 관계 법령에 따른 등기·등록 등을 하지 아니한 경우라도 부동산을 매수하고 잔금을 청산한 경우라면 사실상 취득행위가 있는 것으로 보고 해당 취득물건의 소유자 또는 양수인을 각각 취득자로 하여 취득세의 납세의무자로 본다(지방세법 §7).

보충설명

공유물의 분할은 공유권 중 자기지분을 분리하는 것이므로 이때 자기지분을 초과하여 분할 등기하는 경우 그 초과분에 대해서도 취득세 납세의무가 있다(지방세법 집행기준 15-1).

■ 상속으로 취득한 부동산에 대하여 납세의무가 있나요?

상속(피상속인이 상속인에게 한 유증 및 포괄유증과 신탁재산의 상속을 포함)으로 인하여 취득하는 경우에는 상속인 각자가 상속받는 취득물건(지분을 취득하는 경우에는 그 지분에 해당하는 취득물건을 말함)을 취득한 것으로 보아 상속인이 납세의무를 진다(지방세법 §7⑦).

이 경우 상속으로 인한 취득세 납세의무성립은 그 상속인의 고의·과실 및 한정승인의 신고 여부와 관계없이 피상속인의 사망일에 상속인에게 취득세 납세의무가 성립한다(조세심판원 2010지600, 2011.7.7.).

보충설명

매매계약 체결 후 사실상 취득이 이루어지기 전에 매도자가 사망하고 매수자에게 소유권 이전등기가 되는 경우 상속인에게 상속에 따른 취득세 납세의무가 있다(지방세법 기본통칙 7-7).

질의 **상속재산 유류분 반환청구 소에 의해 유류분을 반환받아 소유권 이전등기를 이행하는 경우 납세의무가 있나요?**

답변 법정 상속인들이 상속재산 유류분 반환청구 소를 제기하여 유류분을 반환받아 소유권 이전등기를 이행하는 경우에는 상속을 원인으로 상속재산을 반환받아 재산상의 지위를 회복하는 것이므로 상속 개시일을 취득시기로 하여 취득세 납세의무가 있습니다(도세-115, 2008.3.20.).

관련예규

피상속인의 유증에 의하여 취득한 상속부동산에 대하여 피상속인의 법정상속인이 유류분 반환청구권을 행사하여 법원의 판결에 따라 유류분을 반환한 경우 당초에 유류분 지분만큼 납부한 취득세는 환급된다(지방세운영-846, 2009.2.25.).

■ 계약 등의 해제인 경우 납세의무에 영향을 주나요?

유상 및 무상취득을 불문하고 적법하게 취득한 다음에는 그 후 합의에 의하여 계약을 해제하고 그 재산을 반환하는 경우에도 이미 성립한 조세채권의 행사에 영향을 줄 수 없으므로 취득세 납세의무가 없다(무상취득 및 개인 간 유상취득에 있어 60일 이내 계약해제 사실을 입증하는 경우는 제외한다. 다만, 소유권이전등기를 경료되지 않은 경우에 한한다)(지방세법 기본통칙 7-1〈2〉).

만일, 부동산의 취득일부터 60일을 경과하여 그 계약을 해제한 경우에는 해당 부동산에 대하여 취득세 납세의무가 있다(조세심판원 2015지690, 2015.6.26.).

보충설명

「민법」에서는 계약 또는 법률의 규정에 따라 당사자의 일방이나 쌍방이 해지 또는 해제의 권리가 있는 때에는 그 해지 또는 해제는 상대방에 대한 의사 표시로 한다(민법 §543)고 규정하고 있다.

질의 **적법한 증여계약을 합의해제하고 증여한 부동산을 반환한 경우 취득세 납세의무가 있나요?**

답변 부동산 증여계약이 성립하면 동 계약이 무효·취소되지 않는 한 취득세 납세의무가 발생하고, 증여계약으로 인하여 수증자가 부동산을 적법하게 취득한 후 합의로 계약을 해제하고 그 부동산을 반환하더라도 기성립한 조세채권에는 영향이 없습니다(조세심판원 2010지125, 2010.11.3.).

■ 「신탁법」에 따라 수탁자에게 소유권이 이전된 부동산에 대하여 취득세 납세의무가 있나요?

「신탁법」 상의 신탁은 위탁자가 수탁자에게 특정의 재산권을 이전하거나 기타의 처분을 하여 수탁자로 하여금 신탁 목적을 위해 그 재산권을 관리 · 처분하게 하는 것이므로 부동산신탁에 있어 수탁자 앞으로 소유권 이전등기를 마치게 되면 소유권이 수탁자에게 있으므로 취득세 납세의무가 있다(대법원 2010두2395, 2012.6.14.).

따라서 「신탁법」에 따른 신탁으로 수탁자에게 소유권이 이전된 토지가 지목 변경된 경우 취득세 납세의무자는 수탁자이고, 위탁자가 그 토지의 지목을 사실상 변경하였다고 하여 달리 볼 것은 아니다(조세심판원 2013지600, 2014.8.26.).

신탁재산의 지목변경이 있는 경우 누구에게 납세의무가 있나요?

「신탁법」에 따라 신탁 등기가 되어 있는 토지의 지목이 변경된 경우 지목변경에 따른 취득세 납세의무는 수탁자에게 있다(지방세법 기본통칙 7-8).

질의 **명의신탁약정으로 수탁자 명의로 등기한 경우 누구에게 취득세 납세의무가 있나요?**

답변 명의신탁약정에 따라 신탁자가 매매계약의 당사자가 되어 매매계약 체결대금을 지급하고 수탁자 명의로 등기한 경우, 신탁자는 수탁자의 취득행위와 별개로 매도인에게 실질적으로 매매대금을 지급한 때 취득세 납세의무가 성립합니다(지방세운영-1375, 2009.4.7.).

미등기전매의 경우 납세의무가 있나요?

총 매매대금 중 소액의 잔금을 미납한 상태에서 제3자에게 매각한 미등기전매의 경우 취득세를 부과한다(지방세심사 2005-127, 2005.5.2.).

대위등기의 경우 납세의무는 누구에게 있나요?

「갑」 소유의 미등기건물에 대하여 「을」이 채권확보를 위하여 법원의 판결에 의한 소유권 보존등기를 「갑」의 명의로 등기할 경우의 취득세 납세의무는 「갑」에게 있다(지방세법 기본통칙 7-6).

연부취득에 대한 납세의무는 언제로 하나요?

일시취득조건으로 취득한 부동산에 대한 대금지급 방법을 연부계약 형식으로 변경한 경우에는 계약변경 시점에서 그 이전에 지급한 대금에 대한 취득세 납세의무가 발생하며, 그 이후에는 사실상 매 연부금지급일마다 취득세를 납부하여야 한다(지방세법 기본통칙 7-5).

토지의 지목을 변경한 경우 납세의무

토지의 지목을 사실상 변경함으로써 그 가액이 증가한 경우에는 취득세를 납부하여야 하며, 이 경우의 취득시기는 토지의 지목이 사실상 변경된 날과 공부상 변경된 날 중 빠른 날로 하되 지목변경일 이전에 사용하는 부분에 대해서는 그 사실상의 사용일로 한다(지방세운영-2527, 2014.8.1.).

질의 **「민법」상 한정승인으로 상속받은 부동산에 대하여 파산선고를 받은 경우에 취득세 납세의무가 있나요?**

답변 「민법」 제1019조 제1항에 따라 상속인은 상속개시가 있음을 안 날부터 3월 내에 상속포기를 할 수 있음에도 청구인은 상속포기가 아닌 상속한정승인을 신청하였고, 관할 법원은 이에 대하여 상속한정승인을 결정하였다. 청구인은 관할 법원의 상속한정승인에 따라 이 건 부동산에 대하여 취득세 납세의무가 성립하였고, 이후의 상속재산파산 결정은 이미 성립한 취득세 납세의무에 영향을 미치지 아니하므로 청구인에게 취득세 등을 부과한 처분은 정당합니다(조심 2019지2570, 2019.12.26.).

질의 **조합주택용 부동산의 취득세 납세의무**

답변 주택조합과 재건축조합 등이 해당 조합원용으로 취득하는 조합주택용 부동산(공동주택과 부대시설·복리시설 및 그 부속토지를 말함)은 그 조합원이 취득한 것으로 보아 취득세 납세의무가 있다. 다만, 조합원에게 귀속되지 아니하는 부동산(비조합원용 부동산)은 제외합니다.

질의 **법원판결 등에 의하여 등기가 원인무효인 것으로 확정되는 경우에는 취득한 것으로 볼 수 없어 기 납부한 취득세는 취소대상이다**

답변 소유권 이전등기를 경료한 후 법원의 판결에 의하여 원인무효에 기한 소유권 이전말소등기절차를 이행하는 경우라면 실체적인 법률관계에 있어서 그 소유권을 취득한 것이라고 볼 수 없는 원인무효의 등기명의자는 취득세의 납세의무자가 될 수 없습니다(대법원 2006두14384, 2007.1.25.). 따라서 법원판결 등에 의하여 등기가 원인무효인 것으로 확정되는 경우라면 취득한 것으로 볼 수 없으므로 기 납부한 취득세는 취소대상입니다(서울세제-2411, 2014.2.19.).

취득세 납세지는 어느 곳으로 하나요?

취득세 납세지는 부동산의 소재지(납세지가 불분명한 경우에는 해당 부동산의 소재지로 한다)로 하고, 징수권자는 납세지를 관할하는 서울특별시, 광역시 및 도로 한다(지방세법 §8).

취득세 납세의무자는 부동산 소재지를 관할하는 시장·군수·구청장에게 취득세 등을 신고·납부하여야 한다.

지방세인 취득세는 국세와 달리 관할 납세지가 아닌 타 시도에 착오로 납부하고 취득일로부터 60일이 경과한 후 납세지에 납부하고자 할 때에는 취득세에 대한 가산세를 별도로 납부하여야 한다(도세 22670-203, 1992.4.10.).

동일한 부동산이 둘 이상의 지방자치단체에 걸쳐있는 경우에는 해당 부동산의 소재지별로 안분하여 신고·납부하여야 한다.

부동산의 취득시기는 어느 때로 하나요?

부동산의 취득시기는 취득세의 납세의무 성립기준이 되며, 과세표준 및 세액계산의 기준이 된다. 또한 취득세의 부과제척기간 및 소멸시효 기산 등과 신고납부기한이 기준이 되기 때문에 매우 중요하다.

부동산의 취득시기는 사실상 취득한 때를 기준으로 하는 것이나, 사실상 취득시점을 확인할 수 없는 경우와 불합리하다고 인정되는 경우 등 과세유형별로 살펴보면 유상승계취득 및 무상승계취득으로 구분한다.

보충설명

취득세 과세물건을 취득함에 있어 그 대금을 약속어음으로 받은 경우에는 대물변제일, 어음결제일과 소유권이전등기일 중 빠른 날이 취득시기가 된다(지방세법 기본통칙 7-2).

1 부동산을 취득하고 지급된 금액(유상승계)이 있는 경우 취득시기는 언제로 하나요?

부동산을 취득하고 지급한 금액(유상승계)의 경우 취득시기는 그 계약상의 잔금지급일(계약상 잔금지급일이 명시되지 아니한 경우에는 계약일부터 60일이 경과되는 날)에 취득한 것으로 본다. 다만, 취득 후 60

일 이내에 계약이 해제된 사실이 화해조서·인낙조서·공정증서 등에 의하여 입증되는 경우에는 취득한 것으로 보지 않는다(지방세법 시행령 §20②).

보충설명

부동산 등을 유상승계 취득하는 경우에 비록 잔금지급이 모두 완결되지 않았더라도 거의 대부분의 잔금이 지급되어 극히 미미한 금액의 잔금만이 형식상 미지급되고 있는 경우에는 거래 관념상 잔금을 모두 납부한 것으로 본다(조세심판원 2014지557, 2014.5.28.).

질의 **토지거래허가지역 내 매매계약은 어느 때를 취득시기로 하나요?**

답변 토지거래허가지역 내의 토지는 장차 허가를 받을 것을 전제로 매매계약을 체결하여 그 잔금을 지급한 다음 허가를 받은 경우에 비록 그 매매계약은 허가를 받을 때까지는 법률상 소유권 등 권리의 이전에 관한 계약의 효력이 발생하지 아니하지만, 일단 허가를 받으면 그 계약은 소급하여 유효한 계약이 됩니다.

2 상속·증여(무상승계)시 취득시기는 언제로 하나요?

무상승계 취득의 대표적인 것은 증여이다. 증여는 당사자 일방이 무상으로 재산을 상대방에 수여하는 의사를 표시하고 상대방이 이를 승낙함으로써 그 효력이 생긴다(민법 §554).

무상승계 취득의 경우 취득시기는 그 계약일(상속 또는 유증으로 인한 취득의 경우에는 상속 또는 유증 개시일을 말함)에 취득한 것으로 본다.

다만, 해당 취득물건을 등기·등록하지 아니하고 화해조서·인낙조서, 취득일부터 60일 이내에 작성된 공정증서 등 및 취득일부터 60일 이내에 제출된 계약해제신고서에 해당하는 서류에 의하여 취득일부터 60

일 이내에 계약이 해제된 사실이 입증되는 경우에는 취득한 것으로 보지 아니한다(지방세법 시행령 §20②).

질의 **증여계약일부터 60일 이내에 증여계약을 해제하면 증여로 보지 아니하나요?**

답변 증여 등으로 무상승계 취득하는 경우 그 계약일에 취득한 것으로 보되, 이를 등기하지 아니하고 취득일부터 60일 이내에 계약이 해제된 사실이 공정증서 등으로 입증되는 경우에는 취득한 것으로 보지 아니합니다(조세심판원 2014지1129, 2015.4.22.).

보충설명

만일, 당초의 부동산 증여계약을 합의해제하고 소유권 이전등기를 말소한 후 동일 부동산에 대한 증여계약을 다시 체결한 경우에는 각각 취득세 납세의무가 있다(세정-609, 2006.2.9.).

질의 **법원의 조정조서에 의하여 상속재산을 취득한 경우 취득시기는 어느 때로 하나요?**

답변 법정 상속인들이 법원의 조정조서에 의하여 상속재산에 대한 소유권을 조정받아 소유권 이전등기를 이행하는 경우에는 상속 원인으로 과세물건을 취득하는 것이므로 상속개시일을 취득시기로 합니다(도세-716, 2008.5.1.).

질의 **점유시효 취득의 경우에 취득시기는 언제인가요?**

답변 점유시효 취득을 원인으로 점유자 명의로 소유권 이전등기절차를 완료한 경우 취득시기는 취득시효 완성일이 아닌 소유권 이전 기일로 합니다(조세심판원 2008지601, 2009.3.17.).

질의 **진정 명의회복을 원인으로 하는 소유권 이전등기 청구소송으로 소유권을 회복한 경우에 취득시기는 어느 때로 하나요?**

답변 진정 명의회복을 원인으로 하는 소유권 이전등기 청구소송에서 승소하여 소유권을 회복한 경우에는 확정판결일을 취득시기로 합니다(세정-518, 2003.7.18.).

실종선고 후 상속으로 인한 부동산 취득시기

「민법」상 실종선고를 받은 자의 경우 부재자 생사기간(5년)이 만료한 때에 사망한 것으로 보고, 상속은 사망으로 인하여 개시된다.

이 경우 실종선고로 인한 부동산 취득의 경우에는 실종기간 만료일이 부동산 취득시기가 된다(대구세정-11895, 2011.10.13.).

연부취득에 따른 취득시기

연부란, 매매계약서상 연부계약형식을 갖추고 일시에 완납할 수 없는 대금을 2년 이상에 걸쳐 일정액을 분할하여 지급하는 것을 말한다.

연부취득은 매매계약에 따른 유상승계취득의 유형으로 계약서상 계약의 조건을 기준으로 판단되어야 하며, 부금의 사실상 지급일, 계약기간 전에 일시에 연부잔액을 지급하였을 시에는 완납일, 계약기간 전에 등기·등록을 한 경우에는 등기·등록일이 각각 취득시기가 된다(지방세법 시행령 §20⑤).

보충설명

일시취득 조건으로 취득한 부동산에 대한 대금지급방법을 연부계약형식으로 변경한 경우에는 계약변경 시점에서 그 이전에 지급한 대금에 대한 취득세의 납세의무가 발생하며, 그 이후에는 사실상 매 연부금지급일마다 취득세를 납부하여야 한다(지방세법 기본통칙 7-5).

질의 **공동주택을 매매계약 체결하면서 계약금과 입주금을 아파트입주 시에, 잔금은 2년 후에 지급하기로 하는 경우 연부취득에 해당하나요?**

답변 공동주택의 취득일(사용승인서교부일, 임시사용승인일, 사실상사용일 중 빠른 날) 후에 미분양 공동주택에 대한 매매계약을 체결하면서 계약금과 입주금을 아파트입주시, 잔금을 2년 후에 지급하기로 하는 경우에는 연부취득으로 봅니다(세정-1621, 2006.4.20.).

질의 **잔금지급 기한의 경과로 실제 대금지급기간이 2년 이상이 된 경우 연부취득에 해당되나요?**

답변 토지를 매매로 취득하면서 매매계약서 상에 대금지급 기간을 2년 미만에 걸쳐 일정액씩 분할하여 지급하기로 계약을 체결하고 매회 대금을 지급하다가 잔금지급 기한의 경과로 실제 대금지급기간이 2년 이상이 된 경우 매매계약서상 대금지급 기간을 2년 이상으로 변경하지 않았다면 연부취득으로 볼 수 없습니다(지방세운영-2584, 2008.12.18.).

따라서 매매대금에 대한 사실상 잔금지급일을 취득시기로 봅니다.

질의 **연부계약으로 분할지급 중 2년 내에 일시 할부금을 지급할 경우 취득시기는 언제인가요?**

답변 2년 이상에 걸쳐 일정액씩 분할 지급하기로 연부계약을 한 후 2년 내의 중도에 나머지 할부금을 일시에 지급한 경우, 계약금 및 기지급된 할부금은 그 지급한 날을 취득시기로 합니다(지방세심사 2003-69, 2003.4.28.).

건축물의 건축 또는 개수에 따른 취득시기

건축물을 건축 또는 개수하여 취득하는 경우에는 사용승인서를 내주는 날(사용승인서를 내주기 전에 임시사용승인을 받은 경우에는 그 임시사용승인일을 말하고, 사용승인서 또는 임시사용승인서를 받을 수 없는 건축물의 경우에는 사실상 사용이 가능한 날을 말한다)과 사실상의 사용일 중 빠른 날을 취득일로 본다(지방세법 시행령 §20⑥).

보충설명

건축주가 임시사용승인일, 사실상 사용일, 사용승인서 교부일 이전에 입주자로부터 잔금을 받은 경우에는 임시사용승인일, 사실상 사용일, 사용승인서 교부일이 건축주의 원시취득일과 분양받은 자의 승계 취득일이 된다.

아파트 · 상가 등 구분등기대상 건축물을 원시 취득함에 있어 1동의 건축물 중 그 일부에 대하여 임시 사용승인을 받거나 사실상 사용하는 경우에는 그 임시사용승인을 받은 부분 또는 사실상 사용하는 부분과 그렇지 않은 부분을 구분하여 취득시기를 각각 판단한다(지방세법 기본통칙 7-2).

질의 **기존주택을 취득 후 즉시 멸실하고 신축한 주택의 취득시기는 언제로 하나요?**

답변 주택을 신축할 목적으로 기존주택을 취득한 후 즉시 멸실하고 신축하였을 경우, 신축으로 새로 취득하는 주택의 취득시기는 기존 주택의 연장으로 보아 기존주택의 취득일을 취득시기로 봅니다(부동산거래-160, 2012.3.15.).

질의 **아파트 분양대금을 미납한 상태에서 건축주가 사용승인서를 교부받은 경우 취득시기는 언제로 하나요?**

답변 아파트 분양대금의 1.29%를 미납한 상태에서 건축주가 사용승인서를 교부받은 경우 건축주가 사용승인서를 교부받은 경우에도 사실상의 잔금청산일을 취득시기로 합니다(지방세심사 2004-205, 2004.7.26.).

질의 **증축으로 고급주택이 된 경우 고급주택의 취득시기는 언제로 하나요?**

답변 건축물의 증축으로 고급주택이 된 경우 증축부분에 대하여 건축허가 건축물은 사용승인서 교부일을 취득일로 봅니다(지방세심사 2000-842, 2000.11.28.).

토지의 지목변경에 따른 취득시기

토지의 지목변경에 따른 취득시기는 토지의 지목이 사실상 변경된 날과 공부상 변경된 날 중 빠른 날을 말한다. 다만, 토지의 지목변경일 이전에 사용하는 부분에 대해서는 그 사실상의 사용일을 취득시기로 본다(지방세법 시행령 §20⑩).

만일, 토지를 최초 취득하여 형질변경 후에 건축물의 신축과 토지취득 · 지목변경 · 건물신축 등이 동시에 행하여지는 경우에 취득시기는 각 과세대상 별로 구분하여 판단하여야 한다.

예컨대, 건물신축과 함께 사실상의 지목변경이 이루어졌다면 지목변경에 대한 취득시기는 건물착공일이 되며 건물의 취득시기는 준공검사일이 된다.

그리고 건축공사를 수반하는 경우의 지목변경 취득시기는 건축물 사용승인서 교부일과 사실상의 사용일 중 빠른 날이다.

보충설명

지목이 사실상 변경이란, 건축공사 등과 병행되는 경우로서 토지의 형질변경을 수반하는 경우에는 건축 등 그 원인되는 공사가 완료된 때를 취득의 시기로 본다(지방세법 기본통칙 7-2).

취득세(개인의 경우)의 비과세대상 자산은 어떤 것이 있나요?

다음에 해당하는 자산은 취득세를 부과하지 아니한다(지방세법 §9).

① 국가, 지방자치단체 또는 지방자치단체조합("국가등"이라 한다)에 귀속 또는 기부채납("귀속등"이라 한다)을 조건으로 취득하는 부동산 및 사회기반시설. 다만, 다음에 해당하는 경우 그 해당 부분에 대해서는 취득세를 부과한다.

㉮ 국가등에 귀속등의 조건을 이행하지 아니하고 타인에게 매각·증여하거나 귀속등을 이행하지 아니하는 것으로 조건이 변경된 경우

㉯ 국가등에 귀속등의 반대급부로 국가등이 소유하고 있는 부동산 및 사회기반시설을 무상으로 양여받거나 기부채납 대상물의 무상사용권을 제공받는 경우

② 신탁(「신탁법」에 따른 신탁으로서 신탁등기가 병행되는 것만 해당한다)으로 인한 신탁재산의 취득으로서 다음에 해당하는 경우. 다만, 신탁재산의 취득 중 주택조합등과 조합원 간의 부동산 취득 및 주택조합 등의 비조합원용 부동산 취득은 제외한다.

㉮ 위탁자로부터 수탁자에게 신탁재산을 이전하는 경우

㉯ 신탁의 종료로 인하여 수탁자로부터 위탁자에게 신탁재산을 이전

하는 경우

㉰ 수탁자가 변경되어 신수탁자에게 신탁재산을 이전하는 경우

③ 「징발재산정리에 관한 특별조치법」 등에 따른 동원대상지역 내의 토지의 수용·사용에 관한 환매권의 행사로 매수하는 부동산의 취득

④ 임시흥행장, 공사현장사무소 등(별장 등은 제외) 임시건축물의 취득. 다만, 존속기간이 1년을 초과하는 경우에는 취득세를 부과한다. 여기서 임시용 건축물에 대한 "존속기간 1년 초과" 판단의 기산점은 「건축법」 제20조 규정에 의하여 시장·군수에게 신고한 가설건축물 축조신고서상 존치기간의 시기(그 이전에 사실상 사용한 경우에는 그 사실상 사용일)가 되고, 신고가 없는 경우에는 사실상 사용일이 된다(지방세법 기본통칙 9-1).

⑤ 공동주택의 개수(대수선은 제외)로 인한 취득 중 주택의 시가표준액이 9억원 이하인 주택과 관련된 개수로 인한 취득

07

취득세 과세표준은 어떤 금액으로 하나요?

취득세 과세표준은 취득당시의 가액으로 한다. 다만, 연부(年賦)로 취득하는 경우에는 연부금액(매회 사실상 지급되는 금액을 말하며, 취득금액에 포함되는 계약보증금 포함)으로 한다.

건축물을 건축(신축과 재축은 제외)하거나 개수한 경우와 토지의 지목을 사실상 변경한 경우에는 그로 인하여 증가한 가액을 각각 과세표준으로 한다(지방세법 §10①~③).

1 취득세과세표준은 취득당시 취득자가 신고한 가액으로 한다

취득당시의 가액은 취득자가 신고한 가액으로 한다. 다만, 신고 또는 신고가액의 표시가 없거나 그 신고가액이 시가표준액보다 적을 때에는 그 시가표준액으로 한다.

이외에 취득세 과세표준이 되는 취득가격에는 다음의 금액을 포함한다(지방세법 기본통칙 10-1).

① 임시사용승인을 받아 사용하는 신축건물에 대한 취득세 과세표준은 임시사용승인일을 기준으로 그 이전에 당해 건물취득을 위하여 지급

하였거나 지급하여야 할 비용

② 신축건물의 과세표준에는 분양을 위한 선전광고비(신문, TV, 잡지 등 분양광고비)는 제외하고 건축물의 주체 구조부와 일체가 된 것

③ 사실상 취득가격의 범위에는 지목변경에 수반되는 농지전용부담금, 대체농지조성비, 대체 산림조림비

④ 분양하는 건축물의 취득시기 이전에 당해 건축물과 빌트인(Built-in) 등을 선택품목으로 일체로 취득하는 경우

2 부동산을 취득하는데 소요된 금액(유상승계)으로 하는 취득세 과세표준

유상승계 취득의 경우에는 부동산을 취득하는데 소요된 사실상 취득가격이 취득금액이 된다.

취득세 과세표준이 되는 취득가격에는 과세대상 부동산의 취득시기 이전에 지급원인이 발생 또는 확정된 것으로서 해당 부동산 자체의 가격, 취득절차비용, 금융자문수수료, 대출취급수수료 등은 토지 취득과정에서 발생한 간접비용은 취득세 과세표준에 포함된다.

또한 지목변경에 수반되는 농지전용부담금, 대체농지조성비, 대체산림조림비는 과세표준에 포함되지만, 취득일 이후에 공사의 완료로 인하여 수익이 전제가 되는 개발부담금은 제외된다.

보충설명

토지취득 관련 감정평가수수료 및 군청에 지급한 위탁수수료는 취득세 과세표준에 포함된다(지방세심사 2001-557, 2001.11.26.).

질의 **부동산을 취득하고 신고한 가액이 시가표준액보다 적어 시가표준액을 취득세 과세표준으로 하는 것이 타당한지요?**

답변 취득 당시의 가액이 시가표준액에 미달하는 때에는 시가표준액을 과세표준으로 합니다. 다만, 공인중개사의 업무 및 부동산 거래신고에 관한 법률에 따른 신고서를 제출하여 검증이 이루어진 취득 등은 사실상의 취득가액을 과세표준으로 합니다(조세심판원 2014지685, 2014.12.23.).

질의 **부동산을 취득하면서 매입한 국민주택채권을 매각차손은 비용으로 과세표준에 포함되나요?**

답변 부동산을 취득하면서 국민주택채권을 매입하고 당해 부동산 취득 전에 매각함으로써 매각차손이 발생한 경우에는 부동산 취득에 따른 간접비용으로서 과세표준에 포함됩니다(서울세제-6401, 2012.5.25.).

질의 **취득시기 이후 분양가액을 할인받는 경우 취득세 과세표준은 할인 후 금액으로 하나요?**

답변 취득시기 이후 분양가액을 할인받는 경우, 취득세 과세표준이 되는 취득가격은 취득시기를 기준으로 판단하여야 할 것으로, 취득시점에 적법하게 성립되어 확정된 취득가격에 대해 사후적으로 할인받는다고 하더라도, 이미 성립된 취득가격에 영향은 없습니다(지방세운영-2445, 2016.9.22.).

3 신축 · 재축 및 증축 등(원시취득)에 투입된 금액으로 하는 취득세 과세표준

건축물의 신축·재축 및 증축 등과 공유수면의 매립 등과 같은 원시취득은 건축 또는 매립에 직접 투입된 금액이 취득세 과세표준이 된다.

질의 **아파트 신축 시 발코니섀시 공사금액이 과세표준에 포함되나요?**

답변 준공일 이전에 아파트 발코니섀시 등 공사가 완료된 경우에는 건축물의 주체구조부와 일체를 이루고 있는 것에 해당되어 신축취득가격에 포함되지만, 준공 이후에 설치된 발코니 비용은 해당 건축물의 신축에 소요된 비용이 아닙니다(지방세운영-3865, 2012.11.30.).

질의 **기반시설부담금은 취득세 과세표준에 포함하나요?**

답변 기반시설부담금은 건축허가를 받은 날을 기준으로 부과되는 것으로서 건축물을 취득하기 이전에 지급원인이 발생 및 확정된 법정 비용이므로 건축물의 신축비용에 포함됩니다(감사원심사 2010-123, 2010.11.18.).

보충설명

건축물을 신축하면서 납부한 각종분담금(가스공사분담금, 급수공사분담금, 지역난방공사금, 전기공사분담금을 말함)은 취득세 과세표준에 포함되지 않습니다(지방세운영-2657, 2008.12.23.).

질의 **미술장식품설치비, 단지외부 하수관로교체공사 및 도로포장공사비용, 건설자금이자 등은 취득세 과세표준에 포함하나요?**

답변 미술장식품(조형물)설치비, 단지외부에 접한 도로의 하수관로 교체 공사 및 포장공사비용(설계비 포함), 토지차입금이자, 분양촉진을 위하여 분양계약자 중도금 대출에 따라 회사가 부담한 무이자비용과 업무대행약정(분양업무, 광고업무 등)에 대한 용역수수료, 취득 이후 발생한 개발부담금산정을 위한 용역비는 건축물 신축과 관련된 비용으로 볼 수 없으므로 취득세 과세표준에 포함하지 않습니다(세정-3885, 2005.11.21.).

질의 **기존 건축물의 해체비용 및 철거비용이 신축건축물의 취득세 과세표준에 포함하나요?**

답변 기존 건축물의 철거비용은 건물의 신축에 필수불가결한 준비행위에 소요된 취득원가이므로 신축건축물의 취득세 과세표준에 포함됩니다(세정-154, 2005.1.11.).

질의 **건설자금에 충당하는 이자는 취득세 과세표준에 포함하나요?**

답변 취득세의 과세표준에 포함되는 건설자금에 충당하는 이자는 당해 과세대상물건의 취득시점을 기준으로 그 이전에 발생된 이자만을 포함하는 것이고 취득일 이후에 발생한 건설자금이자는 취득세 과세표준에 포함되지 않습니다(조세심판원 2011지661, 2012.12.11.).

4 상속, 증여, 기부(무상승계) 등의 경우 취득세 과세표준은 어떤 금액으로 하나요?

취득세 과세대상 부동산 등에 대한 대가를 직접 지급하지 아니한 경우로서 취득가액이 없는 상속, 증여, 기부, 기타 무상취득 등인 경우에는 시가표준액을 취득세 과세표준으로 한다.

질의 증여를 원인으로 취득한 가액을 어떤 가액으로 결정하나요?

답변 증여를 원인으로 하여 취득한 경우에는 신고가액의 표시가 없는 경우에 해당하므로 취득세 과세표준을 시가표준액으로 합니다(조세심판원 2014지1106, 2014.8.21.).

보충설명

증여 등의 무상취득에 있어서 취득자의 취득신고가액이 시가표준액보다 상회하더라도 시가표준액을 취득세 과세표준으로 한다(도세-273, 2008.4.1.).

무상취득한 토지의 취득세 과세표준 산정 시 신고가액이 시가표준액에 미달하는 경우 시가표준액을 취득세 과세표준으로 합니다(세정 13407-17, 2003.1.9.).

질의 상속으로 취득한 경우 취득세 과세표준은 어떤 가액으로 결정하나요?

답변 상속으로 부동산을 취득하여 사실상 취득가액을 알 수 없는 무상 취득한 경우에는 시가표준액을 취득세 과세표준으로 합니다(조세심판원 2013지482, 2013.12.12.).

질의 재판상 화해에 의하여 재산분할을 원인으로 부동산을 무상승계취득하는 경우 취득세 시가표준액을 과세표준으로 하나요?

답변 재판상 화해에 의하여 재산분할을 원인으로 부동산을 무상승계취득하는 경우에는 시가표준액을 취득세 과세표준으로 합니다(지방세심사 2005-254, 2005.8.29.).

연부 취득 시 취득세 과세표준

일반적으로 취득세 과세표준은 취득 당시의 가액으로 한다. 다만, 연부로 취득하는 것(취득가액의 총액이 50만원 이하일 때에는 제외함)은 사실상의 연부금 지급일을 취득일로 보아 그 연부금액을 취득세 과세표준으로 한다.

연부취득이란, 취득세 과세대상 물건이 존재하면서 계약서상의 매매대금 최종지급이 2년 이상에 걸쳐 이루어지는 취득을 말한다.

보충설명

부동산을 연부로 취득하는 경우 연부취득이 완료된 시점까지 발생한 건설자금 이자의 경우에는 취득세 과세표준에 포함한다(지방세운영-2290, 2016.9.2.).

5 교환거래의 경우 취득세 과세표준 어떻게 하나요?

교환거래에 있어서 각각의 부동산 가액을 평가하고 그에 대한 차액을 보충금으로 지급하거나 지급받기로 하는 경우 그 거래는 무상거래가 아니라 자기 소유의 부동산을 상대방에게 유상으로 양도하고 상대방 소유의 부동산을 유상으로 취득하는 두 번의 거래가 동시에 일어나는 것이므로, 상대방 소유 부동산의 취득가액은 취득자가 당해 부동산을 취득하기 위하여 지급하였다고 신고한 가액과 당해 부동산의 시가표준액 중 더 높은 가액으로 한다(조심 2012지253, 2012.4.27.).

부동산에 적용하는 세율

부동산에 적용하는 세율

취득세 세율은 취득물건 종류에 따라 그 가액의 1,000분의 23(2.3%)~1,000분의 40(4%)으로 하고 있으며, 특히 유상거래를 원인으로 취득하는 주택의 경우에는 취득물건가액에 따라 세율을 달리 하고 있다. 다만, 별장 및 고급주택의 경우에는 중과기준세율(2%)의 4배를 적용한다.

일반부동산의 취득세 과세표준에 적용할 세율을 취득형태별로 요약하면 다음과 같다(지방세법 §11).

취득형태 및 취득가액		세율
상속	농지	2.3%
	농지 이외 것	2.8%
상속 외의 무상취득	일반납세자	3.5%
	비영리사업자	2.8%
원시취득		2.8%
공유물·합유물·총유물의 분할		2.3%
유상취득	농지	3.0%
	농지 이외 것	4.0%

취득형태 및 취득가액		세율
유상취득(주택)	6억원 이하	1.0%
	6억원 초과 ~ 9억원 이하	(해당 주택의 취득당시가액 × 2/3억원-3)×1%
	9억원 초과	3.0%

질의 **명의신탁해지의 판결에 의하여 소유권을 이전한 경우 적용할 세율**

답변 명의신탁해지의 판결에 의하여 소유권을 이전한 경우 소유권 취득대가로 법원의 반대급부 지급명령을 받거나 사실상 반대급부를 지급한 사실이 입증되는 경우 농지는 1천분의 30(농지 외의 것은 1천분의 40)이 적용되며, 반대급부를 지급하지 않은 경우에는 1천분의 25의 세율이 적용됩니다(지방세법 기본통칙 11-1).

질의 **부동산 교환 취득의 적용할 세율**

답변 부동산을 상호교환하여 소유권이전등기를 하는 것은 유상승계 취득에 해당하므로 1천분의 40의 세율을 적용하여야 합니다(지방세법 기본통칙 11-2).

질의 **공유토지를 단독소유로 취득 시 적용할 세율**

답변 공유로 되어 있는 부동산을 분할등기하는 경우에 있어 자기 소유지분에 대하여는 1천분의 23의 세율을 적용하고, 자기 소유지분 초과분에 대하여는 1천분의 40의 세율을 적용합니다(지방세법 기본통칙 11-3).

질의 **합유자 소유권 이전 시 적용할 세율**

답변 부동산 합유자 중 일부가 사망하여 잔존 합유재산의 변동이 있는 경우에는 1천분의 35의 무상취득 세율을 적용합니다(지방세법 기본통칙 11-4).

질의 **건축물대장에 주택으로 기재되지 아니한 무허가 주택에 적용할 세율**

답변 사실상 주택으로 사용된다 하더라도 건축물대장에 주택으로 기재되지 아니한 무허가 주택은 주택의 유상거래 세율 적용대상이 아닙니다(조세심판원 2016지625, 2016.10.11.).

1세대 1주택, 1세대 2주택, 다주택 및 조정대상지역 여부에 따라 적용하는 세율

최근에 부동산 경기 과열을 완화시키기 위한 조세정책으로서 유상거래를 원인으로 주택을 취득한 경우 취득세율이 강화 되었다.

① 유상거래에 의한 주택 수 및 조정대상지역 여부에 따른 취득세율

<table>
<tr><th colspan="2">구분</th><th>1주택</th><th>2주택
(일시적
2주택 제외)</th><th>3주택</th><th>4주택</th></tr>
<tr><td rowspan="2">주택매매,
교환</td><td>조정대상지역</td><td rowspan="2">1~3%</td><td>8%</td><td colspan="2">12%</td></tr>
<tr><td>비조정대상지역</td><td>1~3%</td><td>8%</td><td>12%</td></tr>
<tr><td rowspan="2">주택
증여</td><td>조정대상지역
(3억원 이상)</td><td rowspan="2">3.5%</td><td colspan="3">12%</td></tr>
<tr><td>기타</td><td colspan="3">3.5%</td></tr>
</table>

* 2021.8.12. 이후 취득분부터 적용하되 2020.7.10. 이전 계약분은 종전 규정에 따른다.

보충설명

위 표에서 "일시적 2주택"이란 국내에 주택, 조합원입주권, 주택분양권 또는 오피스텔을 1개 소유(종전주택등)한 1세대가 그 종전주택등을 소유한 상태에서 이사 · 학업 · 취업 · 직장이전 및 이와 유사한 사유로 다른 1주택(신규주택)을 추가로 취득한 후 3년(종전주택등과 신규주택이 모두 조정대상지역에 있는 경우에는 1년) 이내에 종전주택등(신규주택이 조합원입주권 또는 주택분양권에 의한 주택이거나 종전주택등이 조합원입주권 또는 주택분양권인 경우에는 신규주택 포함)을 처분하는 경우 해당 신규주택을 말한다(지방세법 시행령 §28의5).

만일 3년(조정지역 1년) 이내에 종전주택을 처분하지 못하면 가산세를 납부하여야 한다(지방세법 §21).

1세대 2주택 및 1세대 3주택의 중과세 적용

1세대 2주택(일시적 2주택은 제외)에 해당하는 주택으로서 조정대상지역에 있는 주택을 취득하는 경우 또는 1세대 3주택에 해당하는 주택으로서 조정대상지역 외의 지역에 있는 주택을 취득하는 경우에는 1천분의 40의 세율을 표준세율로 하여 해당 세율에 중과기준세율의 100분의 200을 합한 세율을 적용한다(지방세법 §13의2〈2〉).

1세대 3주택 이상의 중과세 적용

1세대 3주택 이상에 해당하는 주택으로서 조정대상지역에 있는 주택을 취득하는 경우 또는 1세대 4주택 이상에 해당하는 주택으로서 조정대상지역 외의 지역에 있는 주택을 취득하는 경우에는 1천분의 40의 세율을 표준세율로 하여 해당 세율에 중과기준세율의 100분의 400을 합한 세율을 적용한다(지방세법 §13의2〈3〉).

취득세 중과 대상 무상취득

조정대상지역에 있는 주택으로서 취득 당시 시가표준액(지분이나 부속토지만을 취득한 경우에는 전체 주택의 시가표준액)이 3억원 이상인 주택을 무상취득을 원인으로 취득하는 경우에는 1천분의 40에 해당하는 세율에 중과기준세율의 100분의 400을 합한 세율을 적용한다. 다만, 1세대 1주택자가 소유한 주택을 배우자 또는 직계존비속이 무상취득하는 등 다음에 해당하는 경우를 말한다.

① 1세대 1주택을 소유한 사람으로부터 해당 주택을 배우자 또는 직계존비속이 상속 외의 무상취득을 원인으로 취득하는 경우
② 「민법」상 재산분할에 따른 세율의 특례 적용대상에 해당하는 경우

질의 **조정대상지역에 1주택을 소유하고 있는 상태에서 비조정대상지역에 1주택을 추가 취득하는 경우 적용할 세율은?**

답변 기존 소유주택의 소재지와 관계없이 비조정대상지역에 1주택을 추가 취득하는 경우에는 주택가액에 따라 1%~3% 세율이 적용됩니다.
만일 비조정대상지역에 1주택을 소유하고 있는 자가 조정대상지역에서 1주택을 추가 취득시에는 8%의 세율이 적용됩니다.

2 1세대 판단

1세대란 주택을 취득하는 사람과 세대별 주민등록표 또는 등록외국인기록표등에 함께 기재되어 있는 가족(동거인은 제외)으로 구성된 세대를 말하며 다음의 경우에도 1세대에 속한 것으로 본다(지방세법 시행령 §28의3).

① 주택을 취득하는 사람의 배우자(사실혼은 제외하며, 법률상 이혼을 했으나 생계를 같이 하는 등 사실상 이혼한 것으로 보기 어려운 관계에 있는 사람 포함)

② 취득일 현재 미혼인 30세 미만의 자녀 또는 부모(주택을 취득하는 사람이 미혼이고 30세 미만인 경우로 한정)는 주택을 취득하는 사람
③ 같은 세대별 주민등록표 또는 등록외국인기록표등에 기재되어 있지 않더라도 1세대에 속한 것으로 본다.

또한 위 내용에 불구하고 다음에 해당하는 경우에는 각각 별도의 세대로 본다.

① 부모와 같은 세대별 주민등록표에 기재되어 있지 않은 30세 미만의 자녀로서 종합소득, 퇴직소득 및 양도소득이 「국민기초생활 보장법」 제2조 제11호에 따른 기준 중위소득의 100분의 40 이상이고, 소유하고 있는 주택을 관리·유지하면서 독립된 생계를 유지할 수 있는 경우. 다만, 미성년자인 경우는 제외한다.
② 취득일 현재 65세 이상의 부모(부모 중 어느 한 사람이 65세 미만인 경우를 포함)를 동거봉양(同居奉養)하기 위하여 30세 이상의 자녀, 혼인한 자녀 또는 "①"에 따른 소득요건을 충족하는 성년인 자녀가 합가(合家)한 경우
③ 취학 또는 근무상의 형편 등으로 세대전원이 90일 이상 출국하는 경우로서 「주민등록법」 제10조의 3 제1항 본문에 따라 해당 세대가 출국 후에 속할 거주지를 다른 가족의 주소로 신고한 경우

3 주택 수의 산정방법

취득세율을 적용할 때 세율 적용의 기준이 되는 1세대의 주택 수는 주택 취득일 현재 취득하는 주택을 포함하여 1세대가 국내에 소유하는 주택, 조합원입주권, 주택분양권 및 오피스텔의 수를 말한다.

이 경우 조합원입주권 또는 주택분양권에 의하여 취득하는 주택의 경

우에는 조합원입주권 또는 주택분양권의 취득일(분양사업자로부터 주택분양권을 취득하는 경우에는 분양계약일)을 기준으로 해당 주택 취득 시의 세대별 주택 수를 산정한다.

주택, 조합원입주권, 주택분양권 또는 오피스텔을 동시에 2개 이상 취득하는 경우에는 납세의무자가 정하는 바에 따라 순차적으로 취득하는 것으로 본다.

1세대 내에서 1개의 주택, 조합원입주권, 주택분양권 또는 오피스텔을 세대원이 공동으로 소유하는 경우에는 1개의 주택, 조합원입주권, 주택분양권 또는 오피스텔을 소유한 것으로 본다(지방세법 시행령 §28의4).

공동상속의 경우 주택 수의 산정방법

상속으로 여러 사람이 공동으로 1개의 주택, 조합원입주권, 주택분양권 또는 오피스텔을 소유하는 경우 지분이 가장 큰 상속인을 그 주택, 조합원입주권, 주택분양권 또는 오피스텔의 소유자로 보고, 지분이 가장 큰 상속인이 두 명 이상인 경우에는 그 중 다음의 순서에 따라 그 주택, 조합원입주권, 주택분양권 또는 오피스텔의 소유자를 판정한다.

이 경우 미등기 상속 주택 또는 오피스텔의 소유지분이 종전의 소유지분과 변경되어 등기되는 경우에는 등기상 소유지분을 상속개시일에 취득한 것으로 본다(지방세법 시행령 §28의4).

① 그 주택 또는 오피스텔에 거주하는 사람

② 나이가 가장 많은 사람

주거용 건물건설업을 영위하는 자가 신축하여 보유하는 주택(자기 또는 임대계약을 불문하고 타인이 거주한 기간이 1년 이상인 주택은 제외)과 주택 수에서 제외되는 오피스텔

주택 수 산정일 현재 시가표준액(지분이나 부속 토지만 취득한 경우 전체 건축물과 그 부속 토지의 시가표준액 포함)이 1억원 미만인 주택 및 오피스텔은 중과세대상에서 제외된다.

질의 **부부가 공동 소유하는 경우 주택 수 계산방식은 어떻게 하나요?**

답변 세대 내 부부가 공동소유하는 경우에는 개별 세대원이 아니라 세대가 1개 주택을 소유하는 것으로 산정합니다.

질의 **오피스텔도 주택에 포함하나요?**

답변 주거용 오피스텔의 경우 주택 수에 포함합니다. 그러나 시가표준액 1억원 이하의 오피스텔은 주택 수에 포함하지 않습니다.

질의 **상속인들이 공동으로 소유한 경우 주택 수 계산방식은 어떻게 하나요?**

답변 상속주택을 여러사람이 공동으로 소유한 경우에는 상속지분이 가장 큰 상속인의 소유주택으로 판단합니다. 그러나 상속개시일부터 5년 이내는 상속주택은 소유 주택 수에 포함하지 않습니다.
그리고 조합원입주권, 주택분양권, 오피스텔을 상속한 경우에도 주택 수에 포함하며 상속개시일부터 5년 이내에는 소유 주택 수에 포함하지 않습니다.

질의 **분양권 및 조합원입주권도 주택 수에 포함하나요?**

답변 분양권 및 조합원입주권 그 자체는 취득세 대상 아니지만, 분양권 및 조합원입주권은 준공 전이라도 주택을 취득하는 것이 예정되어 있으므로 주택 수에 포함합니다.

질의 **직전연도 전 소유자에게 주택분 재산세가 과세된 오피스텔을 승계취득하여 보유하고 있는 경우, 해당 오피스텔이 주택 수 산정에 포함되나요?**

답변 오피스텔 취득자에게 새롭게 주택분 재산세가 과세된 경우부터 주택 수에 산정합니다.

질의 **오피스텔 분양권도 주택 수에 포함되나요?**

답변 오피스텔 취득 후 실제 사용하기 전까지는 해당 오피스텔이 주거용인지 상업용인지 확정되지 않으므로 오피스텔 분양권은 주택 수에 포함되지 않습니다.

❹ 조정대상지역 1주택, 비조정대상지역 1주택 및 2주택의 1~3% 적용방법

조정대상지역 1주택, 비조정대상지역 1주택 및 2주택의 1~3% 적용방법은 다음의 구분에 따른 세율을 적용한다.

이 경우 지분으로 취득한 주택의 취득 당시의 가액(취득당시가액)은 다음 계산식에 따라 산출한 전체 주택의 취득당시가액으로 한다.

$$\text{전체주택 취득당시가액} = \text{취득지분의 취득당시가액} \times \frac{\text{전체주택의 시가표준액}}{\text{취득지분의 시가표준액}}$$

① 6억원 이하인 주택 : 1%

② 6억원을 초과하고 9억원 이하인 주택 : 다음의 계산식에 따라 산출한 세율. 이 경우 소수점이하 다섯째자리에서 반올림하여 소수점 넷째자리까지 계산한다.

(해당 주택의 취득당시가액 × 2/3억원 − 3) × 1%

③ 9억원을 초과하는 주택 : 3%

질의 **이사를 위해 신규주택을 취득한 경우 취득세가 중과되나요?**

답변 1주택을 소유한 세대가 거주지를 이전하기 위하여 신규주택을 취득하여 일시적으로 2주택이 된 경우에 신규주택 취득은 중과세를 적용하지 않습니다. 다만, 종전주택을 3년(종전주택과 신규주택이 모두 조정대상지역에 소재한 경우 1년) 이내 처분하지 않고 계속 보유하는 경우 2주택에 대한 세율(8%)과의 차액(가산세 포함)이 추징됩니다.

질의 **2주택자가 이사하기 위해 취득하는 주택도 일시적인 주택 소유로 보아 과세되는지?**

답변 2주택 이상을 보유한 다주택자는 이사 등의 사유로 신규주택을 취득하더라도 "일시적 2주택"에 해당하지 아니하므로 신규주택에 대한 취득은 중과세율이 적용됩니다.

질의 **1주택 소유자가 아파트분양권을 취득한 경우 일시적 2주택을 적용받기 위해 종전주택의 처분기한은 언제인가요?**

답변 분양권이나 입주권이 주택 수에는 포함되지만, 분양권이나 입주권자체는 거주할 수 있는 주택의 실체가 아니므로, 아파트준공 후 주택의 취득일을 기준으로 3년(종전주택과 신규주택이 모두 조정대상지역 소재 시 1년) 이내에 종전주택을 처분하는 경우에는 일시적 2주택으로 봅니다.

10

별장 및 고급주택에 적용하는 중과세율

※ 본 서에서는 개인의 부동산에 관련한 취득세에 대해서만 다루고 있으므로 별장과 고급주택에 대해서만 설명하고자 한다.

세법상 취득세는 특정한 부동산에 대하여 일반세율보다 3배~5배의 높은 세율을 적용하는 중과세제도를 운영하고 있다.

1 별장이란?

취득세 중과세대상인 별장(농어촌주택과 그 부속토지는 제외)은 공부상의 용도에 불구하고 주거용으로 공할 수 있도록 된 건축물로서 그 소유자나 임차인 등 그 사용주체가 상시 주거용에 사용하지 아니하고 휴양·피서·위락 등의 용도에 사용하는 것을 말한다. 이 경우 별장을 토지와 건축물의 소유자를 달리하여 구분 취득하는 경우로서 1명 또는 여러 명이 시차를 두고 구분하여 취득하는 경우에도 별장으로 본다(지방세법 §13⑤).

토지나 건축물을 취득한 후 다른 용도에 사용하다가 해당 부동산의 취득일부터 5년 이내에 별장으로 사용하게 되는 경우에는 중과세율을 적용한 산출세액에서 이미 일반세율로 납부한 세액을 차감하고 나머지 세액을 추징하게 된다. 또한 기존 별장용 건축물을 증축하거나 개축하는 경우 그 부분에 대하여 중과세율을 적용한다(지방세법 §16①, ②).

보충설명

별장에서 제외되는 농어촌주택은 다음의 요건을 충족하여야 한다.

① 대지면적이 660㎡ 이내이고 건축물의 연면적이 150㎡ 이내일 것
② 건축물의 가액이 6천500만원 이내일 것
③ 광역시에 소속된 군지역 또는 수도권지역(접경지역 등 제외), 도시지역 및 허가구역, 부동산 투기지역 및 관광지역 등 지역에 있지 아니할 것

별장인지 여부는 어떻게 판단하나요?

별장은 주택규모나 외부 또는 내부의 구조가 반드시 고급으로서의 객관적인 가치가 높은 것을 의미하는 것이 아니라, 주거용 건축물로서 상시 주거용으로 사용하지 아니하고 휴양·피서·위락 등의 용도로 사용하는 건축물과 그 부속토지를 말한다.

별장의 판단기준은 당해 건축물이 휴양 등에 적합한 지역에 위치, 주거지와의 거리, 본래의 용도와 휴양 등을 위한 시설의 구비여부, 상시주거주택의 소유 여부 등 구체적 사정을 종합적으로 고려하여 판단한다(지방세심사 2006-114, 2006.3.27.).

관련예규 등

① 별장용 건축물에 해당하기 위하여는 그 건축물의 사실상의 현황에 따라 별장용으로 사용하고 있으면, 별장의 해당 여부에 아무런 영향을 줄 수 없다(대법원 94누8280, 1994.11.11.).
② 동해 바닷가와 연접한 오피스텔로서 휴양 용도에 적합하고 내부시설도 사무용이 아닌 주거용은 별장에 해당된다(지방세심사 98-347, 1998.7.29.).
③ 오피스텔은 그 주용도가 업무용이나 주거용에 공할 수 있으므로 사실상 업무용이나 상시 주거용에 사용하지 않고 휴양 등의 용도로 사용

되는 경우에는 별장에 해당된다(내심 96-57, 1996.3.26.).

④ 연간 190여일을 거주하였고 이러한 거주 사실이 전기사용량 등에서 확인되더라도 주말에만 사용하는 등 상시거주하는 주택으로 볼 수 없는 경우에는 별장으로 본다(지방세심사 2007-640, 2007.11.26.). 그러나 별장을 관리하고 있는 관리인이 상시 주거용으로 사용하고 있는 단독주택은 별장으로 볼 수 없다(지방세심사 2006-110, 2006.3.27.).

2 고급주택이란?

고급주택은 다음의 주택을 말한다.

단독주택의 경우	공동주택의 경우
① 건축물의 연면적(주차장면적 제외)이 331㎡를 초과하는 것으로서 그 건축물의 가액이 9천만원을 초과하는 주거용 건축물과 그 부속토지 ② 1구의 건축물의 대지면적이 662㎡를 초과하는 것으로서 그 건축물의 가액이 9천만원 초과 ③ 1구의 건축물에 엘리베이터(적재하중 200㎏ 이하의 소형엘리베이터는 제외)가 설치된 주거용 건축물과 그 부속 토지(공동주택과 그 부속토지 제외)로서 시가표준액이 6억원 초과 ④ 1구의 건축물에 에스컬레이터 또는 67㎡ 이상의 수영장 중 1개 이상의 시설이 설치된 주거용 건축물과 그 부속토지(공동주택과 그 부속토지는 제외)	1구의 공동주택(여러 가구가 한 건축물에 거주할 수 있도록 건축된 다가구용 주택을 포함하되, 이 경우 한 가구가 독립하여 거주할 수 있도록 구획된 부분을 각각 1구의 건축물로 본다)의 건축물 연면적(공용면적 제외)이 245㎡(복층형은 274㎡로 하되, 한 층의 면적이 245㎡를 초과하는 것 제외)를 초과하는 공동주택과 그 부속토지로서 시가표준액이 6억원 초과

관련예규 등

① 다락방을 주택의 옥상으로 통하는 통로 역할 뿐만 아니라, 가재도구 등을 보관하는 창고 역할을 하는 공간으로 활용하는 경우에는 주택의 연면적에 포함하여 고급주택을 판단한다(조세심판원 2015지1007, 2015.10.27.).

② 고급주택의 요건 중 건축물 연면적을 기준으로 고급주택 여부를 판단 시에는 주차장 면적을 제외한다고 명시하고 있으나, 건축물의 가액 산정시에는 주차장 면적을 제외한다는 규정이 없는 점 등에 비추어 볼 때 주택에 대하여 주차장 면적의 연면적에 포함하여 고급주택을 판단한다(조세심판원 2015지713, 2015.6.24.).

③ 발코니가 건축물 관리대장 등 공부상으로 건축물의 연면적에서 제외되는 서비스면적에 해당되는 경우 고급주택 연면적 계산에서도 제외된다(지방세운영-383, 2014.12.24.).

11

취득세 신고 · 납부는 언제까지 하나요?

취득세의 신고 · 납부 방식은 원칙적으로 납세의무자 스스로 과세표준과 세액을 정하여 신고하는 행위에 의해 확정된다.

취득세 과세물건을 취득한 자는 그 취득한 날부터 60일[상속으로 인한 경우는 상속개시일이 속하는 달의 말일부터, 실종으로 인한 경우는 실종선고일이 속하는 달의 말일부터 각각 6개월(외국에 주소를 둔 상속인이 있는 경우에는 각각 9개월)] 이내에 그 과세표준에 일반세율을 적용하여 산출한 세액을 신고 · 납부하여야 한다(지방세법 §20①).

취득세 신고 · 납부 후에 중과세율이 적용되는 경우 신고 · 납부는 어떻게 하나요?

취득세 과세물건을 취득한 후에 그 과세물건이 중과세율의 적용대상이 되었을 때에는 60일 이내에 중과세율을 적용하여 산출한 세액에서 이미 납부한 세액(가산세는 제외한다)을 공제한 금액을 세액으로 하여 신고 · 납부하여야 한다(지방세법 §20②).

질의 **토지 지목이 사실상 변경됨으로써 그 가액이 증가한 경우에 취득세 신고 · 납부는 언제 하나요?**

답변 토지의 지목을 사실상 변경함으로써 그 가액이 증가한 경우에는 취득으로 보아 그 증가한 가액을 과세표준으로 하여 지목변경일부터 60일 이내에 취득세를 신고·납부하여야 합니다(조세심판원 2012지607, 2012.10.10.).

질의 **농지를 취득하여 취득세를 감면받은 후 그 농지를 다른 용도로 사용하여 추징 사유가 발생하였으나 취득세 추가 신고·납부하지 않은 경우 제재**

답변 농지를 취득하여 취득세 등을 감면받은 후 농지를 다른 용도로 사용하여 취득세 등의 추징 사유가 발생하였으나, 추징 사유 발생일부터 30일 이내에 취득세 등을 신고·납부하지 아니한 경우에는 기 감면한 취득세 등을 추징하면서 가산세를 부과합니다(조세심판원 2014지1341, 2014.11.24.).

토지거래허가구역 내에서 토지를 취득한 경우 신고·납부는 어떻게 하나요?

토지거래허가구역 내에서 토지를 취득한 경우 사실상 잔금지급일을 취득일로 본다. 다만, 그 신고·납부는 토지거래허가 및 해제 등의 사유로 그 매매계약이 확정적으로 유효하게 된 날로부터 60일 이내로 한다(지방세법 기본통칙 20-1).

12

기한 후 신고는 어떻게 하나요?

법정신고기한까지 과세표준신고서를 제출하지 아니한 자는 지방자치단체의 장이 「지방세법」에 따라 그 지방세의 과세표준과 세액(「지방세기본법」 및 「지방세법」에 따른 가산세를 포함)을 결정하여 통지하기 전에는 납기 후의 과세표준신고서("기한 후 신고서"라 한다)를 제출할 수 있다(지방세기본법 §52).

취득세를 부과하지 않는 면세점은 얼마인가요?

취득세 과세대상 중 취득가액이 50만원 이하인 경우에는 취득세를 부과하지 아니한다(지방세법 §17).

토지나 건축물을 취득한 자가 그 취득한 날부터 1년 이내에 그에 인접한 토지나 건축물을 취득한 경우에는 각각 그 전후의 취득에 관한 토지나 건축물의 취득을 1건의 토지 취득 또는 1구의 건축물 취득으로 보아 취득세를 부과하지 아니한다.

보충설명

상속인 각자가 상속받은 과세물건의 지분의 취득가액이 50만원 이하인 경우에는 취득세를 부과하지 아니한다(세정 13407-954, 2000.7.31.).

14

취득세 납세의무를 게을리하면 부족세액에 대한 추징 및 가산세는 어떻게 적용하나요?

1 취득세 부족세액의 추징

취득세 과세물건을 취득한 자는 그 취득한 날부터 60일(상속 등은 6개월) 이내에 신고·납부하지 아니한 경우에는 그 부족세액에 다음의 가산세를 합한 금액을 세액으로 하여 보통징수의 방법으로 징수한다(지방세법 §21).

2 일반가산세는 어떤 것이 있나요?

무신고가산세

납세의무자가 법정신고기한까지 과세표준 신고를 하지 아니한 경우에는 그 신고로 납부하여야 할 세액(지방세기본법 및 지방세 관계법에 따른 가산세와 가산하여 납부하여야 할 이자상당가산액이 있는 경우 그 금액은 제외함)의 20%(사기나 그 밖의 부정한 행위인 경우에는 40%)에 상당하는 금액을 가산세로 부과한다(지방세기본법 §53).

과소신고가산세

납세의무자가 법정신고기한까지 과세표준 신고를 한 경우로서 신고하여야 할 납부세액보다 적게 신고한 경우에는 과소신고분(신고하여야 할 납부세액에 미달한 금액을 말한다) 세액의 10%에 상당하는 금액을 가산세로 부과한다(지방세기본법 §54).

만일, 사기나 그 밖의 부정한 행위로 과소신고한 경우에는 다음의 금액을 합한 금액을 가산세로 부과한다.

① 사기나 그 밖의 부정한 행위로 인한 과소신고분("부정과소신고분"이라 한다) 세액의 40%에 상당하는 금액

② 과소신고분 세액에서 부정과소신고분 세액을 뺀 금액의 10%에 상당하는 금액

그러나 신고 당시 소유권에 대한 소송으로 상속재산으로 확정되지 아니하여 과소신고한 경우 가산세를 부과하지 아니한다.

납부불성실 가산세

납세의무자가 지방세관계법에 따른 납부기한까지 지방세를 납부하지 아니하거나 납부하여야 할 세액보다 적게 납부("과소납부"라 한다)한 경우에는 다음의 계산식에 따라 산출한 금액을 가산세로 부과한다. 이 경우 가산세는 납부하지 아니한 세액 또는 과소납부분(납부하여야 할 금액에 미달하는 금액을 말한다) 세액의 100분의 75에 해당하는 금액을 한도로 한다(지방세기본법 §55).

납부불성실 가산세 =				
납부하지 아니한 세액 또는 과소납부분 세액	×	납부기한의 다음 날 부터 자진납부일 또는 납세고지일까지의 기간	×	1일 100,000분의 2.5

3 중가산세는 어떤 경우에 부과되나요?

납세의무자가 취득세 과세물건을 사실상 취득한 후 신고를 하지 아니하고 매각하는 경우에는 산출세액에 100분의 80을 가산한 금액을 세액으로 하여 보통징수의 방법으로 징수한다. 다만, 취득세 과세물건 중 등기 또는 등록이 필요하지 아니하는 과세물건과 지목변경에 대하여는 그러하지 아니하다(지방세법 §21②).

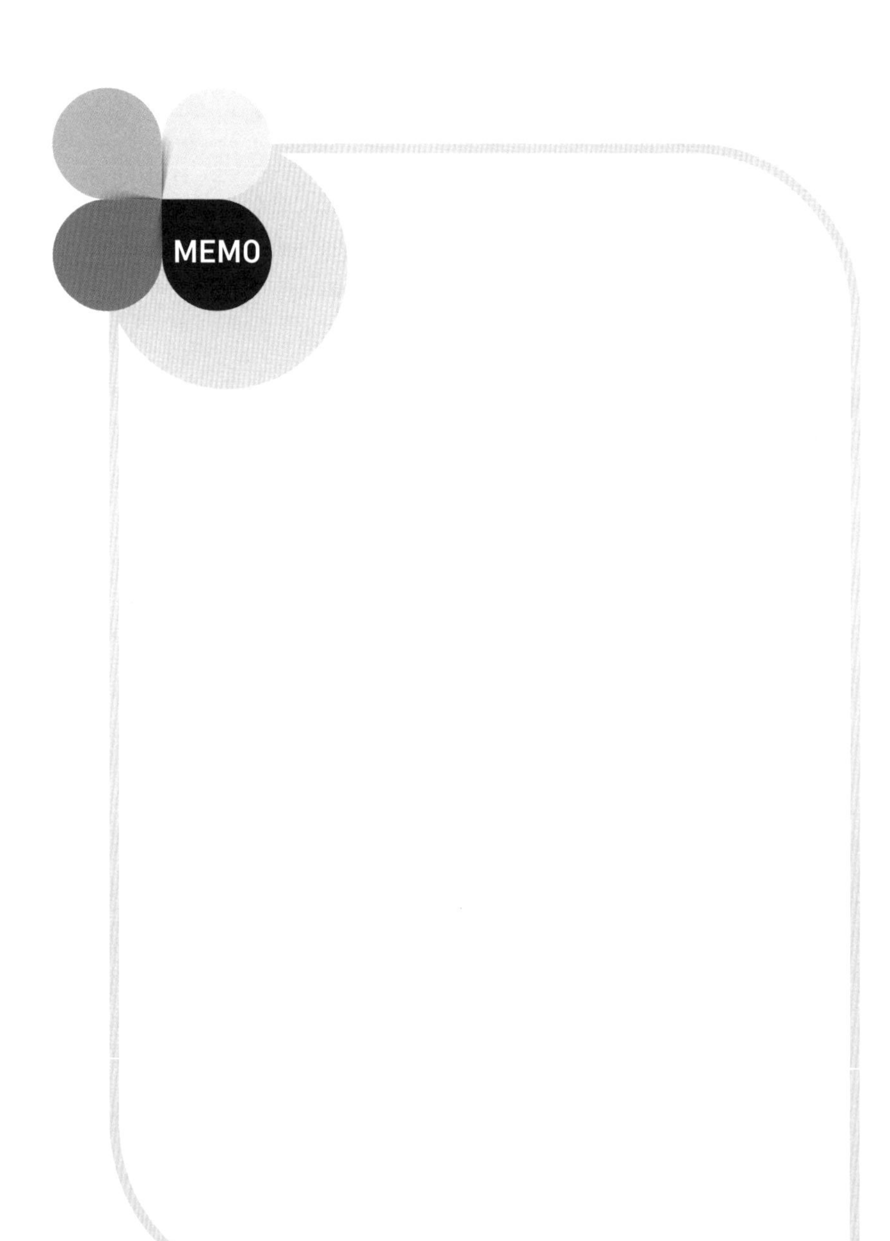
MEMO

제2장

재산세

01

재산세란?

재산세란, 과세기준일(매년 6월 1일)에 보유하고 있는 재산의 가치를 기준으로 과세하는 보유과세이다.

과세기준일 시점의 재산가치에 대하여 항상 변하므로 어느 특정시점에서 재산의 가치를 평가하여 담세능력에 따라 과세하는 것이며 재산의 보유정도, 이용현황 등에 따라 세금부담을 달리하고 있다.

이 경우 주택은 토지와 건물을 통합하여 시가기준으로 평가하여 주택분 재산세로 과세하고, 나대지와 일반건축물의 부속토지 등은 토지분 재산세로 과세하며, 주택 이외의 건축물에 대해서는 건물분 재산세로 구분하여 과세한다.

그리고 토지 등을 양도하게 되면 재산세의 과세기준일이 매년 6월 1일이므로 6월을 전후해서 매매하는 경우에는 양도자 또는 양수인 중 누가 재산세를 부담할 것인가를 명확히 하여야 한다.

재산세 과세대상 부동산을 6월 1일 전에 양도하면 해당연도에 양도한 부동산에 대한 재산세의 납세의무가 없으며, 재산세 과세대상 부동산을 6월 1일이 지나서 취득하는 경우에는 재산세의 납세의무가 없다.

관련예규 등

① 준공검사 전 공유수면 매립토지의 경우 재산세 과세기준일 현재 공사 준공 인가를 받은 토지나 공사 준공일 전에 사용승낙 또는 허가를 받은 토지에 대해서만 재산세 과세대상에 해당된다(지방세운영-1228, 2014.4.9.).

② 주택과 연접한 개발제한구역 안의 농지를 주택의 정원으로 불법전용하여, 적법한 주택과 하나의 울타리 내에서 사용하는 경우 해당 토지는 주택부속 토지에 포함되어 재산세 과세대상이 된다(지방세운영-2944, 2011.6.22).

③ 과세기준일 시점에서 멸실되지 않고 사실상 존재하고 있으면, 거주 여부나 건물의 노후 정도 및 공부상 등재 여부 등에 관계없이 재산세의 과세대상이 된다(조세심판원 2010지94, 2010.3.25.).

주택분 재산세 과세대상은 어떻게 구분하나요?

재산세 과세대상이 되는 주택의 경우에는 토지와 건물을 통합하여 주택분 재산세로 한다.

나대지와 일반건축물 부속토지 등에 대하여는 다음과 같이 구분한다.

① 주택분 재산세

② 토지분 재산세

③ 건물분 재산세

주거와 주거 외의 용도로 사용하고 있는 건물의 주택으로 인정하는 부분의 계산

1동(棟)의 건물이 주거와 주거 외의 용도로 사용되고 있는 경우에는 주거용으로 사용되는 부분만을 주택으로 본다. 이 경우 건물의 부속토지는 주거와 주거 외의 용도로 사용되는 건물의 면적비율에 따라 각각 안분하여 주택의 부속토지와 건축물의 부속토지로 구분한다.

겸용주택 중 주택판정

1구(構)의 건물이 주거와 주거 외의 용도로 사용되고 있는 경우에는 주거용으로 사용되는 면적이 전체의 50% 이상인 경우에는 주택으로 본다.

주택의 부속토지

주택 부속토지의 경계가 명백하지 아니한 경우에는 그 주택 바닥면적의 10배에 해당하는 토지를 주택의 부속토지로 한다.

토지분 재산세 과세대상은 어떻게 구분하나요?

재산세는 토지, 건물 및 주택 등("재산"이라 한다)을 과세대상으로 한다(지방세법 §105).

토지분 재산세 과세대상은 전국 합산이 아닌 시·군·구별로 다음과 같이 구분한다.

① 종합합산과세대상
② 별도합산과세대상
③ 분리과세대상

1 종합합산과세대상 토지란?

종합합산과세대상 토지는 과세기준일(매년 6월 1일) 현재 납세의무자가 소유하고 있는 토지 중 별도합산과세대상 또는 분리과세대상토지를 제외한 토지를 말한다(지방세법 §106①1).

토지에 대한 재산세과세는 재산세 과세대상인 토지 중 주거용 건축물의 부속토지를 제외한 토지(나대지와 일반건축물의 부속토지를 말함)를 말한다. 즉, 주거용 건축물과 그 부속토지는 통합 평가하여 주택으로 과세대상을 하기 때문이다.

관련예규 등

① 재산세 과세기준일 현재(매년 6월 1일) 건축물이 멸실된 날부터 6개월이 경과하였고 나대지상태에 있는 토지는 종합합산과세대상이다(조세심판원 2015지1240, 2015.11.10.).
② 재산세 과세기준일 현재 건축공사에 착공하지 아니한 나대지 상태의 토지는 종합합산과세대상이다(조세심판원 2014지2088, 2015.10.1.).
③ 무허가 건축물의 부속토지는 별도합산과세대상에 해당하지 아니하고, 지목이 전인 토지에 조성된 묘지는 비과세대상이 아니므로 해당 토지는 종합합산과세대상이다(조세심판원 2015지346, 2015.7.16.).
④ 건축 허가가 취소되어 건축 중인 토지에 해당하지 아니하고, 실제 영농에 사용하지 아니한 토지는 종합합산과세대상이다(서울고법 2014누69077, 2015.5.29.).
⑤ 재산세 과세기준일 현재 공부상 농지이나 영농에 직접 사용된 사실이 없고 해당 토지상에 비닐하우스가 설치되어 화훼판매장과 주차장으로 사용된 토지는 종합합산과세대상이다(조세심판원 2015지513, 2015.4.10.).
⑥ 개발제한구역이나 녹지지역에 소재하는 농지가 아니라, 주거지역 내에 소재하는 농지는 분리과세대상이 아닌 종합합산과세대상 토지로 본다(조세심판원 2014지1422, 2015.8.31.).

2 별도합산과세대상 토지란?

별도합산과세대상 토지는 과세기준일(매년 6월 1일) 현재 납세의무자가 소유하고 있는 토지 중 다음에 해당하는 토지를 말한다(지방세법 §106①2).

① 공장용 건축물의 부속토지 등
② 차고용 토지, 보세창고용 토지, 시험·연구·검사용 토지, 물류단지 시설용 토지등 공지상태(空地狀態)나 해당 토지의 이용에 필요한 시

설 등을 설치하여 업무 또는 경제활동에 활용되는 토지로서 일정한 요건을 갖춘 토지

③ 철거·멸실된 건축물 또는 주택의 부속토지로서 과세기준일 현재 건축물 또는 주택이 사실상 철거·멸실된 날(사실상 철거·멸실된 날을 알 수 없는 경우에는 공부상 철거·멸실된 날을 말한다)부터 6개월이 지나지 아니한 건축물 또는 주택의 부속토지. 이 경우 「건축법」 등 관계 법령에 따라 허가 등을 받아야 하는 건축물 또는 주택으로서 허가 등을 받지 않은 건축물 또는 주택이거나 사용승인을 받아야 하는 건축물 또는 주택으로서 사용승인(임시사용승인을 포함한다)을 받지 않은 경우는 제외한다.

관련예규 등

① 관광단지 내 토지는 재산세 별도합산과세대상이다(지방세운영-1771, 2015.6.12.).
② 토지의 지상 건축물을 멸실하였고, 재산세 과세기준일 현재 해당 건축물은 멸실된 날부터 6개월이 지나지 않은 토지는 건축물의 부속토지로 보아 별도합산과세대상으로 본다(조세심판원 2014지2054, 2014.12.31.).
③ 농업용 창고의 부속토지에 해당하는 토지는 별도합산과세대상이다(조세심판원 2014지1432, 2014.11.10.).
④ 건축물의 효용과 편익이 아닌 별도의 용도로 사용되고 있는 경우에는 해당 건물의 부속토지로 보아 별도합산과세대상이다(조세심판원 2013지755, 2014.1.15.).

3 분리과세대상 토지란?

분리과세대상 토지는 과세기준일(매년 6월 1일) 현재 납세의무자가 소유하고 있는 토지 중 국가의 보호·지원 또는 중과가 필요한 토지로서 다음에 해당하는 토지를 말한다(지방세법 §106①3).

① 공장용지

② 전·답·과수원("농지"라 한다)으로서 과세기준일 현재 실제 영농에 사용되고 있는 개인이 소유하는 농지. 다만, 특별시지역, 광역시지역(군지역은 제외) 및 지역(읍·면 지역은 제외)의 도시지역의 농지는 개발제한구역과 녹지지역에 있는 것으로 한정한다.

③ 농업법인이 소유하는 농지로서 과세기준일 현재 실제 영농에 사용되고 있는 농지. 다만, 특별시지역, 광역시지역(군지역은 제외) 및 시지역(읍·면 지역은 제외)의 도시지역의 농지는 개발제한구역과 녹지지역에 있는 것으로 한정한다.

④ 산림의 보호 육성을 위하여 필요한 임야 및 종중 소유 임야로서 일정한 요건을 구비한 임야 등

관련예규 등

① 산림의 보호 육성을 위하여 필요한 임야로서 개발제한구역 안의 임야 등에 해당하는 경우에는 재산세를 분리과세하는 것이나, 개발제한구역이 아닌 계획관리지역에 속하고 있는 임야는 종합합산과세대상이다(조세심판원 2012지701, 2012.11.20.).

② 농지가 아닌 잡종지 상태에 있는 사실이 확인되는 경우에는 분리과세대상으로 볼 수 없다(조세심판원 2012지326, 2012.6.21.).

재산세 납세의무자는 누구인가요?

재산세는 과세기준일 현재(매년 6월 1일) 재산을 사실상 소유하고 있는 자를 납세의무자로 하여 매년 부과하는 보유세이다. 이 경우 다음에 해당하는 자를 납세의무자로 한다(지방세법 §107).

여기서 사실상 소유하고 있는 자란, 취득의 시기가 도래되어 당해 토지를 취득한 자를 말하며, 신고하는 경우에는 일반신고에 우선하여 적용된다(지방세법 기본통칙 107-1).

공유재산인 경우

공유재산인 경우에는 그 지분에 해당하는 부분(지분의 표시가 없는 경우에는 지분이 균등한 것으로 본다)에 대해서는 그 지분권자로 한다.

주택의 건물과 부속토지의 소유자가 다를 경우

주택의 건물과 부속토지의 소유자가 다를 경우 그 주택에 대한 산출세액을 건축물과 그 부속토지의 시가표준액 비율로 안분 계산한 부분에 대해서는 그 소유자로 한다.

「신탁법」에 따라 수탁자 명의로 등기·등록된 신탁재산의 경우

「신탁법」에 따라 수탁자 명의로 등기·등록된 신탁재산의 경우에는 위탁자별로 구분된 재산에 대해서는 그 수탁자로 한다. 이 경우 위탁자별로 구분된 재산에 대한 납세의무자는 각각 다른 납세의무자로 본다.

매매 등의 사유로 소유권이 변동이 있으나 신고하지 않아 사실상 소유자를 알 수 없는 경우

공부상의 소유자가 매매 등의 사유로 소유권이 변동되었는데도 신고하지 아니하여 사실상의 소유자를 알 수 없을 때에는 공부상 소유자로 한다. 이 경우 공부상의 소유자란, 등기된 경우에는 등기부등본상의 소유자를, 미등기인 경우에는 토지대장 또는 임야대장 상의 소유자를 말한다(지방세법 기본통칙 107-3).

사실상의 소유자가 따로 있는 경우

공부상에 개인 등의 명의로 등재되어 있는 사실상의 종중재산으로서 종중소유임을 신고하지 아니하였을 때에는 공부상 소유자 등으로 한다.

과세기준(매년 6월 1일) 현재 납세의무자가 불분명한 경우

재산세 과세기준(매년 6월 1일) 현재 소유권의 귀속이 분명하지 아니하여 사실상의 소유자를 확인할 수 없는 경우에는 그 사용자가 재산세를 납부할 의무가 있다.

보충설명

과세기준일 현재 재산세과세대상물건의 소유권이 양도·양수된 때에는 양수인을 해당연도의 납세의무자로 본다(지방세법 기본통칙 107-1).

▣ 연부취득시 무상사용권을 부여받은 토지의 재산세 납세의무자는 누구로 하나요?

연부취득에 의하여 무상사용권을 부여받은 토지는 국가·지방자치단체·지방자치단체조합("국가등"이라 한다) 등으로부터 연부취득한 것에 한하므로 국가등 이외의 자로부터 연부취득 중인 때에는 매수인이 무상사용권을 부여받았다 하더라도 국가등 이외의 자가 납세의무자가 된다(지방세법 기본통칙 107-2).

▣ 상속재산에 대한 납세의무자는 누구로 하나요?

상속은 「민법」 제997조의 규정에 의하여 피상속자의 사망으로 인하여 개시되며, 상속등기가 되지 아니한 때에는 상속자가 지분에 따라 신고하면 신고된 지분에 따른 납세의무가 성립하고 신고가 없으면 주된 상속자에게 납세의무가 있다(지방세법 기본통칙 107-7).

보충설명

상속이 개시된 재산에 대하여 과세기준일 현재 공동상속인 간 상속재산 분할협의가 이루어지지 않아 주된 상속자(피상속인의 장녀)와 공동상속인 중 일부 상속자(피상속인의 차녀)가 각각 본인의 법정 상속분에 대하여 사실상의 소유자로 하여 관할 지자체장에게 신고를 한 경우, 상속재산에 대한 재산세 납세의무자는 주된 상속자이다(지방세운영-992, 2016.4.19.).

▣ 재산세 과세대상물건의 소유권이 양도·양수된 경우 납세의무자는 누구로 하나요?

과세기준일 현재 재산세 과세대상 물건의 소유권이 양도·양수된 때에는 양수인을 해당 연도의 납세의무자로 본다(지방세법 기본통칙 106-1).

재산세 납세지는 어느 곳으로 하나요?

재산세는 다음의 납세지를 관할하는 지방자치단체에서 보통징수 방법으로 부과한다(지방세법 §108).

① 토지 : 토지의 소재지

② 건축물 : 건축물의 소재지

③ 주택 : 주택의 소재지

이 경우 재산세를 징수하려면 토지, 건축물, 주택 등으로 구분한 납세고지서에 과세표준과 세액을 납기개시 5일 전까지 발급하여야 한다.(지방세법 §116②).

재산세가 비과세되는 재산은 어떤 것이 있나요?

다음의 재산(별장 및 고급주택 등의 과세대상은 제외)은 재산세를 부과하지 아니한다(지방세법 §109).

① 도로·하천·제방·구거·유지 및 묘지. 다만, 수익사업에 사용하는 경우와 해당 재산이 유료로 사용되는 경우의 그 재산(아래 ③ 및 ⑤의 재산은 제외) 및 해당 재산의 일부가 그 목적에 직접 사용되지 아니하는 경우의 그 일부 재산에 대하여는 재산세를 부과한다

② 산림보호구역, 군사기지 및 군사시설 보호구역 중 통제보호구역에 있는 토지(전·답·과수원 및 대지는 제외), 채종림·시험림, 공원자연보존지구의 임야, 백두대간보호지역의 임야

③ 임시로 사용하기 위하여 건축된 건축물로서 재산세 과세기준일 현재 1년 미만의 것

④ 비상재해구조용, 무료도선용, 선교(船橋) 구성용 및 본선에 속하는 전마용(傳馬用) 등으로 사용하는 선박

⑤ 재산세를 부과하는 해당 연도에 철거하기로 계획이 확정되어 재산세 과세기준일 현재 행정관청으로부터 철거명령을 받았거나 철거보상계약이 체결된 건축법상 건축물 또는 주택

관련예규 등

① 종교용에 사용하기 위한 부동산을 종교단체가 아닌 담임목사 개인명의로 취득(등기)하였다면 취득세 등의 비과세대상이 아니다(세정-4159, 2004.11.18.).
② 재산세가 비과세 되는 종교용 부동산에 해당 하는지 여부는 종교 등 목적사업을 수행함에 있어 필요불가결한 중추적 존재가 직접 사용하는 부동산인지 여부에 따라 판단한다(세정-167, 2004.2.24.).
③ 아파트가 붕괴위험으로 대피명령을 받아 사용·수익이 제한된 것이더라도, 철거계획이 확정되어 철거명령을 받았거나 철거보상계약 체결사실 없어 재산세 비과세대상이 아니다(지방세심사 2003-53, 2003.3.24.).
④ 전년도 말까지 철거하기로 계획이 확정됐으나 철거 안된 건물은 재산세 비과세대상이 아니다(대법원 99두4426, 2001.10.23.).

질의 **사업시행자와 과세기준일 현재 보상철거계약이 체결된 경우는 재산세 비과세되나요?**

답변 재산세를 부과하는 해당 연도 내에 철거하기로 계획이 확정되어 재산세 과세기준일 현재 행정관청으로부터 철거 명령을 받았거나 보상철거계약이 체결된 건축물은 재산세 비과세 대상입니다(세정 13407-1055, 2000.8.30.).

질의 **가정보육시설과 주거용으로 겸용하는 경우에는 재산세 등 비과세 대상인가요?**

답변 청구인의 명의로 취득한 아파트에서 청구인 가족 모두가 생활을 영위하면서 그 처로 하여금 일종의 부업으로 놀이방을 운영하게 하는 경우, 비록 그 놀이방이 가정보육시설이라 하더라도 당해 주택에 대하여 재산세 등을 비과세 한다면, 주거용 부동산에 대하여 재산세 등을 부담하는 이웃아파트 거주자 등과 불형평을 초래하는 문제점이 제기될 뿐 아니라 사회통념에 비추어 보아도 개인의 주거용 주택을 타용도로 겸용하는 경우까지 재산세를 감면하여야 한다는 주장은 받아들이기 어려우므로 재산세 비과세대상이 아닙니다(지방세심사 99-631, 1999.10.27.).

재산세 과세표준은 어떻게 산출하나요?

토지 · 건축물 · 주택에 대한 재산세의 과세표준은 시가표준액에 부동산 시장의 동향과 지방재정 여건 등을 고려하여 다음의 공정시장가액비율을 곱하여 산정한 가액으로 한다(지방세법 §110).

재산세과세표준 = 시가표준액 × 공정시장가액비율

공정시장가액비율은 다음과 같다.

① 주택 : 주택가격에 공정시장가액비율 60%를 곱하여 산정

② 건축물(주택 제외) : 건물시가표준액에 공정시장가액비율 70% 곱하여 산정

③ 토지(주택의 부속토지 제외) : 토지의 공시지가에 면적을 곱하여 산출한 가액에 공정시장가액비율 70%를 곱하여 산정

관련예규 등

① 인근 상가의 매매사례가액 및 국세청장이 산정 · 고시하는 가액을 재산세 과세표준으로 볼 수 있는 규정을 별도로 두고 있지 아니하므로 처분청에서 시가표준액에 공정시장가액비율을 곱하여 산정한 가액을 과세표준으로 한다(조세심판원 2015지1828, 2015.12.3.).
② 법원의 경매절차를 통해 해당 건축물의 전유부분과 공용부분을 취득한 점 등에 비추어 해당 건물의 집합건축물대장 등을 근거로 재산세 등을 부과한 처분은 잘못이 없다(조세심판원 2015지454, 2015.12.1.).

토지, 건축물, 주택에 대한 재산세 세율은 어떻게 적용하나요?

1 토지에 대한 재산세 세율

토지에 대한 재산세 세율은 납세의무자가 소유하고 있는 해당 지방자치단체 관할구역에 있는 종합합산과세대상 토지의 가액을 모두 합한 금액을 과세표준으로 하여 해당 세율을 적용한다. 그리고 별도합산과세대상토지와 분리과세대상토지는 해당 토지의 가액에 대해서만 과세표준으로 하여 해당 세율을 적용한다(지방세법 §113①).

구분	과세표준	세율
종합합산 과세대상	5,000만원 이하	0.2%
	5,000만원 초과 1억원 이하	10만원+5,000만원 초과금액의 0.3%
	1억원 초과	25만원+1억원 초과금액의 0.5%
별도합산 과세대상	2억원 이하	0.2%
	2억원 초과 10억원 이하	40만원+2억원 초과금액의 0.3%
	10억원 초과	280만원+10억원 초과금액의 0.4%
분리과세	전·답·과수원·목장용지 및 임야	과세표준의 0.07%
	골프장 및 고급오락장용 토지	과세표준의 4%
	그 밖의 토지	과세표준의 0.2%

2 건축물에 대한 재산세 세율

건축물은 골프장, 고급오락장용 건축물 등으로 구분하여 각각 세율을 적용한다.

구분	세율
골프장, 고급오락장용 건축물	과세표준의 4%
특별시·광역시(군 지역은 제외)·시(읍·면지역은 제외) 지역에서 「국토의 계획 및 이용에 관한 법률」과 그 밖의 관계 법령에 따라 지정된 주거지역 및 해당 지방자치단체의 조례로 정하는 지역의 공장용 건축물	과세표준의 0.5%
그 밖의 건축물	과세표준의 0.25%

3 주택에 대한 재산세 세율

주택에 대한 재산세는 별장과 그 외의 주택으로 구분하고 주택에는 토지와 건축물을 통합하여 평가한 과세표준액에 세율을 적용한다(지방세법 §113②).

구분	과세표준	세율
별장	과세표준(시가표준액)	4%
주택	6천만원 이하	0.1%
	6천만원 초과 1억 5천만원 이하	60,000원+6천만원 초과금액의 0.15%
	1억 5천만원 초과 3억원 이하	195,000원+1억 5천만원 초과금액의 0.25%
	3억원 초과	570,000원+3억원 초과금액의 0.4%

보충설명

주택을 2명 이상이 공동으로 소유하거나 토지와 건물의 소유자가 다를 경우 해당 주택에 대한 세율을 적용할 때 해당 주택의 토지와 건물의 가액을 합산한 과세표준에 표준세율을 적용한다(지방세법 §113③).

관련예규 등

① 오피스텔을 주거용으로 임대차계약을 체결하고 재산세 과세기준일 현재 임차인이 사실상 주거용으로 사용한 것으로 보이는 오피스텔을 사실상 주택으로 보아 재산세 등의 부과처분은 타당하다(조세심판원 2014지2061, 2015.5.27.).

② 해당 토지는 도시개발사업의 시행으로 용도지역이 변경되고, 개별공시지가가 급격히 상승함에 따라 재산세가 급증하였다 하더라도 처분청이 해당 토지의 개별공시지가에 공정시장가액 비율(70%)을 곱하여 재산세 과세표준을 산정하는 등 지방세법령에 따른 재산세 과세처분은 적법하다(조세심판원 2014지46, 2014.4.17.).

③ 재산세 과세기준일 현재 해당 토지상에 위치한 주택용 건축물은 장기간 사람이 거주하지 아니하였고, 지붕, 기둥, 벽 및 출입문이 파손되어 사실상 주거기능이 상실된 것으로 확인되어 재산세 과세대상인 주택으로 보기는 어렵다 할 것이므로 해당 토지에 대해 토지분 재산세를 과세한 처분은 적법하다(조세심판원 2014지119, 2014.3.24.).

④ 전·답·과수원으로서 과세기준일 현재 실제 영농에 사용되고 있는 개인이 소유하는 농지에 대하여는 재산세를 분리과세하는 것이지만, 광역시 지역에 소재하는 농지의 경우는 개발제한구역과 녹지지역에 있는 토지에 한하므로 도시지역의 일반주거지역 내에 소재하고 있는 해당 토지에 대하여 1천분의 2의 세율을 적용하여 재산세를 부과한 것은 달리 잘못이 없다(조세심판원 2013지556, 2013.8.14.).

재산세 부과(납기, 물납, 분할) · 징수는 언제인가요?

납기

재산세는 재산의 보유 사실에 담세력을 인정하여 부과하는 조세로서 재산의 사용 · 수익에 따라 부과하는 것은 아니며, 일정 시점을 기준으로 하여 재산의 소유 사실을 확인하여 그 보유자에게 부과한다. 이 경우 재산세의 납기는 다음과 같다(지방세법 §115).

재산	납기
토지	매년 9월 16일부터 9월 30일까지
건축물	매년 7월 16일부터 7월 31일까지
주택	① 매년 7월 16일부터 7월 31일까지 : 50% ② 9월 16일부터 9월 30일까지 : 나머지 다만, 해당 연도에 부과할 세액이 20만원 이하인 경우에는 7월 16일부터 7월 31일까지이다.

지방교육세는 재산세에 부가하여 과세된다.

물납

지방자치단체의 장은 재산세의 납부세액이 1천만원을 초과하는 경우에는 납세의무자의 신청을 받아 해당 지방자치단체의 관할구역에 있는 부동산에 대하여만 물납을 허가할 수 있다(지방세법 §117).

분할 납부

재산세의 납부세액이 250만원을 초과하는 경우에는 다음에 따라 납부할 세액의 일부를 납부기한이 지난 날부터 2개월 이내에 분할 납부할 수 있다(지방세법 §118).

분할 납부할 세액 대상	분할 납부할 세액 범위
납부할 세액이 500만원 이하인 경우	• 250만원 이하 금액은 납기 내 납부 • 250만원 초과금액은 분납기한 내 납부
납부할 세액이 500만원을 초과하는 경우	• 납부할 세액 50% 이상의 금액을 납기에 납부 • 나머지 금액은 분납기한 내에 각각 납부

보충설명

지방세 분납대상이 되는 납부세액이 250만원을 초과하는 범위는 다음과 같다(지방세법 기본통칙 118-1).

① 동일 시·군·구별로 납세자가 납부할 재산세의 세액이 250만원 초과 여부로 판단하되, 초과 여부는 재산세액(도시지역분을 포함한 금액을 말한다)만을 기준으로 하고, 병기 고지되는 지역자원시설세·지방교육세는 제외한다.

② 재산세가 분납대상에 해당할 경우 지방교육세도 함께 분납 처리한다.

관련예규 등

① 재산세의 납세고지서의 발급시기를 납기개시 5일 전으로 규정한 것은, 납기가 개시하기 전에 과세표준과 세액을 알려줌으로써 납세의무자로 하여금 과세표준과 세액을 확인하고 그에 따른 납부금을 준비할 수 있는 기간을 납기에 더하여 추가로 더 확보해 주고자 함에 있는 것일 뿐이므로 위 규정에 따른 기간 내에 납세고지서가 발급되지 않았다고 하여 납세의무의 성립이나 송달의 효력이 좌우된다고 볼 수는 없다(대법원 2016두31074, 2016.4.15.).

② 공무원이 주택을 실사한 후 재산세를 과세하였다면 납세의무자가 과세요건 사실이 잘못되었다는 것을 입증하지 못하는 경우는 과세처분이 위법한 처분이라고 단정할 수 없다(지방세심사 2006-220, 2006.5.29.).

③ 재산세 부과 시 세무담당 공무원들이 실측한 면적 등이 잘못 되었다면 공인된 기관의 실측결과 등에 의하여 입증하여야 한다(지방세심사 2006-218, 2006.5.29.).

재산세 세부담 상한제도

세부담상한제도는 토지와 건물을 합하여 시가방식으로 일괄평가함에 따라 세부담이 일시에 급등할 경우 납세자의 조세부담이 커지므로 이를 완화하기 위해 세부담 인상폭의 상한제를 두게 된 것이다.

세부담상한은 해당연도 재산세 산출세액이 직전연도 재산세의 150%를 초과할 수 없는 제도로서 주택은 최고 130% 범위 내에서 다음의 주택공시가격에 따라 주택세부담상한 비율을 적용한다.

주택가격	세부담상한비율
3억원 이하	105/100
3억원 초과~6억원 이하	110/100
6억원 초과	130/100

11

소액징수 면제액은 얼마인가요?

고지서 1장당 재산세로 징수할 세액이 2천원 미만인 경우에는 해당 재산세를 징수하지 아니한다(지방세법 §119).

제3장

취득세 및 재산세의 구제제도

지방세 구제제도는 지방세기본법상 세금(본서에서는 "취득세 및 재산세"를 말함)이 고지되기 전에 구제받을 수 있는 과세전적부심사제도와 세금고지서를 받은 후에 구제받을 수 있는 이의신청·심사청구 및 심판청구제도가 있으며, 감사원법에 의한 심사청구방법도 있다. 다만, 취득세 등 신고납부 세목의 경우에는 취득세 신고를 법정신고기한까지 제출한 경우에 한하여 이의신청 등을 할 수 있다.

※ 본 편에서는 취득세 및 재산세의 구제제도 중 과세전적부심사제도에 대해서만 설명하고자 한다.

과세전적부심사제도란, 세금(30만원 이상인 경우)이 고지되기 전에 세무조사결과에 대한 서면통지와 과세예고통지 등을 받고 이의가 있는 경우, 그 통지를 받은 날부터 30일 이내에 재산세 및 등록면허세는 구청장에게, 취득세는 시장에게 그 통지의 적법성 여부에 대한 심사를 청구할 수 있는 제도를 말한다(지방세기본법 §88).

이와 같은 과세전적부심사는 고지서 발부전 과세관청에 자기시정기회를 부여하는 사전적 구제제도이며, 적법한 과세적부심사청구가 있는 경우 결정이 있을 때까지 청구한 부분에 대한 과세표준 및 세액의 결정이나 경정결정을 유보하여야 한다.

따라서 과세전적부심사제도는 권리가 침해되기 전에 구제받을 수 있는 실질적인 권리보호제도라 할 수 있다.

MEMO

제4편 종합부동산세

본 편에서는 개인의 부동산(주택, 토지 및 건축물)보유로 인한 종합부동산세에 대해서 알기 쉽게 설명하고자 한다.

종합부동산세란?

종합부동산세는 고액의 부동산 보유자에게 종합부동산세를 부과하여 부동산보유에 대한 조세부담의 형평성을 제고하고, 부동산의 가격안정을 도모함으로써 지방재정의 균형발전과 국민경제의 건전한 발전에 이바지함을 목적으로 한다(종합부동산세법 §1).

종합부동산세는 과세기준일(매년 6월 1일) 현재 국내에 소재한 재산세 과세대상인 주택 및 토지를 유형별로 구분하여 인별로 합산한 결과, 그 공시가격 합계액이 다음의 각 유형별 과세대상 공제금액을 초과하는 경우 그 초과분에 대하여 과세하는 세금을 말한다.

즉, 1차로 부동산 소재지 관할 시 · 군 · 구에서 관내 부동산을 과세유형별로 구분하여 재산세를 부과하고, 2차로 다음의 각 유형별 과세대상 공제금액을 초과하는 부분에 대하여 주소지 관할 세무서에서 종합부동산세를 부과 · 징수한다.

유형별 과세대상 및 과세단위		공제금액
인별 전국 합산	주택(주택의 부속토지 포함)	주택공시가격 : 6억원 (1세대 1주택자 : 9억원)
	종합합산토지(나대지, 잡종지 등)	토지 공시가격 : 5억원
	별도합산토지(상가사무실 부속토지 등)	토지 공시가격 : 80억원

보충설명

1세대 1주택자란, 거주자로서 세대원 중 1명만이 주택분 재산세과세 대상인 1주택을 단독으로 소유한 경우를 말한다.

위 표에서 공시가격이란 「부동산 가격공시 및 감정평가에 관한 법률」에 따라 가격이 공시되는 주택 및 토지에 대하여 공시된 가액을 말한다.

종합부동산세 납세지는 어느 곳으로 하나요?

거주자에 대한 종합부동산세의 납세지는 그 주소지로 하며 주소지가 없는 경우에는 그 거소지로 하며, 다음에 따라(소득세법 §6) 납세지를 정한다(종합부동산세법 §4①, 집행기준 4-0-1).

구분		납세지
납세지 분명	주소지가 있는 경우	주소지
	주소지가 없는 경우	거소지
납세지 불분명	주소지가 2 이상	주민등록법에 의하여 등록된 곳
	거소지가 2 이상	생활관계가 보다 밀접한 곳

그리고 종합부동산세의 납세의무자가 비거주자인 개인 또는 외국법인으로서 국내사업장이 없고 국내원천소득이 발생하지 아니하는 주택 및 토지를 소유한 경우에는 그 주택 또는 토지의 소재지(주택 또는 토지가 둘 이상인 경우에는 공시가격이 가장 높은 주택 또는 토지의 소재지를 말한다)를 납세지로 정한다(종합부동산세법 §4③).

종합부동산세 과세대상은 어떻게 구분하여 과세하나요?

과세기준일 현재 주택분 재산세의 납세의무자로서 국내에 있는 재산세 과세대상인 주택의 공시가격을 합산한 금액이 6억원을 초과하는 자는 종합부동산세를 납부할 의무가 있다.

이 경우 종합부동산세 과세대상은 재산세 과세대상 재산(토지, 건축물, 주택 등) 중 주택(주거용 건축물과 그에 딸린 토지 포함한다)과 토지(종합합산과세대상토지와 별도합산과세대상토지를 말한다)로 구분하여 과세한다.

종합부동산세액 = 주택에 대한 종합부동산세액 + 토지에 대한 종합부동산세액(= 토지분 종합합산세액 + 토지분 별도합산세액)

부동산의 종류에 따라 재산세 및 종합부동산세 과세대상을 비교・요약하면 다음과 같다.

구분	부동산의 종류		재산세	종합부동산세
건물	주거용	주택(아파트, 단독 · 다가구 · 다세대), 오피스텔(주거용)	○	○
		별장(주거용 건물로서 휴양 · 피서용으로 사용되는 것)	○	×
		일정한 건설임대주택 · 매입임대주택 등 장기임대주택, 미임대건설임대주택	○	×
		일정한 미분양주택 · 사원용 주택 · 기숙사 · 가정 어린이집용 주택	○	×
	기타	일반건축물(상가 · 사무실 · 빌딩 · 공장 · 기타 사업용 건물)	○	×
토지	종합합산	나대지, 잡종지, 일부 농지 · 임야 · 목장용지 등	○	○
		재산세 분리과세대상 토지 중 기준 초과 토지	○	○
		재산세 별도합산과세대상 토지 중 기준 초과 토지	○	○
		재산세 분리과세 · 별도합산과세대상이 아닌 모든 토지	○	○
	별도합산	일반건축물의 부속토지(기준면적 범위 내의 것)	○	○
		법령상 인 · 허가 받은 토지	○	○
	분리과세	일부 농지, 임야, 목장용지(재산세 0.07%)	○	×
		공장용지 일부, 공급용 토지(재산세 0.2%)	○	×
		골프장, 고급오락장용 토지(재산세 4.0%)	○	×

종합부동산세 납세의무자는 누구인가요?

종합부동산세의 과세기준일은 재산세의 과세기준일을 준용하여 매년 6월 1일이다.

과세대상 주택과 토지(분리과세대상 제외)를 매년 6월 1일 현재 보유하고 있는 재산세 납세의무자(개인)로서 과세대상별로 구분하여 공제액을 초과하여 보유하고 있는 경우에는 종합부동산세를 납부할 의무가 있다(종합부동산세법 §7).

과세기준일(매년 6월 1일) 현재 재산세 과세대상 부동산의 소유권이 양도 또는 양수된 경우에는 양수인을 해당연도의 납세의무자로 본다.

재산세 및 종합부동산세 과세대상 부동산을 6월 1일 전에 양도 하면 해당연도에 양도한 부동산에 대한 재산세 및 종합부동산세의 납세의무가 없으며, 재산세 및 종합부동산세 과세대상 부동산을 6월 1일이 지나서 취득하는 경우에는 재산세 및 종합부동산세의 납세의무가 없다.

1 주택분 재산세 납세의무자

과세기준일(매년 6월 1일) 현재 주택분 재산세의 납세의무자로서 국내에 있는 재산세 과세대상인 주택의 공시가격을 합산한 금액이 6억원

(1세대 1주택자는 9억원)을 초과하는 자는 종합부동산세를 납부할 의무가 있다(종합부동산세법 §7).

인별∑(주택분 공시가격) 〉 6억원(1세대 1주택자 9억원)에 해당하는 자

질의 **타인 소유 주택의 부속토지만을 소유한 경우 종합부동산세 납세의무가 있나요?**

답변 주택부속토지만을 소유하는 자에게는 주택분 재산세가 과세되므로, 주택분 재산세 납세의무자로서 주택공시가격을 합산한 금액이 6억원을 초과하면 종합부동산세를 납부할 의무가 있습니다(종합부동산세법 집행기준 7-0-2).

공동명의 1주택자의 납세의무 등에 관한 특례

과세기준일 현재 세대원 중 1인이 그 배우자와 공동으로 1주택을 소유하고 세대원 및 다른 세대원이 다른 주택을 소유하지 아니한 경우로서 배우자와 공동으로 1주택을 소유한 자 그 배우자 중 해당 1주택에 대한 납세의무자로 할 수 있다(종합부동산세법 §10의2).

이 경우 해당 납세의무자는 당해연도 9월 16일부터 9월 30일까지 관할 세무서장에게 신청하여야 한다.

세대의 정의

"세대"라 함은 주택 또는 토지의 소유자 및 그 배우자와 그들과 생계를 같이하는 가족으로서 주택 또는 토지의 소유자 및 그 배우자가 그들과 동일한 주소 또는 거소에서 생계를 같이하는 가족과 함께 구성하는 1세대를 말한다.

"가족"이라 함은 주택 또는 토지의 소유자와 그 배우자의 직계존비속(그 배우자를 포함) 및 형제자매를 말하며, 취학, 질병의 요양, 근무상 또는 사업상의 형편으로 본래의 주소 또는 거소를 일시퇴거한 자를 포

함한다.

그 외에 다음의 어느 하나에 해당하는 경우에는 1세대로 본다.

① 배우자가 없는 때에도 다음의 경우에는 1세대로 본다.

㉮ 30세 이상인 경우

㉯ 배우자가 사망하거나 이혼한 경우

㉰ 종합소득, 퇴직소득 및 양도소득이 「국민기초생활 보장법」 제2조 제11호에 따른 기준 중위소득의 100분의 40 이상으로서 소유하고 있는 주택 또는 토지를 관리·유지하면서 독립된 생계를 유지할 수 있는 경우. 다만, 미성년자의 경우를 제외하되, 미성년자의 결혼, 가족의 사망 그 밖에 세법이 정하는 사유로 1세대의 구성이 불가피한 경우에는 그러하지 아니하다.

② 혼인함으로써 1세대를 구성하는 경우에는 혼인한 날부터 5년 동안은 주택 또는 토지를 소유하는 자와 그 혼인한 자별로 각각 1세대로 본다.

③ 동거봉양(同居奉養)하기 위하여 합가(合家)함으로써 과세기준일 현재 60세 이상의 직계존속(직계존속 중 어느 한 사람이 60세 미만인 경우를 포함)과 1세대를 구성하는 경우에는 합가한 날부터 10년 동안(합가한 날 당시는 60세 미만이었으나, 합가한 후 과세기준일 현재 60세에 도달하는 경우는 합가한 날부터 10년의 기간 중에서 60세 이상인 기간 동안) 주택 또는 토지를 소유하는 자와 그 합가한 자별로 각각 1세대로 본다.

1세대 1주택의 범위

"1세대 1주택자"란 세대원 중 1명만이 주택분 재산세 과세대상인 1주택만을 소유한 경우로서 그 주택을 소유한 거주자(국내에 주소를 두거나 183일 이상의 거소(居所)를 둔 개인)를 말한다. 이 경우 다가구주택은 1호(1동)을 1주택으로 보되, 합산배제 임대주택으로 신고한 경우에는 1세대가 독립하여 구분 사용할 수 있도록 구획된 부분을 각각 1주택으로 본다(종합부동산세법 시행령 §2의3).

합산배제 신고한 임대주택(합산배제 신고한 임대주택 이외의 주택에 주민등록이 되어 있고 실제로 거주하고 있는 경우에 한정함)은 1세대가 소유한 주택 수에서 제외하며 상속주택, 농어촌주택, 소수지분 주택(공동소유 주택), 건물 또는 부속토지만 소유하는 경우에는 이를 주택 수에 포함하여 1세대 1주택자를 판단한다.

다만, 납세의무자가 1주택(주택의 부속토지만 소유한 경우 제외)과 다른 주택의 부속토지만을 소유한 경우에는 1세대 1주택자로 본다.

2 토지분 재산세의 납세의무자

과세기준일(매년 6월 1일) 현재 토지분 재산세의 납세의무자로서 다음에 해당하는 자는 해당 토지에 대한 종합부동산세를 납부할 의무가 있다(종합부동산세법 §12).

구분	납세의무자
종합합산과세대상 토지	공시가격을 합산한 금액이 5억원을 초과하는 자
별도합산과세대상 토지	공시가격을 합산한 금액이 80억원을 초과하는 자
분리과세대상 토지	종합부동산세 과세 제외

3 재산세 과세기준일 현재 소유권의 귀속이 불분명한 경우

재산세 과세기준일 현재 소유권의 귀속이 분명하지 아니하여 사실상의 소유자를 확인할 수 없는 경우에는 그 사용자가 재산세 납세의무자이자 종합부동산세 납세의무자가 된다(서울행법 2012구합31120, 2013.7.10.).

질의 **상속 등기하지 아니한 상속주택의 납세의무자는 누구로 하나요?**

답변 과세기준일 이전에 상속이 개시되었으나 상속 등기하지 아니한 상속재산의 「종합부동산세법」에 의한 재산세 납세의무자는 상속지분이 가장 높은 자, 연장자를 순차적으로 적용합니다(종합부동산세 집행기준 7-0-3).

질의 **주택의 건물을 소유하지 않고 그 부속토지만을 소유하고 있는 경우 종합부동산세 부과 방법은 어떻게 하나요?**

답변 주택의 건물을 소유하지 않고 그 부속토지만을 소유하고 있다고 하더라도 주택 각각의 공시가격을 주택의 건물과 부속토지의 시가표준액 비율로 안분하여 계산한 부속토지의 가액을 합산한 금액이 과세기준금액 6억원을 초과하는 경우에는 주택분 종합부동산세의 납세의무가 있습니다(대법원 2011두27896, 2013.2.28.).

종합부동산세 과세표준(주택 또는 토지)은 어떻게 산출하나요?

❶ 주택의 과세표준

주택의 과세표준은 건물 및 부속토지를 합산하여 평가한 공시가격을 기준으로 인별로 전국 합산한 후 일정금액을 공제한 금액에 공정시장가액비율을 곱하여 계산한 금액을 말한다.

여기서 공시가격은 매년 1월 1일을 기준으로 국토교통부장관과 시장·군수·구청장이 공시하는 가격을 말한다.

과세표준 = (주택 공시가격을 합산한 금액 − 6억원*) × 공정시장가액비율
: 85%(2020년 : 90%, 2021년 : 95%)

* 배우자 또는 세대원이 1주택을 공동으로 소유하고 있는 경우에는 1세대 1주택자에 해당하지 아니하므로 지분 소유자별로 각각 6억원씩을 공제받는다. 그리고 1세대 1주택자의 경우에는 9억원이다.

1세대 1주택자의 범위

주택의 공시가격을 합산한 금액에서 9억원을 공제하는 1세대 1주택자란 세대원 중 1명만이 주택분 재산세 과세대상인 1주택만을 소유한 경우로서 그 주택을 소유한 자가 「소득세법」에 따른 거주자를 말한다(종합부동산세법 집행기준 8-2의3-1).

질의 **본인이 보유한 합산배제 임대주택을 배우자에게 일부 증여하여 공동명의가 된 경우 합산배제가능한지?**

답변 합산배제 임대주택으로 적용받던 주택을 증여받는 경우 전체 주택분에 대해 합산배제 가능한 것이나, 기존에 합산배제되고 있지 않는 경우에는 새로운 주택의 취득으로 보아 합산배제 적용되지 않는 것입니다(서면부동산-2300, 2020.6.30.).

질의 **조정대상지역 공고 전 취득한 주택 분양권을 조정대상지역 공고 이후 배우자에게 일부 증여시 임대주택 합산배제 적용 여부**

답변 1세대가 1주택을 보유한 상태에서 조정대상지역 공고 이전 취득한 분양권을 조정대상지역 공고 후 배우자에게 일부 증여(공동명의)하고 이후 합산배제 요건을 갖춘 경우는 임대주택 전체에 대해서 합산배제 및 감면 적용 가능한 것입니다. 다만, 배우자에게 증여한 경우에만 해당됩니다(서면부동산-2232, 2020.6.24.).

합산배제 임대주택

임대사업자로서 과세기준일 현재 주택임대업 사업자등록을 한 자가 임대·소유하고 있는 다음의 임대주택은 과세표준에 합산하지 아니한다(종합부동산세법 집행기준 8-3-2).

임대주택종류	면적(전용)	주택 수	공시가격	임대기간	소재지
건설임대주택	149㎡ 이하	2호 이상	6억원 이하	5년 이상[1]	비수도권
기존임대주택	국민주택규모[2] 이하	2호 이상	3억원 이하	5년 이상	전국
미임대 민간건설임대	149㎡ 이하	-	6억원 이하	-	-
매입임대주택	-	1호 이상	6억원 이하 (비수도권 3억원)	10년 이상	전국
건설임대주택	149㎡ 이하	2호 이상	3억원 이하	10년 이상	전국

임대주택종류	면적(전용)	주택 수	공시가격	임대기간	소재지
리츠·펀드 매입임대[2]	149㎡ 이하	5호 이상	6억원 이하	10년 이상	비수도권
미분양 매입임대	149㎡ 이하	5호 이상	3억원 이하	5년 이상	

1) 건설임대주택은 사용승인·사용검사필증을 받은 날부터 임대의무기간 종료일까지 계속 임대한 것으로 봄(보유기간에 한한다).
2) 전용면적이 85㎡(수도권을 제외한 도시지역이 아닌 읍·면 지역은 100㎡) 이하

합산배제 주택건설사업자의 미분양주택 등

주택건설업자(「주택법」 및 건축법상 허가 받은 사업자) 소유의 미분양 주택으로서 재산세 납세의무가 최초로 성립한 날부터 5년이 경과하지 아니한 주택 등 과세표준에 합산하지 아니한다.

합산배제 사원용주택등

합산배제 사원용주택등은 다음과 같다(종합부동산세법 시행령 §4).

주택의 종류	요건
사원용주택	종업원에게 무상이나 저가로 제공하는 사용자 소유의 주택으로서 국민주택규모 이하이거나 과세기준일 현재 공시가격이 3억원 이하인 주택. 다만, 사용자가 개인인 경우에는 그 사용자와의 특수관계에 있어서 종업원에게 제공하는 주택 등을 제외한다.
가정어린이집용 주택	세대원이 시장·군수 또는 구청장(자치구의 구청장을 말함)의 인가를 받고 고유번호를 부여받은 후 과세기준일 현재 5년 이상 계속하여 가정어린이집으로 운영하는 주택
기숙사	종업원 주거사용 기숙사
미분양주택	과세기준일 현재 사업자등록을 한 다음의 어느 하나에 해당하는 자가 건축하여 소유하는 주택 ①「주택법」 제15조에 따른 사업계획승인을 얻은 자 ②「건축법」 제11조에 따른 허가를 받은 자

주택의 종류	요건
노인복지주택	「노인복지법」 제32조 제1항 제3호에 따른 노인복지주택을 같은 법 제33조 제2항에 따라 설치한 자가 소유한 해당 노인복지주택
향교재단이 소유한 주택 등	「향교재산법」에 따른 향교 또는 향교재단이 소유한 주택의 부속토지(주택의 건물과 부속토지의 소유자가 다른 경우의 그 부속토지를 말한다)

2 토지의 과세표준

토지의 과세표준은 국내에 있는 종합합산토지와 별도합산토지의 공시가격을 인별로 전국합산 후 일정금액을 공제하고 공정시장가액비율을 곱하여 계산한 금액을 말한다.

과세대상	과세표준	공시가격기준
종합합산토지 (나대지, 잡종지 등)	(토지공시가격을 인별로 전국합산한 가액 × 5억원) × 85% (2020년 : 90%, 2021년 : 95%)	토지공시가격
별도합산토지 (일반건축물부속토지 등)	(토지공시가격을 인별로 전국합산한 가액 × 80억원) × 85% (2020년 : 90%, 2021년 : 95%)	토지공시가격

* 1세대 1주택자의 경우에 한정한다.

종합부동산세 세율은 어떻게 적용하나요?

종합부동산세 과세표준(공정시장가액비율을 감안한 금액)에 다음의 과세대상별 세율을 적용한다.

종합부동산세 세율

과세대상	공정시장 가액비율	과세표준	세율
2주택 이하 (조정대상지역 외 2주택 제외)	85% (2020년 : 90%, 2021년 : 95%)	3억원 이하	0.6%
		3억원 초과 6억원 이하	180만원 + (3억원 초과금액 × 0.8%)
		6억원 초과 12억원 이하	420만원 + (6억원 초과금액 × 2%)
		12억원 초과 50억원 이하	1천140만원 + (12억원 초과금액 × 1.6%)
		50억원 초과 94억원 이하	7천220만원 + (50억원 초과금액 × 2.2%)
		94억원 초과	1억6천900만원 + (94억원 초과금액 × 3.0%)

과세대상	공정시장 가액비율	과세표준	세율
3주택 이상 (조정대상지역 2주택)	85% (2020년 : 90%, 2021년 : 95%)	3억원 이하	1.2%
		3억원 초과 6억원 이하	360만원 + (3억원 초과금액 × 1.6%)
		6억원 초과 12억원 이하	840만원 + (6억원 초과금액 × 2.2%)
		12억원 초과 50억원 이하	2천160만원 + (12억원 초과금액 × 3.6%)
		50억원 초과 94억원 이하	1억5천840만원 + (50억원 초과금액 × 5.0%)
		94억원 초과	3억7천840만원 + (94억원 초과금액 × 6.0%)
종합합산토지 (나대지, 잡종지 등)	85% (2020년 : 90%, 2021년 : 95%)	15억원 이하	1.0%
		15억원 초과 45억원 이하	1천5백만원 + (15억원 초과금액 × 2.0%)
		45억원 초과	7천5백만원 + (45억원 초과금액 × 3.0%)
별도합산토지 (일반건축물의 부속토지 등)	85% (2020년 : 90%, 2021년 : 95%)	200억원 이하	0.5%
		200억원 초과 400억원 이하	1억원 + (200억원 초과금액 × 0.6%)
		400억원 초과	2억2천만원 + (400억원 초과금액 × 0.7%)

종합부동산세액

종합부동산세는 주택에 대한 종합부동산세와 토지에 대한 종합부동산세의 세액을 합한 금액을 그 세액으로 한다.

종합부동산세액 = 주택에 대한 종합부동산세액 + 토지에 대한 종합부동산세액*

* 토지에 대한 종합부동산세액 = 토지분 종합합산세액 + 토지분 별도합산세액

위 산식에서 주택분 과세표준금액에 대하여 해당 과세대상 주택의 주택분 재산세로 부과된 세액(가감조정된 세율이 적용된 경우에는 그 세율이 적용된 세액, 세부담상한을 적용받은 경우에는 그 상한을 적용받은 세액을 말한다)은 주택분 종합부동산세액에서 이를 공제한다(종합부동산세법 §9③).

주택 수의 계산

주택분 종합부동산세액을 계산할 때 적용해야 하는 주택 수는 다음에 따라 계산한다.

① 1주택을 여러 사람이 공동으로 소유한 경우 공동 소유자 각자가 그 주택을 소유한 것으로 본다. 다만, 상속을 통해 공동 소유한 주택은 과세기준일 현재 다음의 요건을 모두 갖춘 경우에만 주택 수에서 제외한다.

㉮ 주택에 대한 소유 지분율이 20퍼센트 이하일 것

㉯ 소유 지분율에 상당하는 공시가격이 3억원 이하일 것

② 다가구주택은 1주택으로 본다.

③ 합산배제 임대주택, 합산배제 사원용주택등의 주택은 주택 수에 포함하지 않는다.

질의 **비조정대상지역에서 3주택을 보유한 상태에서 1호를 임대사업자 등록 후 합산배제를 받은 후 적용할 세율은?**

답변 합산배제 주택은 세율산정 시 주택 수에 포함하지 아니하므로 비조정대상지역 2주택 소유자로 보아 일반세율을 적용한다.

질의 **부부가 조정대상지역 소재 주택 2호를 각각 50%의 지분으로 소유할 경우 주택 수 판정은 어떻게 하나요?**

답변 부부 모두 조정대상지역 2주택자에 해당합니다.

종합부동산세 세부담 상한액은 어떻게 적용하나요?

종합부동산세 세부담 상한액이란, 납세의무자가 해당연도에 납부하여야 할 주택분 재산세액 상당액과 주택분 종합부동산세액 상당액의 합계액(주택에 대한 총세액 상당액)이 해당 납세의무자에게 직전연도에 해당주택에 부과된 주택에 대하여 다음의 세부담 상한율(%)을 곱하여 계산한 금액을 초과하는 경우에는 그 초과하는 세액에 대하여는 이를 없는 것으로 본다(종합부동산세법 §10).

구분	세부담상한율(%)
2주택 이하	150
조정대상지역 2주택	300
3주택 이상	300

세부담 상한이 적용되는 주택

세부담 상한이 적용되는 주택은 해당연도의 종합부동산세 과세표준 합산의 대상이 되는 주택만 해당하며, 합산배제 임대주택, 재산세 비과세, 재산세 전액 면제 등에 의하여 종합부동산세가 과세되지 않는 주택은 포함하지 않는다(종합부동산세법 집행기준 10-5-8).

세부담 상한이 적용되는 토지

세부담 상한이 적용되는 토지는 종합부동산세 납세의무자가 해당 연도에 납부하여야 할 종합부동산세 종합합산과세대상 토지 또는 별도합산과세대상 토지의 총세액상당액(=종합(별도)합산과세대상 토지분 재산세액상당액+종합(별도)합산과세대상 토지분 종합부동산세액상당액)이 직전연도에 해당 납세의무자에게 부과된 당해 종합(별도)합산과세대상 토지분 총세액상당액의 일정비율(150%)을 초과하는 경우 그 초과하는 세액은 없는 것으로 보아 종합부동산세 결정세액을 계산한다(종합부동산세법 §15).

08

종합부동산세에 대한 세액공제는 어떻게 적용하나요?

종합부동산세액에서 공제되는 세액은 다음과 같다.

재산세액공제 제도

재산세액공제 제도는 동일재산에 대하여 재산세와 종합부동산세가 이중으로 과세되는 현상을 방지하기 위하여 종합부동산세 과세표준금액에 부과된 재산세를 납부할 종합부동산세액에서 공제함으로써 이중과세를 방지하기 위해 마련된 제도이다.

주택의 경우 공시가격 합계액에서 공제액 6억원(1세대 1주택은 9억원)을 초과하는 금액에 공정시장가액비율을 곱하여 산정한 과세표준금액에 대하여 부과된 재산세를 종합부동산세액에서 공제함으로써 이중과세를 조정한다.

1세대 1주택자에 대한 고령자세액공제

1세대 1주택자에 대한 고령자세액공제는 주택분 종합부동산세 납세의무자가 1세대 1주택자에 해당하는 경우의 주택분 종합부동산세액은 주택분 종합부동산세 산출세액에 다음 표의 연령별 공제율을 곱한 금액을 말한다. 다만, 고령자세액공제액과 장기보유세액공제액의 합이 80%를 한도로 한다.

연령	공제율
만 60세 이상 65세 미만	20%
만 65세 이상 70세 미만	30%
만 70세 이상	40%

1세대 1주택의 장기보유세액공제

1세대 1주택의 장기보유세액공제는 주택분 종합부동산세 납세의무자가 1세대 1주택자로서 해당 주택을 과세기준일 현재 5년 이상 보유한 자의 공제액은 주택분 종합부동산세 산출세액에 다음 표에 따른 보유기간별 공제율을 곱한 금액을 말한다.

보유기간*	공제율
5년 이상 10년 미만	20%
10년 이상	40%
15년 이상	50%

* 보유기간특례 : 소실 · 도괴 · 노후 등으로 인하여 멸실되어 재건축 또는 재개발하는 주택에 대하여는 그 멸실된 주택을 취득한 날부터 보유기간을 계산하고, 배우자로부터 상속받은 주택에 대하여는 피상속인이 해당 주택을 취득한 날부터 보유기간을 계산한다(종합부동산세법 시행령 §4의3). 또한, 배우자로부터 재산분할 또는 이혼위자료로 취득한 주택에 대하여는 재산분할 등으로 인한 소유권이전등기 접수일부터 보유기간을 계산한다(종합부동산세법 집행기준 4의3-2).

세부담 상한액을 초과하는 금액

종합부동산세 과세대상 유형별로 해당연도에 부과된 재산세액과 세부담 상한액을 적용 전 종합부동산세 상당액의 합계액이 전년도의 경우와 비교하여 150% 등을 초과하는 경우 그 초과액은 종합부동산세액에서 공제한다.

세부담의 상한이 적용되는 주택은 해당연도의 종합부동산세 과세표준 합산의 대상이 되는 주택만 해당하며, 합산배제 임대주택, 재산세 비과세, 재산세 전액 면제 등에 의하여 종합부동산세가 과세되지 않는 주택은 포함하지 않는다(종합부동산세법 집행기준 10-5-8).

주택분 종합부동산세 자진납부세액은 어떻게 계산하나요?

주택분 종합부동산세 자진납부세액계산은 다음과 같다.

주택분 산출세액 = 주택분 종합부동산세액 – 주택분 과세표준에 대한 재산세액

주택분 결정세액 = 주택분 산출세액 – 1세대 1주택 장기보유 · 고령자 세액공제
– 주택분세 부담상한 초과세액(= 해당연도 주택분 총세액 상당액 – 직전연도 주택분 총세액상당액 × 150%)

주택분 종합부동산세 자진납부세액 = 주택분 결정세액 + 가산세 등

10

종합부동산세의 부과 · 징수와 분납은 어떻게 납부하나요?

부과 · 징수

관할 세무서장은 과세기준일 현재 종합부동산세 납세의무자에 대하여 납부하여야 할 종합부동산세의 세액을 결정하여 당해연도 12월 1일부터 12월 15일(납부기간)까지 부과 · 징수한다(종합부동산세법 §16).

종합부동산세를 징수하고자 하는 때에는 납세고지서에 주택 및 토지로 구분한 과세표준과 세액을 기재하여 납부기간 개시 5일 전까지 발부하여야 한다. 이 경우 종합부동산세가 과세되는 경우에는 종합부동산세로 납부할 세액의 20%의 농어촌특별세도 함께 납부한다.

분납

종합부동산세로 납부하여야 할 세액이 250만원을 초과하는 경우에는 다음에 따라 그 세액의 일부를 납부기한이 경과한 날부터 2개월 이내에 분납할 수 있다(종합부동산세법 §20).

납부할 세액	분할 납부할 수 있는 세액
250만원 초과 500만원 이하	250만원을 초과하는 금액
500만원 초과	납부할 세액의 50% 이하 금액

농어촌특별세 분납

농어촌특별세는 종합부동산세의 20%이며, 분납비율에 따라 분납한다.

종합부동산세의 가산세는 어떤 것이 있나요?

종합부동산세 납세의무자가 신고 또는 납부의무를 다하지 아니하면 산출한 세액 또는 그 부족세액에 다음의 무신고가산세, 과소신고가산세, 납부불성실가산세를 납세고지서 납세자에게 징수한다.

① 무신고가산세 : 단순무신고 20%(부정무신고 40%)

② 과소신고가산세 : 단순과소신고 10%(부정과소신고 40% 등)

③ 납부불성실가산세 : 1일 1십만분의 2.5(미납부세액 및 과소납부세액의 75% 한도)

※ 제1편 "47. 양도소득세의 신고 · 납부의무를 게을리하면 어떤 가산세가 부과되나요?"(p.173 참조)

12

수정신고를 하면 일정액을 감면 받을 수 있다

법정신고기한이 경과 후 2년 이내에 「국세기본법」 제45조에 따라 수정신고한 경우에는 과세신고가산세액의 일정률(1개월 이내 90%, 1개월 초과 3개월 이내 75%, 3개월 초과 6개월 이내 50%, 6개월 초과 1년 이내 30%, 1년 초과 1년 6개월 이내 20%, 1년 6개월 초과 2년 이내 10%)에 상당하는 금액을 감면한다(국세기본법 §48①).

※ 제1편 "48. 양도소득세를 과소납부한 경우 추가납부(수정신고)는 어떻게 신고·납부하나요?"(p.178 참조)

13

기한 후 신고를 하면 감면을 적용받을 수 있다

법정신고기한 경과 후 6개월 이내에 기한 후 신고를 한 경우에는 무신고가산세액의 일정 금액(1개월 이내 50%, 1개월 초과 3개월 이내 30%, 3개월 초과 6개월 이내 20%)을 감면한다(국세기본법 §48②).

※ 제1편 "50. 양도소득세 신고를 법정신고기한까지 할 수 없는 경우에는 기한 후 신고를 할 수 있다"(p.184 참조)

| 저 | 자 | 소 | 개 |

피광준 경영지도사

- 명지대학교 경영학과 졸업
- 경희대학교 경영대학원 수료
- 경영지도사(재무회계)
- 삼화회계법인 근무(전)
- 삼덕회계법인 근무(현)

저서

- 소득세신고서작성실무(공저)
- 알기쉬운 종합부동산세 해설(공저)
- 기업회계기준해설과 세무상 논점(공저)
- 원천징수와 소득별연말정산실무(공저)
- 알기쉬운 양도소득세 해설(공저)

E-mail : pkj-2001@hanmail.net

신정기 세무사

- 고려대학교정책대학원 세정학과수료
- 국세청/서울지방국세청/세무서 등 근무
- 제33회 세무사자격시험 합격(1996년)
- 세성세무법인 한강지점 대표/세무사
- 신정기세무사사무소(2000 ~ 2019)
- 연세대학교/서울상공회의소 세법강의
- 삼일아카데미 세법강의(2000.12~2013.12)
- DUZON DIGITAL 부가가치세 강사
- 국세심사위원 역임/한국세무사회 감리위원
- 국세청장/서울지방국세청장 표창수상

논문

- 지방재정과 지방세의 관계를 논함(2001.12)
- 개인소득세론(2001.11)

저서

- 부가가치세의 이론과 실무
  (2004, 삼일인포마인)
- 부가가치세 실무(2005, 삼일인포마인)

E-mail : seetax114@gmail.com